A. Kast.

7

Horst

Kanalstraße 40
32423 Minden
Tel.: 0571 / 3 26 48

Hans Ernst

Die Lena

Der verlorene Hof

rosenheimer

Besuchen Sie uns im Internet:
www.sammelwerke.de
www.rosenheimer.com

Genehmigte Lizenzausgabe für Weltbild Sammler-Editionen
© 2003 Rosenheimer Verlagshaus GmbH & Co. KG,
Rosenheim

»Der verlorene Hof« erschien ursprünglich unter dem Titel
»Martha Kainz«
Coverkonzept: Zero Werbeagentur, München
Fotos von Michael Wolf, München (oben)
und Ernst Wrba, Sulzbach am Taunus (unten)
Bearbeitung und Lektorat:
»Die Lena«: Dr. Elisabeth Hirschberger, München
»Der verlorene Hof«: Pro libris Verlagsdienstleistungen,
Villingen-Schwenningen
Druck und Bindung: GGP Media, Pößneck
Printed in Germany

Art. Nr. 654 434 012

Hans Ernst

Die Lena

Roman

Der Frühling ist gekommen. Die Höfe und Häuser von Veilenstein verbergen sich unter den blühenden Bäumen, und wenn der Wind weht, wirbeln die weißen Blüten herunter und es sieht aus, als schneite es. Die Luft ist voll von Gerüchen und vom dumpfen Gesumme der Bienen. Besonders üppig und schön blüht der Holunder in diesem Jahr. Wie weiße Teller neigen sich die großen Blüten, die später schwarze Beeren werden, glänzenden Perlen gleich, die man zu einem köstlichen Mus verarbeiten kann. Aber wer nicht so lange warten will, der weiß auch mit den weißen Blütentellern schon etwas anzufangen, denn daraus kann man Hollerküchl backen.

Und darum steht die Maurer Lena mit der Schere unter dem großen Holunderstrauch und schneidet so viel ab, wie sie meint, dass es für eine Mittagsmahlzeit für sieben Personen reichen könnte. Eigentlich nur sechs, denn der Maurer selbst isst keine Mehlspeise. Freitags, wenn er es wegen des Fastengebots tun müsste, fängt er sich lieber eine Forelle in dem Bach, der am Hof vorbeiläuft, obwohl das Fischwasser ihm gar nicht gehört.

Der Holunderstrauch ist schon alt und hat einen Stamm, so dick wie der Kirschbaum nebenan. Man muss sich wundern, dass er noch jedes Jahr so tolle Blüten hergibt.

Unter dem Holunder steht eine Birkenbank. Es ist gut, dort zu sitzen und zu träumen oder zu schlafen, wie es sich gerade ergibt. Lena sitzt jetzt dort, als sie mit ihrer Arbeit fertig ist. Die Schüssel mit dem gebrockten Holunder steht zu ihren Füßen. Sie hat die Hände im Schoß verschlungen und schaut zu den Bergen hinauf. Es ist so friedlich und still um diese Morgenstunde. Der Himmel spannt sich wie ein blaues Seidentuch über die Zacken der Berge. Vierzehn Tage noch, denkt Lena, dann bin ich droben auf der Alm für einen ganzen langen Sommer. Zum ersten Mal zieht sie mit dem Vieh auf die Alm. Bisher werkelte da oben seit dreißig Jahren die Gertraud, aber nun ist sie schon sechzig und arg vom Rheuma geplagt, und auch sonst ist sie schon recht unsicher geworden. Es ist kein rechter Verlass mehr auf sie. Die Lena wünscht der Alten das Rheuma nicht, aber sie ist froh, dass sie nun auf die Alm darf. Eigentlich ist auch ein bisschen Glück dabei gewesen, denn es ist gelost worden, wer auf die Alm darf, sie oder ihre jüngere Schwester, die Judith. Zwei Streichhölzer hat der Vater in die Hand genommen, hat von einem das Schwefelköpfchen abgezwickt. Wer dieses zog, durfte auf die Alm. Die Lena hat das Glück gehabt und die Judith hatte ihr Streichholz wütend fortgeworfen. Das Schicksal ist ungerecht, hat sie gesagt, denn mit der Freiheit da oben hätte sie mehr anzufangen gewusst als die Lena. Die Judith ist wie ein Wirbelwind und nimmt auch die Liebe so wie den Wind, der zum Sturm werden kann oder nur lau vorbeifächelt und das Herz nicht sonderlich in Aufruhr bringt.

Die Lena ist vierundzwanzig, ein groß gewachsenes Mädel, das bisher sich selbst hat treu sein müssen, weil noch keiner gekommen ist, dem sie Treue hätte versprechen müssen. Sie ist tüchtig und umsichtig in allem, stark wie ein junger Baum und versteht es selbst nicht, warum ausgerechnet um sie die Burschen einen so weiten Bogen machen. Dabei wäre sie anschmiegsam und wäre bestimmt offen für die Liebe, wenn nur grad der Richtige käme. Ein junger Bauer, dem der Boden noch alles bedeutet, bei dem die Wurzeln nie locker werden wie zum Beispiel bei ihrer Schwester Judith, die bemüht ist, vom Bäuerlichen möglichst viel oder gar alles abzustreifen, und die andere Zukunftspläne hat, ein Beamter könnte es sein, vielleicht auch ein Oberförster oder ein Bauunternehmer. Nur kein Bauer.

Ja, so verschieden sind die Schwestern. Dabei ist die Lena nicht etwa hässlich, ein etwas derber Schlag halt, mit wenig Schwung. Ihre Nase ist leicht gebogen und es tanzen ein paar Sommersprossen darum herum. Auch auf den Oberarmen treiben sich diese braunen Pünkterl herum. Ihr Gesicht ist breitflächig, aber der Mund ist schön geschwungen und aus den hellen Augen strahlen Lebensfreude und ein heiteres Wesen.

Es ist schön warm um diese Stunde. Die Lena zieht den Rock hoch bis über die Knie. Es sind feste Knie und stramme Waden. Aber die jungen Burschen schielen nicht mehr so sehr nach festen Knien und strammen Waden. Sie sind vom Zeitgeist ein bisschen verwöhnt und lieben mehr die feineren Formen und wissen auch mit einem Wesen wie dem von der Lena nicht viel anzufangen.

Vom langen Schauen in die Sonne brennen der Lena jetzt die Augen. Sie wischt sich mit dem Handrücken darüber. Jetzt ist der Blick wieder frei, und sie sieht die Höfe auf den Hängen. Drüben rechts steht der Riederhof auf einer sanften Höhe. Vor drei Jahren abgebrannt, steht er nun wieder breit und mächtig da, mit einem großen Vorplatz und Lüftlmalereien zwischen den Fensterstöcken. Dagegen ist der Maurerhof beinahe ein Zwerg mit seinen kleinen Fenstern unter dem niederen, weit herabgezogenen Dach.

Germ heißt die Einöde da oben beim Riederer und der Hofsohn ist der Tobias. Als im Fasching das Kränzchen beim Postwirt war, hat sie ein paarmal mit ihm getanzt. Und das ist jedesmal eine Leidenstour gewesen, denn der Tobias kann nicht tanzen. Er ist wie ein Eichenschrank, schwerfällig wie ein belgisches Bräuross. Immer wieder ist er auf ihren Füßen gestanden, er hat keinem Rhythmus nachgegeben und es ist ihr, die sonst gut und leichtfüßig tanzt, nicht möglich gewesen, ihn zu führen. Und während des Tanzes hat er ihr freudetrunken erzählt, dass die »Suggi« zwei Kälber geboren und eine Sau zwölf Ferkel geworfen hätte. Andere Burschen sind mit ihren Tänzerinnen in die Gaststube hinuntergegangen und haben sich einen Braten vorsetzen lassen. Der Tobias aber hat nur zwei Paar Wiener Würstl gekauft. Bei der Schänke hinten sind sie gestanden und er hat sie ein paarmal abbeißen lassen.

»Essen tut man am gescheitesten daheim, ned in der Wirtschaft«, hat er gesagt. »In der Wirtschaft ist alles so teuer.«

Aber sonst, sonst ist er ein guter Kerl, auch wenn er nicht viel redet. Auf dem Heimweg wird er schon mehr reden, hat sie gedacht. Sie wollte ihm noch einen Glühwein vorsetzen, etwas Weihnachtsgebäck war auch noch da und sie würden miteinander noch ein wenig auf der Ofenbank sitzen, vielleicht ging er dann mehr aus sich heraus als hier unten den vielen Leuten.

Aber Tobias war gar nicht mit hineingegangen. Er stampfte mit den Füßen, weil ihm die Zehen froren, aber er ging nicht in die warme Stube.

»Ich geh lieber heim«, hatte er gesagt. »Morgen Früh muss ich zeitig ins Holz.«

Dann hatte er seinen mächtigen Arm um sie gelegt und sie zu sich hergezogen an seine Brust. »Ich komm ein andermal«, hat er gesagt. Aber gekommen ist er bis heute nicht. Und so hofft nun die Lena, dass er übermorgen zum Maitanz herunterkommen wird. Sie will sich dann gern wieder auf die Zehen treten lassen und von sich aus ein bisschen rühriger sein, wenn er schon nicht den Mut hat.

Nein, sie sind nimmer zusammengetroffen. Höchstens, dass sie ihn einmal nach dem Hochamt gesehen hat, wenn er mit den anderen Burschen im Wirtsgarten gestanden ist. Dann hat er wohl hergenickt zu ihr und manchmal auch ein Lächeln gezeigt, aber sonst kam nichts, kein Augenzwinkern oder ein heimliches Winken mit der Hand.

Immer höher steigt die Sonne. Auf den Höfen klingeln die Dengelhämmer, sie klingeln schnell durcheinander, wirken wir ein Gesang, ein helles Lied im Frühlingswind, in das sich plötzlich leises Räderknirschen mengt, denn auf dem Sträßlein schiebt der Wegmacher Stelzl seine querschnittgelähmte Tochter Kordula in dem messingglänzenden Wägelchen nach Hause.

Auf einmal erschrickt Lena. Aus dem Bach springt eine Forelle hoch und zappelt an der Angelschnur. Das macht der Maurer ganz raffiniert. Er steckt einen Stecken ins Gras am Ufer, bindet eine Schnur mit einem Angelhaken daran und wirft die Schnur dann ins Wasser.

»Vater«, schreit die Lena in den Hof hinüber.

Der Maurer, ein gedrungen gewachsener Bauer, legt den Dengelhammer weg und kommt zur Holunderstaude. Die Lena deutet auf die springende Forelle.

Wortlos zieht der Maurer an der Schnur, wirft die Forelle ins Gras und zieht sein Messer mit dem schweren Hirschhorngriff. Ein gezielter Schlag, die Forelle rührt sich nicht mehr.

»Höchstens zwei Pfund«, sagt er. Er macht einen langen Schnitt in den Fischleib, zieht mit dem Zeigefinger die Gedärme heraus und wirft sie in den Bach zurück. Dann richtet er sich auf und schiebt sein Hütl aus der Stirn.

»Da schreist du nach mir!«, sagt er. »Das dürftest jetzt schön langsam selber können, eine Forelle aufmachen. Da ist doch nix dabei!«

»Nein! Nie!«

»Du wirst es schon noch lernen.«

»Aber nicht bei gestohl'nen Forellen!«

Der Maurer lacht gutmütig und reinigt die blutigen Hände mit einem Grasbüschl.

»Was heißt da gestohlen? Läuft der Bach ned durch unsern Hof? Soll ich da erst um Erlaubnis fragen? Wer lang fragt, geht lang irr.«

»Du machst dir's leicht, Vater.«

»Ist vielleicht ned alles andere schwer genug im Leben?«

Vom Hof herüber kommt die schrille Stimme der Maurerin: »Lena, wo bleibst du denn mit dem Holler?«

Die Lena packt die Schüssel mit dem Holler. Der Maurer wirft die Forelle noch dazu und sagt:

»Blau mag ich sie heut.«

»Ned backen wie sonst, Vater?«

»Nein, heut mag ich sie blau, mit Salzkartoffeln.«

9

Die Maurerin sitzt in der Küche auf der Fensterbank, hat ein Butterfass vor sich auf einem Schemel und dreht die Kurbel. Ein Büschel dunklen Haares fällt ihr in die Stirn.

Die Sonne scheint warm durch das Fenster und liegt voll auf dem Gesicht der Bäuerin, das in jungen Jahren so ausgesehen haben könnte wie heute das der Lena.

»Braucht man denn zum Holunderbrocken so lang?«, fragt sie mit leisem Vorwurf.

»Ich bin noch ein bissl auf dem Bankerl gesessen.«

»Ja, zum Umeinandersitzen haben wir grad Zeit! Und Forellen hast auch wieder? Bis sie ihn einmal erwischen!«

»Heut mag er sie blau«, antwortet Lena.

»Dann putz sie nur gleich und stell Salzkartoffeln auf.« Die Maurerin dreht und dreht, hebt einmal den Deckel vom Rührfass und schaut hinein. »Heut braucht sie wieder lang, bis sie z'sammgeht, die Butter. Was ich noch fragen möcht. Wo ist denn das Wochenblatt wieder hinkommen? Ich hab den Roman noch ned gelesen.«

»In meiner Kammer hab ich es.«

»Dann geh hinauf und hol es. Bei uns geht's schon zu! Entweder nimmt der Vater es mit aufs Häusl oder du ziehst es in deine Kammer hoch! Die letzte Nummer hab ich auch ned erwischt, jetzt weiß ich überhaupt nimmer den Zusammenhang.«

»Die Haberbauern-Nandl kriegt ein Kind vom Holzer Anderl und jetzt wollen sie des Madl daheim aushaun«, weiß die Lena zu erzählen.

»Hat er sie doch rumkriegt, der Anderl! Ah, da schau her! Ist sie ihm doch reing'fallen auf seine Sprüch! Und wie geht's weiter?«

»Das weiß ich ned, Mutter. Immer wenn's interessant wird, dann heißt es: Fortsetzung folgt.«

»Man müsst sich halt gleich des ganze Büchl kaufen, dann brauchet man ned warten. Geh jetzt und hol mir die Zeitung.«

Beim Maurer geht man nicht vom Flur aus in das obere Stockwerk, sondern auf einer breiten Stiege im hinteren Teil

der großen Stube. Das Geländer ist aus gediegenem Schmie-
deeisen, mit schönen Verzierungen, ein Kunstwerk, das je-
dermann bestaunt, der in die Stube kommt. Vom gleichen
Kunstschmied sind auch die Grabkreuze auf dem Friedhof.

Lenas Schlafkammer, die sie mit der Judith teilt, ist niedrig
und mit einer Holzdecke versehen. Zwischen den beiden Betten mit dem blau gewürfelten Bettzeug steht ein breiter, blau
bemalter Bauernschrank. Ein paar Stühle, in der Ecke eine
Truhe und daneben auf dem Boden eine große irdene Schale
mit den Erntegaben vom vorigen Sommer: ein paar Weizen-
halme, Roggen, Hafer und Gerste. Das Fenster ist sehr klein.
Daneben führt eine Tür, die weit offen steht, auf den Balkon
hinaus. Von dort aus sieht man genau auf die Kirchturmuhr
unter dem Satteldach. Aus den Kaminen der Bauernhäuser
steigt überall Rauch auf. Vor dem Lagerhaus steht ein Bau-
ernfuhrwerk, mit zwei schweren Apfelschimmeln bespannt.
Ein Bursche lädt Säcke auf und Lena streckt sich und hustet
ein paarmal. Vielleicht schaut Tobias doch herüber. Es reißt
ihn auch tatsächlich und er hebt den Kopf und dann die Hand.
Für Lena ist dies schon etwas wie ein kleines Glück. Sie ist
verwirrt davon und erwacht erst wieder, als die Mutter mit
einem Besenstiel gegen die Decke klopft.

Die Maurerin vertieft sich sofort in den Roman, und während sie die Kurbel dreht, laufen ihr dicke Tränen über die
Wangen. Lena wäscht jetzt den Holunder. Dann rührt sie den
dünnen Teig an und wirft einen Brocken Schmalz in die Pfanne. Bis dies zu brodeln und zu zischen beginnt, richtet sie den
Sud für die Forelle her. Als es dann soweit ist, taucht sie die
Holunderblüten in den Teig und legt eine nach der anderen in
das zischende Fett. In wenigen Minuten ist alles goldgelb ge-
backen. Die Hollerküchl sind fertig. Dazu gibt es kaltes Apfel-
mus, und als es dann auf dem Kirchturm elf Uhr schlägt, geht
die Maurerin in den Flur hinaus und zieht die Dachglocke,
denn um elf Uhr wird in den meisten Bauernhäusern zu Mittag gegessen.

Nacheinander kommen sie alle in die Stube, der Knecht
Florian mit seinem Klumpfuß, die Magd Gertraud, der Mau-

11

rer selbst, dann die Judith und zum Schluss Kilian, der so hellhaarig und blauäugig ist wie seine Schwester Judith und ihr auch sonst so ähnlich sieht, dass man meinen könnte, sie wären Zwillinge.

Der Maurer spricht das Tischgebet. »Segne, Herr, was du uns gibst …« Und er denkt dabei, dass der liebe Gott in seiner unendlichen Güte schon so großzügig sein wird, auch die Forelle zu segnen, wenngleich sie »gestohlen« ist, wie die Lena vorhin gesagt hat.

Am ersten Mai regnete es am Morgen noch einem nächtlichen Gewitter nach und man fürchtete schon, dass der Maitanz im Saal stattfinden müsse. Aber während des Hochamtes steigt die Sonne herauf und verheißt einen schönen Tag.

Im großen Wirtsgarten ist ein Tanzpodium aufgestellt, Tische und Bänke stehen darum herum, bis tief in den Garten hinein. Vor dem Wirtshaus steht, hoch und weißblau geschmückt, der Maibaum. Seine Bänder flattern lustig im Wind und alles ist voller Freude.

Um zwei Uhr soll die Gaudi losgehen. Um eins stehen Lena und ihre Schwester Judith in ihrer Kammer und richten sich her. Die Dirndlkleider sind neu und erst zu Ostern von der Störnäherin Krügler geschneidert worden, ein dunkler Faltenrock, weiße Strümpfe dazu, das Leibchen, am Hals ziemlich weit ausgeschnitten – darauf hat Judith gedrängt –, ist aus lila Samt mit Silberknöpfen daran.

Die Judith steckt sich sechs Silbernadeln in die Haarkrone und dreht sich vor dem Spiegel. Obwohl die Kleider gleich sind, Judith weiß das ihre besser zu tragen, es fließt nieder, ist an den Hüften eng und um die Brust herum straff anliegend. Ihr Gesicht ist von makelloser Schönheit. Sie lacht in den Spiegel, betrachtet ihre Zähne und nickt. Dann zupft sie an den Schläfen noch ein paar Löckchen herunter und denkt, dass sie jetzt nichts mehr tun kann, um ihr gutes Aussehen noch zu steigern. Nur die schwere Halskette mit der Goldbrosche muss sie noch anlegen.

Die Lena steht abseits und nestelt verdrossen an ihrem

Spenzer herum. Sie bringt nur mühsam die Knöpfe ein und klagt:

»Entweder hat die Krüglerin 's Maß ned gescheit genommen, oder ich bin seit Ostern dicker geworden.«

»Geh her, ich helf dir«, sagt die Judith lachend. »Du bist es bloß ned gewohnt, wenn etwas straff sitzt.«

»Ja, und da schau her, an meinen Armen die Sommersprossen! Wär doch gescheiter gewesen, ich hätt mir lange Ärmel machen lassen.«

»A geh! Die tun dir ja ned weh, und überhaupt, der Wegmacher hat mir einmal gesagt, da muss man bloß einmal eine Schnecke drüberlaufen lassen.«

»Eine Schnecke? Brrrr!«

»Ja, oder du schaust bei zunehmendem Mond in den Himmel hinauf und sagst dreimal hintereinander: Geht weg von mir, fliegt woanders hin.«

»Schmarren! Wer hat dir denn so was erzählt.«

»Das weiß ich nimmer. Übrigens, Lena, mich täten die paar Sommersprossen überhaupt ned stören!«

»Ja, dich! Bei dir ist's ja gleich! Auf dich fliegen die Mannsbilder sowieso! Aber bei mir, ich weiß ned, was das ist, Judith. Bei mir beißt halt keiner an. Der, den ich möcht, schon gleich gar ned.«

»Ah, da schau her! Du hast Geheimnisse? Was wär denn dann das für einer?«

»Ich mag's ned gern sagen, weil ich mir ned ganz sicher bin, ob ihm an mir was liegt. Aber trotzdem, vorgestern hat er mir vom Lagerhaus rüber zugelacht und hat gewunken.«

»Sag mir's halt! Der Gruber Martl?«

»Nein, der Riederer Tobias.«

»Was? Der?« Die Judith stemmt beide Fäuste in die Hüften und lacht. »Der bringt ja den Mund ned auf!«

»Viel redet er ned, aber ich mag ihn halt.«

»Dann musst halt du mehr reden! Wär doch gelacht, wenn man den Stoffl ned aufwecken könnt!«

»Ja, wenn ich so ausschauet wie du, dann tät ich mich auch leichter in allem.«

Die Judith verschränkt beide Arme über der Brust und betrachtet die Schwester von oben bis unten. Dann stellt sie fest:

»Du sagst immer du wärst so dick. So schlimm ist ja das gar ned. Du bist ja groß, größer als ich. Mach dir doch auch eine Frisur wie ich. Dein Haarschopf hinten schaut grad so aus, als wenn dir jemand einen Leberknödl ins Genick geworfen hätt.«

»Meinst?«

»Ja, komm, probiern wir's einmal!«

Und die Judith bemüht sich, der Schwester eine neue Frisur zu zaubern, und lacht froh dabei, weil es ihr gut gelingt. Im Grunde genommen hat sie ja ihre Schwester gern und sie denkt, während sie die Silbernadeln einsteckt: Ich werde mich in Zukunft ein bissl besser um sie kümmern. Sie ist ja schließlich auch eine Maurertochter und braucht sich vor niemandem zu verstecken. Der Lena fehlt ganz einfach das Selbstbewusstsein. Der Stoffl vom Riederhof da oben sollte eigentlich froh sein, wenn sie ihn mag.

Nun sind sie fertig und gehen hinunter. Lenas Gesicht wirkt mit der neuen Frisur ganz anders, und es ist ihr wohl ums Herz, weil sie sich irgendwie verändert fühlt, nicht nur äußerlich, auch innerlich ist sie von Zuversicht erfüllt.

Der Vater sitzt auf der Hausbank und raucht die halblange Pfeife. Sein Gesicht ist schon braun gebrannt von der Frühlingssonne, und wie er dasitzt im Frieden der Mittagstille, in den weißen Hemdsärmeln und der Plüschweste mit den großen Talerknöpfen, sieht er genau so aus, wie man sich einen Bauern vorstellt.

»Seid ihr soweit?« Mit Wohlgefallen betrachtet er seine Töchter.

»Ja, Vater, jetzt gehen wir.«

»Um fünf muss aber eine zum Melken heimkommen.«

»Aber wer denn?«, fragt die Judith.

»Müsst ihr halt wieder Steckerl ziehen!«

»Da brauchen wir gar nimmer Steckerl ziehen. Ich komm schon heim«, erbietet sich die Lena.

Dann gehen sie fort, Arm in Arm, und als sie im Wirtsgarten ankommen, herrscht dort bereits reger Betrieb, wenn die Musik auch noch nicht angefangen hat zu spielen, aber die Männer packen bereits die Instrumente aus.

»Da geht's her!«, schreit der Kilian ihnen entgegen, der bereits mit der Hierlinger Agnes hinter einem Maßkrug sitzt. Die beiden gehen seit dem Kirchweihball im Herbst fest miteinander. Und das will beim Kilian schon etwas heißen, denn er ist vorher wie ein Falter von einer Blume zur anderen geflattert. Dieses zierliche Geschöpf aber hat ihm das Flattern abgewöhnt. Der Kilian versteht es ja selbst nicht, aber er ist diesem Kleinhäuslermädel in so tiefer Liebe zugetan, dass ihn keine andere mehr interessiert. Die Agnes ist so anschmiegsam und sie lacht ganz tief aus der Kehle heraus.

Der Kilian schaut seine Schwester Lena an, als sähe er sie zum ersten Mal.

»Wie hast denn du dich heut rausgemacht?«

Die Lena lacht und antwortet: »Die Judith hat mich so z'sammgerichtet.«

»Steht dir aber gut, gell, Agnes?«

Und dann ist es soweit. Die Musiker setzen die Instrumente an die Lippen, der Maitanz wird eröffnet durch die Schuhplattlergruppe des Trachtenvereins »Almröserl«, dem auch Kilian angehört. Gleich beim ersten Tanz wird auch Judith geholt, und zwar von dem neu ins Forstamt versetzten Forstreferendar, der nach einem Jahr vielleicht schon Forstassessor sein wird, die letzte Stufe sozusagen vor dem Förster. Ein Beamter also, eine feste Stütze für eine Frau, die ihn anhimmelt und ihm ganz offen zeigt, dass er ihr begehrenswert erscheint. Dieser Manfred Büchner passt nicht so recht unter die bodenständigen Bauernburschen. Er ist eleganter als sie, trägt einen Steyreranzug aus feinstem Loden, ein weißes Seidenhemd mit einer himmelblauen Krawatte und hat andere Umgangsformen. Er winkt nicht mit dem Finger, wie die anderen, wenn sie mit einer tanzen wollen und die Betreffende nicht in ihrer Nähe sitzt. »Darf ich Sie bitten, Fräulein Judith«, hatte er gesagt und sich vor ihr verbeugt.

Dienstlich hat er einmal auf dem Maurerhof zu tun gehabt wegen eines Waldstücks und dabei haben der junge Forstmann und die Judith sich zum ersten Mal gesehen. Vor vierzehn Tagen hat sie dann einen Brief bekommen. Einen dienstlichen Briefbogen vom Forstamt, aber mit der Hand geschrieben. Sie habe einen unauslöschbaren Eindruck auf ihn gemacht, und ob er vielleicht hoffen dürfe, dass sie zum Maitanz komme. Unterzeichnet ist dann der Brief gewesen mit: »Ihr Sie sehr verehrender Manfred Büchner.«

Und nun tanzen der junge Forstmann und sein »unauslöschbarer Eindruck« diesen ersten Tanz, einen Walzer. Seine Arme halten sie zart umfangen. Sie ist etwas kleiner als er und wagt kaum, zu ihm aufzuschauen, sie lächelt nur glückselig, als er sagt:

»Ich danke Ihnen, dass Sie gekommen sind.«

»Ich hab doch kommen müssen, weil du – weil Sie mir doch geschrieben haben.«

Nun hört sie ihn zum ersten Mal lachen und sie spürt den leisen Druck zwischen ihren Schulterblättern.

»Können wir nicht beim Du bleiben?«

»Ja, gern«, flüsterte sie.

Er gefällt ihr, denn er sieht gut aus. Und es gefällt ihr noch mehr, was er redet. Nicht den üblichen Unsinn, den sie sonst beim Tanz in die Ohren geflüstert bekommt. Nein, er redet davon, dass er oft sehr einsam sei und dass er ein Mädchen gesucht habe wie sie, die ganz seinen Vorstellungen entspreche. Seit er sie das erste Mal gesehen habe, hätte er viel an sie denken müssen, und darum habe er ihr auch den Brief geschrieben. Leider habe er vergebens auf Antwort gewartet.

»Mit dem Schreiben hab ich's halt ned recht«, meinte die Judith.

»Macht nichts, du kannst mir alles sagen. Ich meine es ehrlich, Judith.«

Das Blut strömt ihr zu Kopf, sie hört ihr Herz bis zum Hals hinauf schlagen. Und sie lehnt den Kopf an seine Brust.

Kilian tanzt mit seiner Agnes an ihr vorüber und blinzelt

16

ihr zu, als wolle er sagen: Den musst du dir warmhalten, Schwester.

Die Blechmusik schmettert, die Bretter des Podiums ächzen, die Menschen stampfen, juchzen und lachen. Nur die Maurer Lena sitzt noch allein vor dem Maßkrug, mit einem Herzen, das von Trauer und Wehmut umschattet ist. Sieht denn keiner, wie ihre Füße unter der Bank im Walzertakt tänzeln? Sieht denn keiner ihre neue Frisur und das schöne Dirndl? Ja doch, so im Vorübertanzen sieht es dieser und jener und denkt sich: Ist denn das die Lena? Beim nächsten Tanz werd ich sie holen. Sie schaut wahrhaftig nicht aus wie ein Mauerblümchen.

Da leuchtet es plötzlich in ihren Augen auf, sie sieht den Riederer Tobias zwischen den zwei Kastanienbäumen stehen. Bei seiner Größe ist er ja nicht zu übersehen. Die Hände tief in die Taschen seiner Bundlederhose vergraben, den Hut weit in die Stirn hineingezogen, steht er da und schaut umher, bis er sie plötzlich entdeckt. Und er lacht sie an. Schaut doch, Tobias kann lachen und seine großen Zähne zeigen! Kein Zweifel, es ist Freude, was sich da in seinem hageren Gesicht zeigt.

Lena hebt die Hand und winkt. Da kommt er schnurstracks auf sie zu, hebt zuerst das eine Bein über die Bank und dann das andere und sitzt neben ihr.

»Bei uns hat grad noch eine Kuh gekalbt, drum hab ich ned eher weg können.«

»Grüß dich, Tobias.«

»Ah so, ja, grüß dich, Lena.« Er dreht den Kopf nach ihr. »Du schaust heut ganz anders aus.«

Es freut sie, dass er die Veränderung bemerkt. Sie schiebt ihm den Maßkrug hin. »Magst trinken, Tobias?«

Er nimmt den Krug und trinkt ihn mit einem Zug leer.

»Hab ich jetzt einen Durst gehabt! Kellnerin, noch eine Maß. Sonst heißt's gleich, ich trink anderen Leut 's Bier weg.«

»Es ist dir ja vergönnt, Tobias. Nix ist ärger, als wenn der Mensch einen Durst hat. Ich freu mich, dass du kommen bist, Tobias.«

»Ich freu mich auch, dass ich dich wiederseh. Tanzen wir später?«

»Gern, Tobias. Wie ist's dir denn die ganze Zeit gegangen?«

»No ja, Arbeit halt, nix wie Arbeit. Aber heut hab ich mir denkt, gehst wieder einmal unter die Leut.«

»Das war ein guter Gedanke, Tobias. Ich hab viel an dich denkt.«

»Ah geh, warum denn das?«

»Wenn ich das wüsst, Tobias! Beim Faschingskranzl hast gesagt, du kommst bald einmal, aber kommen bist ned.«

»Ich hab's versprochen und jetzt bin ich ja da.«

Ja, jetzt ist er da, gibt aber nicht zu, dass er ihretwegen gekommen bist, wenn ihm auch auffällt, dass mit der Lena eine Veränderung vor sich gegangen ist. Es ist ja nicht die Frisur allein, in ihrem Gesicht glüht die Freude, ihr Mund ist so weich und zärtlich. Er wiederholt, was er vorher schon gesagt hat:

»Du schaust heut ganz anders aus, Lena.«

»So? Wie denn?«

»Ich weiß ned. Grad wie eine Holunderblüt.«

Das stimmt zwar nicht, denn eine Holunderblüt ist weiß, ihr Gesicht aber ist von gesunder Röte, doch die Lena freut sich.

Da kommen die anderen vom Tanz zurück und dem Tobias ist das gar nicht recht. Es wäre lieber mit der Lena allein geblieben, zumal es schwer ist, Kilians Spott ruhig zu ertragen. Dem springt es gleich lachend über die Lippen:

»Ja, wen seh ich denn da? Hast du auch einmal fortgehen dürfen, Tobias?«

»Was heißt dürfen!«, gibt der Tobias gereizt zurück. »Ich geh, wann ich mag, und du brauchst mich gar ned so schwach anreden!«

Schon spürt er Lenas Hand auf seinem Arm.

»Der Kilian hat's ned so gemeint.«

»Ah woher denn!« Kilian streckt den Arm weit aus, dass die Kellnerin mit ihren zwölf vollen Maßkrügen nicht vorbei kann. »Dablieben, Rosa! Und gleich drei Maß bei uns abladen! – Da hast auch gleich dein Geld!«

»Ich zahl mir mein Bier schon selber«, sagt Tobias mürrisch.

»Du kommst danach dran. Brauchst ned meinen, dass du verschont wirst! Und du auch ned. Wie heißt jetzt du gleich wieder?«

»Manfred«, sagte der Forstreferendar.

»Also dann prost miteinander. Prost, Fredl!«

Dieser Kilian ist schon ein Teufelskerl. Und genieren tut er sich überhaupt nicht. Vor allen Leuten busselt er seine Agnes ab und drückt das sich sträubende Mädl fest an sich. »Spreiz dich ned, Dirndl! Die, wo da hergaffen, sind uns ja bloß neidisch. Sie mögen's auch. Aber sie mögen's halt bloß bei der Nacht und mir traun uns beim Tag.«

Alle lachen. Nur der Riederer Tobias verzieht keine Miene. Bolzensteif sitzt er da, schaut in das Menschengewühl und dann wieder zum blauen Himmel hinauf. Als die Musik wieder zu spielen anfängt, steht er sofort auf und fasst die Lena bei der Hand.

»Komm, jetzt wird getanzt.«

Die Lena macht sich darauf gefasst, dass ihr nun wieder auf die Zehen getreten wird. Doch zu ihrer größten Überraschung tanzt Tobias ganz leidlich. Sofort regt sich Eifersucht in ihr.

»Wer hat denn dir in der Zwischenzeit 's Tanzen beigebracht?«

»Selber hab ich's mir beigebracht.«

»Ja, wie denn?«

»In der Tenne droben hab ich's so lang mit einem Besen probiert, bis ich gemeint hab, jetzt geht's.«

»Und gut geht's, Tobias!«

Jede Tour will er jetzt mit ihr tanzen, bis die Lena beim fünften Walzer sagt:

»Eigentlich müsstest jetzt schon einmal mit den anderen zwei auch tanzen, wenn sie schon bei uns am Tisch sitzen.«

»Warum denn das?«, fragt Tobias verständnislos.

»Weil des der Anstand verlangt.«

Darüber hat Tobias so angestrengt nachzudenken, dass er aus dem Takt kommt und der Lena zum ersten Mal auf die Zehen tritt. Danach meint er:

»Das versteh ich ned. Mit der Judith, da lass ich's mir noch eingehen. Aber die andere ist doch bloß ein Kleinhäuslerdirndl.«

»Ja und?« Mit einem Ruck bleibt die Lena stehen. »Meinst, dass dir eine Perle aus deiner Krone fällt, wenn –«

Erschrocken schaut Tobias um sich, ob das jemand gehört habe. »Schrei doch ned so, Lena!«

»Ist ja auch wahr!«, grollt die Lena im Weitertanzen etwas leiser. »Du musst dir ned einbilden, weil du vom reichen Riederer bist, sind andere weniger wert.«

Tobias kennt sich nicht mehr aus. Das hat ihm doch noch niemand gesagt. Und ausgerechnet die Lena sagt ihm das, die in seinem Herzen etwas angerührt hat, das ihm bisher fremd gewesen ist. Aber es ist nicht so, dass es ihn verletzt hätte, im Gegenteil, es beeindruckt ihn irgendwie, auch wenn das in krassem Gegensatz zur Meinung seines Vaters steht, der einer Frau überhaupt keine Rechte zubilligt. Der alte Riederer verweist immer auf die Bibel, in der es heißt, dass die Frau dem Mann untertan sein soll. Darum wahrscheinlich hat noch niemand die Riederin lachen sehen. Das Kind solcher Ehe kann wohl kaum anders sein, als der Tobias es ist. Und darum stößt selbst die Lena mit ihrer Ansicht wie gegen eine Bretterwand. Holz aber gibt nach, wenn man dauernd daran stößt. Zement wäre schlimmer, da müsste man schon mit einem Rammbock kommen. Aber aus Zement ist Tobias nicht, das hat Lena schon gemerkt, denn er bedauert es heftig, als sie gegen fünf Uhr sagt, sie müsse jetzt zum Melken heimgehen.

»Kommst aber wieder?«

»Freilich komm ich wieder.«

Ganz verlassen sitzt er dann da und spürt zum ersten Mal eine ganz tiefe Einsamkeit. Es ist plötzlich so leer in ihm und das Gelächter um ihn herum trifft ihn wie Hagelkörner. Es gelingt auch den anderen am Tisch nicht, ihn in ihre Fröhlichkeit einzubeziehen. Dabei ist der Kilian aufgezogen wie eine Spieluhr, spielt voreilig Schicksal und nennt den Forstreferendar seinen zukünftigen lieben Schwager, was ihm aber unterm Tisch einen Fußtritt der Judith einbringt. Doch der Kilian ist nun einmal in seinem Element:

»Was stößt mich denn, Schwester? Ich hab doch nix Unrechtes gesagt! Euch zwei können doch die Tauben ned schöner z'sammtragen, wo du immer sagst, dass du keine Bäuerin werden möchtest.« Dann dreht er sich um und schaut den Tobias an: »Bei dir, Tobias, weiß man ned, was du willst. Lass doch dei Letschn ned so hängen! Die Lena kommt schon wieder.« Dann schlingt er den Arm wieder um die Agnes. »Gell, Schnackerl, wir zwei wissen schon, was wir wollen! Du wirst meine Maurerbäuerin, und wenn der Vater auf'n Baum hinaufkraxelt vor lauter Wut!«

»Ja, Kilian, aber trink ned so viel.«

»Ah geh, die paar Tropfen Bier! In der Pause essen wir was, dann hat das Bier eine gute Unterlag. Heut kaufen wir uns einen Nierenbraten oder eine gefüllte Kalbsbrust.«

Auf einmal sieht der Kilian den Wegmacher Sebastian Stelzl ganz hinten unter den Kastanienbäumen sitzen, neben ihm seine junge Tochter Kordula im Rollstuhl. Sofort steht der Kilian auf und geht mit seinem halbvollem Maßkrug zu ihnen.

»Wastl, du musst dich mit deinem Dirndl zu uns setzen. Da hinten seht ihr ja zu wenig.«

Der Wegmacher schiebt das Steinklopferhütl ein wenig aus der Stirn und neigt sich zu seiner Tochter hinüber.

»Wir sehen von hier genug, gell, Kordula?«

»Ja, Vater. Und es ist alles so schön.«

»Da, trink, Stelzlvater.« Kilian setzt sich neben die Querschnittgelähmte und fasst nach einem der blonden Zöpfe, die dem Mädel weit über die Brust hängen. Ganz zart macht er das eine Zeit lang und lässt dann die Hand auf die Lehne des Rollstuhls fallen.

Siebzehn Jahre ist die Kordula alt und der Kilian ist der Prinz, von dem sie träumt, weil er der einzige von den Burschen ist, der sich zu ihrer geschlagenen Jugend niederbeugt und immer ein gütiges Wort für sie hat, ohne dass es wie Barmherzigkeit oder gar Mitleid aussieht. Er war auch der Einzige, der sie im Krankenhaus besucht hat nach dem Unglück, als sie dem Haslingerbauern bei der Heuernte hat helfen wollen und dann beim Heueintreten hoch droben unter dem glühendheißen Dach ins Torkeln geraten und über den Heustock auf den harten Tennenboden gestürzt war. Kilian ist damals wegen einer Blinddarmoperation auch im Krankenhaus gelegen und hat dann die Kordula in ihrem Zimmer, das sie mit sieben anderen hatte teilen müssen, fast täglich aufgesucht, hatte an ihrem Bett gesessen und ihr Trost zugesprochen. Das war vor drei Jahren, kurz bevor er hatte einrücken müssen. Auch danach, als die Kordula querschnittgelähmt heimgekommen ist, hat er öfter einmal im Wegmacherhäusl vorbeigeschaut, hat Kleinigkeiten mitgebracht, ein Stück Rauchfleisch etwa, ein Stück Butter und manchmal auch einen Rehschlegel. Sie haben es wohl brauchen können, denn die Wegmacherin war gestorben, der Wegmacher seit drei Jahren in Rente. Und wenn dieser blondschopfige, lebenslustige Bauernbursch Kilian in die Stube trat, dann war es für Kordula jedesmal, als brächte er eine ganze Menge Sonnenstrahlen mit herein. Ach ja, so ist es halt gekommen, dass neben Kordulas Dankbarkeit eine grenzenlose Verehrung für den Kilian mitwuchs, aus der schließlich eine allesverzehrende Liebe wurde, die aber verschwiegen werden musste für alle Zeit. Wenn es nur nicht so schwer wäre! Die Hände kann sie gebrauchen und der Geist ist hellwach. Und ihr Herz schlägt wie bei anderen jungen Menschen, fühlt so und spürt das Aufblühen, wenn der Kilian sie nur berührt. Ach, sie hätte so gern sein Gesicht streicheln mögen. So aber muss sie, auf alles verzichtend, in ihrem Rollstuhl sitzen und wunden Herzens zusehen, wenn sich alle da vorn auf dem Podium im Tanze wiegen.

Aber, wie schön, jetzt sitzt er bei ihr, lacht sie an, lässt sie von seinem Bier trinken und fragt sie, ob sie etwas essen wolle. Sie schüttelt den Kopf und sieht ihn nur immerzu an.

»Wenn du grad wieder einmal einen Aufbruch hättest«, sagt der Alte und zwinkert mit dem linken Auge.

Kilian wiegt den Kopf hin und her. »Muss schier warten jetzt, bis Schusszeit ist, sonst fällt es so leicht auf.«

»War bloß eine Frag. Verhungern tun wir deswegen noch lang ned.«

Eine Weile bleibt der Kilian bei den beiden sitzen, bis die Musik Pause macht und die meisten in die Gaststube drängen, um ein Schnitzel oder einen Schweinsbraten zu essen.

Tobias aber bleibt sitzen. In der Wirtschaft essen, das ging ihm grad noch ab! Er hat ein Geselchtes in der einen Jackentasche, in der anderen einen Scherz Bauernbrot. Er will jetzt nur noch warten, bis die Lena zurückkommt, dann kann sie mithalten, falls sie nicht daheim etwas gegessen hat.

Die Pause ist im Einvernehmen mit dem Pfarrer so gelegt worden, dass er seine Maiandacht halten kann. Die erste in diesem Jahr. Das Glöcklein im Sattelturm ruft dazu. Aus den Bauernhäusern trippeln ein paar alte Frauen und hasten der Kirche zu. Auch im Wirtsgarten erhebt sich eine Anzahl. Es hat halt jeder sein Packerl Sorgen, seine Ängste und Nöte oder seine verborgenen Sünden, die er auf der harten Betbank abbüßen möchte.

Ganz still, fast unmerklich, hat sich der Abend über das Dorf gesenkt. Zuerst waren ein paar Wolken da, die an ihren westlichen Rändern schimmerten, ganz hellrot, wie Heckenrosen. Dann ist leises Windrauschen da und lässt die Blätter an den Bäumen flüstern. Auch die großen Kastanienblüten wiegen sich leicht.

Aus der offen stehenden Kirchentür hört man Orgelspiel und Gesang. Ein paar Kinder kriechen unter den Tischen und Bänken herum, an denen nur mehr verstreut ein paar Menschen beisammensitzen. Es kann ja leicht sein, dass da oder dort ein Fünferl liegt, das der Kellnerin aus der Tasche gefallen ist beim Wechseln. Oh, es lässt sich immer etwas finden, wenn man gewissenhaft sucht. Die Instrumente stehen auf dem Podium, an die Stühle gelehnt. Sie blitzen im Licht der untergehenden Sonne wie Gold. Endlich kommen dann die

Musiker wieder. Der eine oder andere lockert den Gurt an seiner Hose, weil er zu viel gegessen hat. Auch die anderen kommen wieder aus der Gaststube. Aber die Musiker warten noch, bis die Maiandacht zu Ende ist und anschließend gleich die Abendglocken geläutet werden. Dann haben sie ihre Instrumente und lassen den Tölzer Schützenmarsch ertönen.

Und da kommt auch Lena wieder.

Wie ist die Nacht so schön in ihrem Schweigen. Kein Laut mehr im Wirtsgarten um die Mitternachtsstunde. Nur der Nachtwind flüstert in den alten Kastanien und singt ein Schlaflied in die Kammern der Bauernhäuser, deren Fenster wegen der Nachtschwüle offen stehen. Aber es liegen um diese Mitternachtsstunde noch nicht alle in den Betten, die da vom Nachmittag in die Nacht hinein getanzt haben, nein, es treibt sich da noch allerhand umeinander in dieser Maiennacht. Unter der Tennbrücke beim Hunterbauern ist gedämpftes Gelächter zu hören, und dann die kichernde Stimme eines Mädchens:

»Ned, Ferdl! Des mag ich ned!«

»Geh, sei doch ned so fad! Jetzt hab ich dir extra einen Nierenbraten zahlt und du tust jetzt so, als wenn ich gar niemand wär. Marei, des derfst ned übers Herz bringen, dass du mich so behandelst!«

Dies scheint das Marei auch einzusehen, denn es wird auf einmal ganz still.

Bei der Witwe Gerber brennt hinter einem Fenster im oberen Stockwerk noch Licht. Durch die Vorhänge fällt es auf die Geranien und Begonien auf der Balkonbrüstung. In diesem Zimmer wohnt der Forstreferendar Manfred. Die Judith hat er auf den Armen die Stiege heraufgetragen, weil er genau weiß, welche Stufe knarrt.

Ach, ja, so vieles geschieht in dieser Frühlingsnacht.

Lena und Tobias sitzen schon eine Zeit lang unter dem Holunderbaum, als es vom Kirchturm Mitternacht schlägt. Die Töne kommen blechern und ohne Klang, gerade so, als ob diese Andreasglocke einen Sprung hätte.

»Jetzt muss ich aber heimgehen«, sagt Tobias. »Bei uns heißt es um viere wieder raus aus dem Federn.«

Die Lena ist enttäuscht, denn es ist immer noch nichts geschehen, worauf sie eine kleine Hoffnung hätte setzen können. In diesem Tobias steckt überhaupt kein Feuer, er weiß einfach nichts anzufangen damit, dass sie hier allein sind, obwohl Lena sich zutraulich an seine Schulter lehnt und seine Hand hält. Sie denkt daran, was ihr die Judith gesagt hat: »Bei dem Hackstock musst schon du den Anfang machen, sonst wird's in alle Ewigkeit nichts.«

Die Judith redet sich leicht! Ihr Manfred ist ja stockverliebt in sie. Tobias aber sitzt da und rührt sich nicht. Also nimmt die Lena einen neuen Anlauf und sagt:

»In vierzehn Tagen zieh ich auf die Alm. Besuchst mich dann mal?«

»Des wird sich schon machen lassen.«

»Dann pressiert's hoffentlich net so mit dem Heimgehen. Wenn du an einem Samstag kämst, könntest auch übernachten droben.«

Erschrocken zieht er seine Hand zurück.

»Wer soll denn dann Sonntagfrüh die Ross füttern, meinst?«

»Ihr habt doch auch ein paar Knechte?«

»Die Ross sind meine Sach. Und überhaupt, was glaubst denn, was der Vater sagt, wenn ich einmal eine Nacht ned heimkäm!«

»Fürchtest du denn deinen Vater so?«

»Du den deinen vielleicht ned?«

»Nein«, antwortet die Lena bestimmt. »Unser Vater hält uns ned am Zügel fest. Und das täten wir uns auch gar ned gefallen lassen. Vor allem der Kilian ned.«

Jetzt schweigen sie wieder. Tobias weiß einfach nicht, was er zu Lenas Ansicht sagen soll. Sie stößt da ein Tor auf, hinter das er bisher noch nicht gesehen hat.

Still liegt das Dorf. Im Hof vorn schlägt einmal ein Gaul an die Bohlen, dann knurrt der Hund in seiner Hütte, kommt mit rasselnder Kette heraus und bellt ein paarmal in den Himmel

hinauf, an dem eine große Menge Sterne stehen. Leise plätschert der Bach, auch die Forellen werden jetzt schlafen.

Jetzt redet sie auf einmal nichts mehr, denkt Tobias. Das
ist eben das Hintergründige bei den Frauen, dass sie einem
ein paar Brocken hinschmeißen, um dann wieder zu schweigen. Mit dem allein ist es auch nicht getan, dass die Lena jetzt
noch näher an seine Seite rückt.

»Friert dich, weil du dich gar so herdruckst?«

»Ja, Tobias, mich friert.«

Da zieht er seine Jacke aus und hängt sie ihr um die Schultern. Es steckt also doch ein guter Kern in ihm, denkt Lena.
Nur eine harte Schale ist darum herum und die muss ge-
sprengt werden. Vielleicht ist noch niemand so richtig lieb zu
ihm gewesen. Das bringt sie auf die Frage:

»Sag mal, Tobias, hast du eigentlich noch nie ein Mädel
gern gehabt?«

Da lacht er. Ganz kurz und hell, als kläffe ein Hündchen.

»Einmal hätt er mir eine zukuppeln mögen, der Vater. Hat
im Altöttinger Liebfrauenboten inseriert um eine tüchtige
junge Bäuerin mit Vermögen.«

»Ja und?«, fragt Lena wie elektrisiert. »Ist dann eine kommen?«

»Und was für eine! Ich glaub, dass sie schon zwei Zentner
gewogen hat. Aber Geld hätt sie schon gehabt. Von hundert-
tausend hat ihr Vater geredet. Und zwanzig Küh.« Während
Tobias das erzählt, muss er immer wieder lachen, so sehr erheitert ihn die Sache noch nachträglich. »Und frech war die!
Alle Kastentüren hat sie aufgerissen und hat geschaut, was
drin is. Der Kaffee war ihr zu dünn und der Kuchen zu wenig
fett. Dann hat sie noch gesagt: Dass ihr es gleich wisst, reden
da herinnen tu einmal ich! Mein Vater hat dann gesagt: Bei
uns ist's Brauch, dass die Männer reden.

»Was hat's denn für Haar gehabt?«

»Fuchsrote.«

»Das auch noch! Da wärst sauber reingesaust mit der!«

»Ja, weißt, Lena, bei einer Frau weiß man nie, ob man mit
ihr reinsaust oder ned.«

»Dass du so misstrauisch bist! Aber weil wir jetzt schon bei dem Thema sind, Tobias: Magst du mich eigentlich ein bissl?«

»Meinst, dass ich sonst dasitzet?«

Lena seufzt und schaut zu den Sternen hinauf, geradezu ratfragend, ob die ihr nicht helfen könnten. Sie hat halt selbst auch noch gar keine Erfahrung und es wäre gut, wenn sie jetzt die Judith fragen könnte. Es ist schon traurig, wenn man in so einer Lage ganz auf sich allein angewiesen ist. Jetzt probiert sie es auf eine andere Weise, fragt aber vorsichtig, ob sie offen zu ihm sprechen dürfe. Er nickt bestätigend und dann fragt sie:

»Wie alt bist du eigentlich, Tobias?«

»Neunundzwanzig.«

»Dann versteh ich es ned. Ein Mannsbild wie du, gewachsen wie ein Baum und auch sonst ned uneben und kuscht vor seinem Vater!«

»Weil du ihn ned kennst, Lena. Bei uns gilt kein anderer Wille als der seine.«

»Ich kenn ihn halt nur vom Sehen. Aber man hört ja genug von ihm, von seinem Geiz und von seiner Frömmigkeit. Du musst dich endlich einmal gegen seinen Willen stellen, Tobias. Der ist imstand und zwingt dir einmal eine Bäuerin auf, die du gar ned magst.«

Jetzt geschieht es zum ersten Mal, dass Tobias wie Hilfe suchend den Kopf an Lenas Schulter lehnt.

»Wenn's nur grad so eine wär wie du, die ließ ich mir gern aufzwingen.«

»Ja – dann – magst du mich ja.«

Er nickt und gräbt den Kopf noch tiefer an ihren Hals. Und da bemerkt er das Pulsieren in der Ader an ihrem Hals und er spürt die Hand, die über sein Haar streichelt. Das hat er noch nie erlebt und vielleicht hätte er jetzt doch zu einigem mehr den Mut gefunden, wenn es nicht vom Kirchturm die erste Stunde des neuen Tages geschlagen hätte. Erschrocken springt er auf.

»Um Gottes willen! Eins ist's schon! Lena, jetzt muss ich aber heim!«

Nein, sie kann ihn nicht mehr halten. Er nimmt die Jacke von ihren Schultern und schlüpft hinein. Dann gibt er ihr die Hand.

»Also, behüt dich, Lena. Und wenn's soweit ist, ich komm schon hinauf auf die Alm zu dir.«

Lena streckt sich und küsst ihn auf den Mund. Aber er küsst nicht zurück, geht mit weiten Schritten davon. Sie schaut ihm nach, bis ihn die Nacht verschlingt.

Zu viert stehen sie auf der steilen Hangwiese vor dem Christlwald und schwitzen schon, bevor noch die Sonne ganz hoch gestiegen ist. Ist ja auch grad kein Vergnügen nach der durchtanzten Nacht, meint der Kilian. Aber es hilft nichts, die Wiese ist so steil, dass mit der Maschine hier nichts zu machen ist.

Sie heuen noch nicht. Das gemähte Gras kommt, wenn es ein wenig abgetrocknet ist, ins Silo, eine vortreffliche Erfindung übrigens, die man vor fünfzehn Jahren noch nicht gekannt hat.

Voraus mäht der Kilian. Die Hemdsärmel hat er hoch gekrempelt, sein helles Blondhaar ist zerzaust, weil er immer wieder mit den gespreizten Fingern hindurchfährt, aber das Brummen in seinem Schädel wird dadurch nicht besser. Es ist aber auch wahrhaftig eine Zumutung, was man da um fünf Uhr früh schon von ihm verlangt, nachdem er um drei Uhr erst heimgekommen ist. Aber es ist ja die Wiese, die ihm diesen Frondienst abverlangt, der Hof und der schöne Maienmorgen. Breitbeinig setzt er Schritt für Schritt, und eine rauschende Gräserflut legt sich wiegend zur Seite. Hin und wieder stellt er die Sense hoch und schärft sie mit einem Wetzstein. Bei diesem kurzen Verweilen schaut er dann über den Wald hinweg zu den Bergen hinauf, die sich gerade aus den Morgennebeln schälen. Im Frühwind bauschen sich ein paar Nebelfetzen auf und wehen wie dünne Vorhänge davon.

Knapp hinter ihm mäht der Knecht Florian. Seine Mahd ist nicht minder breit und die Schärfe seiner Sense auch nicht. Die Lena und die Judith bleiben ein wenig zurück, weil sie sich beim Sensenwetzen immer etwas zu sagen haben. Der Maitanz gestern Abend klingt noch in ihnen nach und rauscht in ihrem Blut. Die Judith will wissen:

»Ist er endlich ein bissl aus sich rausgegangen, der Hackstock?«, sie deutet dabei mit dem Wetzstein zu dem Hügel hinüber, wo der Riedererhof steht, noch leicht von Nebeln umflossen.

Sofort gräbt sich bei Lena eine Unmutsfalte in die Stirn. »Hackstock brauchst ihn auch ned heißen. Der Tobias ist ned unrecht. Ich muss halt Geduld haben mit ihm. Unterm Holunderbusch sind wir noch gesessen und da ist er eigentlich ganz schön aus sich rausgegangen.«

»Tatsächlich? Hat er dich auch gebusselt?«

»Ja«, lügt die Lena, denn sie will nicht hinter der Schwester zurückstehen, die geradezu glüht in der Erinnerung an die vergangene Nacht.

»Na also dann. Wenn er nur erst einmal angebissen hat! Bei dem musst halt du nachhelfen.«

»Wir werden schon sehn, wie es jetzt weitergeht. – Wo seid denn ihr auf einmal hinkommen? Plötzlich hat man euch nimmer gesehn, dich und den Förster.«

»Förster ist er noch ned«, antwortet Judith, bückt sich nach einem Büschl Gras und wischt damit über die Sense, bevor sie diese wetzt. »Er ist aber auch kein gewöhnlicher Jäger und der Manfred wird's noch einmal weit bringen.«

»Das sieht man schon, dass er was Besseres ist.«

»Der Manfred hat nämlich das Abitur, weißt. Er kann es bis zum Oberforstrat bringen. Im Sommer kommt seine Mutter in Urlaub, dann will er mich ihr vorstellen.«

In der Lena möchte fast ein bisschen Neid aufkommen, sie verdrängt aber diese Gedanken gleich wieder. Die Judith ist eben vom Glück mehr begünstigt als sie, der liebe Gott hat ihr neben der Schönheit auch ein Stück mehr Verstand geschenkt. Wie ihre Augen heute wieder leuchten, in einem Licht, das aus ihrem Innern herauszubrechen scheint. Man merkt ihr an, dass etwas aus ihr herausprudeln möchte, und sie tritt auch jetzt ganz nah an die Schwester heran.

»Gib mir dein Ehrenwort, Lena, dass du niemand was sagst.«

»Hab ich dich vielleicht schon einmal aufbracht, wenn einer ans Kammerfenster kommen ist?«

»Aber des musst sagen, Lena, reinlassen hab ich keinen!«

»Das wär ja auch noch schöner!« Die Lena lacht. »Wo doch mit dir in einer Kammer schlaf!« Sie will ihre Mahd wieder beginnen, doch die Judith ist mit ihrem Geheimnis noch nicht zu Ende.

»Er will mich heiraten!«, flüstert sie der Schwester zu.

»Ich glaub, Judith, das sagen alle, wenn sie was Bestimmtes erreichen wollen.«

»Der Manfred meint es ehrlich, des weiß ich bestimmt.«

»Ich wünsch es dir, Schwester. Bäuerin magst ja keine werden, sagst allweil.«

Die Sensen pfeifen wieder durchs Gras, die Sonne steigt höher und das Gras wird trockener, weil der Tau schon verdampft ist. Immer mühsamer wird das Mähen, sie sind ja alle mitsammen übernächtigt, mit Ausnahme des Florian, der um zehn Uhr bereits im Bett gelegen hat. Aber da kommt der Vater schon mit dem Fuhrwerk und bringt ein Frühstück mit.

Sie lagern im Schatten der Bäume. Der Kilian nimmt nur einen Schluck Milch aus der großen Kanne, dann legt er sich ins Gras und schläft sofort ein. Er hört den Kuckuck schon nicht mehr rufen. Es muss ein junger sein, weil seine Stimme sich ein paarmal überschlägt, bis dann ein zweiter einfällt, dessen Ruf tief ist.

Die anderen schütten Milch in kleine Schüsseln, brocken das würzige Bauernbrot hinein, nehmen die Schüsseln auf die angezogenen Knie und beginnen zu essen.

Der Maurer, der daheim schon gefrühstückt hat, zündet sich seine Pfeife an und deutet damit auf den schlafenden Kilian.

»Wenn man nachts ned ins Bett findet, möcht man beim Tag schlafen«, meint er und lacht. Dann wendet er den Kopf ruckartig zur Judith hin. »Wann bist du denn du eigentlich heimkommen? Die Lena hab ich über die Stiegen tappen gehört.«

»Gleich drauf bin ich auch heimkommen«, sagt die Judith, ohne dabei rot zu werden.

»Der Grünjackerte hat dich ja gestern überhaupt nimmer auslassen«, stichelt der Florian und löffelt seine Schüssel leer. Mit seinem Klumpfuß kann er ja nicht tanzen und er sagt immer, still dabeizusitzen, den Maßkrug mit beiden Händen halten und dabei die Menschen ringsum beobachten, das sei ihm lieber als die Rumtanzerei.

»Was für ein Grünfrack?«, fragt der Maurer neugierig.

»Manfred heißt er«, sagt die Judith.

»Der Neue im Forstamt?«, der Maurer drückt mit dem Daumen die Glut in der Pfeife nieder. »Du – das ist mir aber gar ned recht.«

»Wichtig, Vater, ist schließlich, dass er mir recht ist.« Das Gesicht der Judith versteinert sich auf einmal. Sie streift den Vater mit einem schnellen Blick aus den Augenwinkeln, dann schaut sie auf den schlafenden Kilian und sagt mit harter Stimme: »Das wird jetzt halt aufhörn müssen.«

Der Maurer lächelt und schlägt den Pfeifenrauch vor dem Gesicht weg. »Das sagst ausgerechnet du, die ein Rehragout so gern mag!«

»Das kann man auch beim Wirt kaufen.«

»Oder es liefert der Grünfrack uns eins gratis«, meint der Florian in aller Gemütlichkeit und wird von der Judith gleich angefaucht:

»Dich geht des überhaupt nix an! Du bist bloß der Knecht da!«

Wütend fährt der Maurer sie an: »Du – das möcht ich nimmer hören! Bloß Knecht? Wir sind froh, dass wir ihn haben, unsern Florian! Der gehört schon zur Familie, wenn du das grad ned wissen solltest.«

Die Judith wird glühend rot und stammelt schuldbewusst: »Entschuldige, Florian, das ist mir grad so rausgerutscht.«

»Ist schon recht. Dir rutschen ja oft so Sachen raus.«

Die Lena beteiligt sich an der Stichelei überhaupt nicht.

Den Rücken an den Baum gelehnt, die Hände um die angezogenen Knie geschlungen, schaut sie über die Hügelwellen hinüber zum Riedererhof. Lange sitzt sie so da, vieles geht ihr durch den Kopf.

Ein Fuhrwerk fährt auf dem schmalen Sträßlein unterhalb des Hofes dahin. Es sieht aus der Ferne alles so klein und niedlich aus wie ein Kinderspielzeug. Aber es könnte vielleicht der Tobias sein, der da neben den Pferden geht. Er hatte ja gesagt: »Die Ross sind meine Sach.«

Ach ja, der Tobias. Es war doch eine merkwürdige Nacht mit ihm unter dem Holunderstrauch. Auf einmal scheint etwas in ihm aufgebrochen zu sein, er hat sich ihr zugewandt, nach Worten gesucht und so vertrauensvoll geredet, geradeso als ob es ihm eine Erlösung wäre, einen Menschen gefunden zu haben, mit dem er mal reden konnte.

Allerdings, auf ein Geständnis seiner Liebe hat sie vergebens gewartet und vielleicht wird er sich dazu nie aufraffen können, und vielleicht bleibt es einmal ihr ganz allein vorbehalten, ihn einzuhüllen in die Wärme und Geborgenheit ihrer eigenen Liebe.

Wie ein Scheinwerfer bestrahlt jetzt die hoch gestiegene Sonne den Hof da drüben. Wie Feuer bricht es aus den Fenstern heraus, und das Kupferdach auf dem Glockentürmchen am Giebel blitzt wie blankes Gold. Der Weg dort hinauf wird mit Dornen gepflastert sein, muss sie denken. Zunächst aber gilt es den Weg zum Herzen von Tobias zu finden, aber nach der Erkenntnis dieser Nacht dürfte das nicht ganz so schwer sein. Geduld muss sie haben, viel Geduld.

Es wird immer heißer. Die Pferde am Wagen stampfen und wehren mit den Schwänzen die lästigen Bremsen ab. Der Maurer steht auf und klatscht in die Hände.

»So, dann packen wir's wieder an!«

Mühsam rappelt der Kilian sich hoch und seufzt: »Dass es denn heut überhaupt ned Abend werden will!«

Er und der Florian mähen den Rest der Wiese noch ab. Die Mädchen helfen dem Vater, das Gemähte auf den Leiterwagen zu laden und alles sauber zusammenzurechen.

Rings um das Dorf ist inzwischen reges Leben erwacht. Mähmaschinen rattern auf allen Wiesen. Bauschige Wolken ziehen über den Grat der Berge hin, die Matten der Almen leuchten saftig grün. Bald werd ich oben sein auf der Alm, denkt die Lena und zieht das Kopftuch weiter in die Stirn.

Wohltuend erwacht ein Wind und kühlt die heißen Gesichter. Still, von der Sonne umflossen, liegt das Dorf in seiner Mulde und am Maibaum drehen und wenden sich die weißblauen Bänder im Wind.

Von den Türmen der Stadtkirche schlägt es acht Uhr, als die verwitwete Frau Elisabeth Büchner im Flur ihrer Fünfzimmerwohnung die ledergeflochtene Leine am Halsband der wie verrückt herumspringenden Pudelhündin Lola einhängt und dann die drei Stockwerke zur Straße hinuntersteigt. Seit zehn Jahren geht sie jeden Tag um die gleiche Stunde mit dem Pudel die Straße hinunter, überquert sie dann und biegt in den Englischen Garten ein.

Im März ist sie fünfzig geworden. Auf vierzig kann man sie schätzen, trotz der silbernen Strähne im Haar. Diese Strähne hatte sich beinah über Nacht in ihr kupferfarbenes Haar gelegt, als vor nunmehr zehn Jahren ihr Mann, der Oberamtsrat Felix Büchner, sie von einer Minute zur anderen zur Witwe gemacht hatte. Herzschlag mitten bei der Arbeit am Schreibtisch im Rathaus. Und da sagt man immer, Beamte führen ein gemächliches Leben.

Als sie heute die Haustür hinter sich zufallen lässt, kommt gerade der Postbote vom Nebenhaus her und überreicht ihr einen Brief. Flüchtig liest sie den Absender und lächelt.

»Ach, von Manfred«, sagt sie und steckt den Brief in die Handtasche.

Ruhe umfängt sie auf den einsamen Wegen des Englischen Gartens. Der Straßenlärm bleibt zurück. Jetzt hört man die Vögel in den Büschen singen, Lerchen schwirren auf und fallen als singende Punkte wieder zurück ins grüne Laub. Leise hört man die Isar rauschen. Grüßend nickt Frau Büchner, wenn sie von Entgegenkommenden gegrüßt wird. Sie kennt sie ja seit Jahren, den Konditor Seidl, der sein Geschäft längst seinen Söhnen übergeben hat, den Metzgermeister Grabl vom Tal, der seinen Bernhardiner an der Seite führt, oder die Generalin, die einen Zwergpinscher unterm Arm trägt und dünne schwarze Zigarren raucht. Manchmal bleibt man auch voreinander stehen, tauscht Tagesneuigkeiten aus, empfiehlt sich gegenseitig den oder jenen Arzt oder Zahnarzt und klagt sich die Wehwehchen, von denen im Alter fast niemand verschont ist. Die Generalin zum Beispiel klagt über Hüftgelenksschmerzen und sagt:

»Seit ich nicht mehr reite, hat es angefangen.«

»Ja, dann reiten Sie doch!«

Da macht die Generalin ein paar heftige Züge an ihrer schwarzen Zigarre und seufzt den schönen Zeiten nach.

»Ich komme nicht mehr aufs Pferd. Und außerdem, mit fünfundachtzig sitzt man nicht mehr recht vornehm im Sattel.«

Elisabeth Büchner hat über nichts zu klagen. Sie ist gesund, liebt gute Musik und kümmert sich um den Tratsch der Leute recht wenig. Nur weil sie nicht hochmütig erscheinen will, bleibt sie zuweilen stehen und hört zu, lacht auch höflich über die angeblich allerneuesten Witze des Metzgermeisters, der nie weiß, dass er sie drei Tage vorher schon erzählt hat. Manchmal ist er auch schlechter Laune, dann zieht er bloß höflich sein Hütl und geht vorbei. Heute hebt er schon von weitem die Hand.

»Recht schönen guten Morgen, Frau Rat! Hoffe, dass man gut geschlafen hat. Die Frau Rat schaut ja heut wieder blendend aus. Aber, was wollt ich Ihnen eigentlich sagen? Ja, ein paar Kälber hab ich gestern reingekriegt. Vier Wochen alte Kälber, direkt von der Kuh weg. Wenn die Frau Rat Bedarf hat?«

»Wenn es nicht wieder ein gemästetes Dreizentnerkalb ist, Herr Grabl! Das letzte hätte ich am besten gleich als Suppenfleisch verwendet.«

»Ich weiß schon, die Bauern sind Spitzbuben und gehen aufs Mästen aus. Aber diesmal, bei meiner Ehre, zwei reine

Milchkälber sind es. In Unterhaching hab ich einen Bauern, der schmiert mich nicht aus. Einen Schlegel vielleicht oder ein paar Pfund Brüsterl? Ich schick es Ihnen gern durch den Lehrbuben raus.«

»Bitte, ja. Ab zehn Uhr bin ich wieder daheim.«

»Und darf ich noch fragen, wie es dem Herrn Sohn geht? Wo hat man ihn denn gleich hingesteckt jetzt?«

Der Brief in der Handtasche fällt ihr ein. Vorn, beim Chinesischen Turm, wird sie sich auf eine Bank setzen und ihn lesen.

»Nach Veilenstein.«

»Ins Gebirg also! Na, Gott sei Dank! Sie haben doch immer Angst gehabt, dass man ihn nach Ostpreußen versetzt. In die Masuren oder sonst wohin.«

»Das kann ihm immer noch blühen, wenn er seine Referendarzeit beendet hat.«

»Es schadet ja auch nichts, wenn die jungen Leut was sehen von der Welt. Also dann – ein Schlegerl und ein Brüsterl. B'hüt Ihnen Gott, Frau Rat.«

Dann sitzt Frau Büchner in der Nähe des Chinesischen Turms, öffnet mit einer Haarnadel den Brief und liest:

»Liebe Mutter, es ist schon eine längere Zeit her, dass ich von mir hab hören lassen, und ich bitte um Entschuldigung für mein langes Schweigen. Aber diese Zeit hab ich gebraucht, um mich einzugewöhnen. Eigentlich müsste ich dankbar sein, dass das Schicksal mich hierher versetzt hat, denn hier ist es schön. Weniger schön empfinde ich den sturen Innendienst, denn auch hier wiehert leider der Amtsschimmel. Aber ab morgen bin ich davon erlöst, der Außendienst beginnt, und ich darf die Bergwelt wirklich erleben und sie nicht mehr nur durch die Fenster anschauen. Förster Hepner ist ein feiner Mensch, wir kommen blendend miteinander zurecht. Ich habe schon daran gedacht, ob unsere Verbindung mit Ministerialrat Doller nicht helfen könnte, dass ich nach meiner Referendarzeit hier im Oberland bleiben und nicht mit einer Versetzung nach wer weiß wohin rechnen muss. Warum ich mir das so brennend wünsche, wirst du gleich erfahren, liebe Mutter, und ich bitte dich, erschrick nicht, denn ich, dein Sohn Manfred, ich habe mich hier in ein Mädchen verliebt. Kein Spiel, keine Verliebtheit, nein, es ist mir ganz ernst und ich werde sie einmal heiraten. Es ist ein Bauernmädchen von hier, gesund und schön wie ein Frühlingsmärchen ...«

Frau Büchner lässt den Brief sinken und schaut eine Weile in die flimmernde Luft. Ein Bauernmädchen? Sie schüttelt den Kopf. Sie kann sich das nicht recht vorstellen. Ihr in Bezug auf Frauen bisher äußerst zurückhaltender Sohn Manfred verliebt sich in ein Bauernmädchen! Immer wieder schüttelt sie den Kopf, lässt die Lola neben sich auf die Bank springen und liest dann weiter:

»Ich weiß, Mutter, was du jetzt denkst. Du meinst sicher, dass du mich verlierst. Das ist, glaube ich, der Egoismus aller Mütter. Aber ich kann dir sagen, Mutter, du bleibst ja wichtig wie eh und je. Daran wird sich nichts ändern. Die Liebe zu Judith, ja, Judith heißt sie und ich weiß nicht, wie Bauern zu so einem Namen kommen – diese Liebe also fiel wie ein Stern in mein Leben. Wenn du sie kennen lernst, wirst du mich verstehen. Darum denke ich, du solltest heuer einmal nicht in Meran Ferien machen, sondern hier. Es ist einfach wunderschön hier. Ich würde mich sehr freuen, wenn du meinem Vorschlag zustimmen würdest. Und so grüße ich dich für heute recht herzlich und verbleibe wie immer mit lieben Küssen dein Sohn Manfred.«

Elisabeth Büchner lässt die Hände mit dem Brief sinken. Sie kennt ihren Buben und weiß, dass er sich nicht an Kurzlebiges verliert. Aber es kommt so unverhofft und es tut doch weh. Vom Egoismus aller Mütter schreibt er und das nimmt sie ihm ein bisschen übel, denn sie wäre eine schlechte Mutter, wenn sie dem Sohn sein Glück nicht von Herzen gönnen würde. Dass diese Stunde einmal kommen würde, das hat sie gewusst. Und es ist nichts Geringes, was mit Manfred geschieht. Er schreibt zwar: du wirst wichtig bleiben wie eh und je. Aber das meint er nur. Ein fremder Mensch ist in sein Leben getreten. Vor Jahren, als er seine berufliche Laufbahn begann, da ist er aus ihrer Obhut fortgerückt und jetzt wird er aus ihrem Herzen fortrücken, ganz zwangsläufig, ob er es will oder nicht.

Erschrocken nimmt Elisabeth den Kopf zurück und sieht sich um. Sind da tatsächlich ein paar Tränen auf den Brief gefallen? Sie wischt sich mit dem Handrücken über die Augen und versucht zu lächeln. Das ist der Lauf des Lebens, denkt sie, so wie die Bäume und Sträucher nach jedem Winter wieder grünen und blühen, so wie die Vögel wieder jubilieren. So wird jetzt auch das Herz des Sohnes jubilieren. Und während sie nun langsam heimgeht, wird sie immer ruhiger und wundert sich zum Schluss, dass sie sich überhaupt aufgeregt hat.

Langsam, aber zügigen Schrittes gehen sie durch den nächtlichen Bergwald. Der Förster Hepner geht voraus, denn er kennt ja fast jeden Stein in dem riesengroßen Revier. Manfred Büchner geht hinterher. Es ist sein erster Außendienst, mehr zur Information eigentlich.

Die Nacht ist fast windstill, fern plätschert ein Bach über Steine und dazwischen hört man einmal einen Nachtvogel gurren. Wo der Wald ganz dicht steht, dreht sich der Förster einmal kurz um und leuchtet mit seiner Taschenlampe, ob der Junge auch wirklich nachkommt. Dann geht es weiter. Wenn ihre Bergstecken auf einen Stein treffen, klingt es jedesmal metallisch auf oder es sprühen Funken.

Bei einem Marterl kreuzen sich die Wege und sie gehen nach rechts hinauf, bis sie an die Lichtung kommen, auf der die Holzfällerhütte steht. In dieser Lichtung sehen sie jetzt die Felswände, die sich dunkel vom heller werdenden Himmel abheben.

Es ist halb fünf Uhr früh, als sie an die Hütte kommen, in der die Woche über vier Männer nächtigen. Vor ihr sitzen zwei von ihnen und feilen die Wiegsägen, ein dritter wäscht sich gerade am Brunnen und der vierte steht drinnen am Herd und rührt mit einem Kochlöffel in einer riesigen Pfanne ein Mehlmus an. Die Tür steht weit offen, und als der Koch das Klappern der Nagelschuhe auf den Steinen hört, kommt er auch heraus.

»Guten Morgen, Männer!«, grüßt der Förster. »Mein Begleiter hier, das ist der neue Forstreferendar. Manfred Büchner heißt er, mit dem müsst ihr künftig zusammenarbeiten. Wenn ihr für uns ein paar Löffel Mus übrig habt, wird's dankend angenommen. Wir haben nämlich noch nichts im Magen.«

Manfred trägt heute zum ersten Mal die landesübliche kurze Lederhose. Die Knie sind noch weiß und reizen zum Lachen, wenn man sie mit den braunen Prügeln vergleicht, die aus den Lederhosen der Holzfäller herausstrotzen.

Während der Mahlzeit wird sehr ausführlich über die Arbeit geredet und Manfred bekommt einen Begriff davon, was alles ihm da bevorsteht. Die Praxis sieht doch ein wenig anders aus als die Theorie am Schreibtisch oder gar auf der Forstfachhochschule!

Zusammen steigen sie dann zum Holzeinschlag hinauf. Da liegen die Stämme kreuz und quer und harren der Aufarbeitung. Abtransportiert können sie von diesem hoch gelegenen Schlag sowieso erst im Winter werden, wenn wieder Schnee liegt. Der Förster sieht immer wieder in seiner Planskizze nach, schreibt in eine Kladde und erklärt es dem Manfred. Bevor die beiden dann weggehen, fragt der Förster noch:

»Und sonst gibt es ja nichts Neues?«

»Eigentlich ned«, antwortet der Brandl Peter, der hier der Partieführer ist. »Bloß – am Samstag nach Feierabend bin ich noch in den Frauenwald hinüber –, da hat der Riederer im Winter Holz geschlagen und ist übers Mark gekommen. Drei Bäum vom Forstamt hat er umgeschnitten.«

»Der Riederer wieder! Dem muss ich jetzt doch einmal die Leviten lesen. Vorigen Winter waren es sechs Bäume. Denkt denn der vielleicht, das Forstamt merkt das nicht?«

Nach einer Stunde verlassen sie den Holzschlag. Immer höher geht es hinauf, dann am Fuß der grauen Felswand entlang, in eine Mulde hinein und wieder auf einem schmalen Steig aufwärts, sie müssen auch ein paar Stellen klettern, bis der Förster unvermittelt auf dem Grat stehen bleibt und sich umschaut.

»Schwindelfrei sind Sie doch?«

»Ja.«

Förster Hepner scheint Stahlbänder statt Muskeln zu haben. Immerhin geht er schon auf die Sechzig zu und nur einmal schiebt er den Hut ein wenig aus der Stirn, während Manfred den seinen längst im Rucksack verstaut hat. Ihm rinnt der Schweiß in dicken Tropfen von der Stirn und in den Beinen spürt er eine bleierne Müdigkeit.

Am liebsten hätte er gefragt: Wie lange steigen wir eigentlich noch so weiter? Doch soll er sich etwa blamieren vor dem Älteren, der wie eine Maschine Fuß vor Fuß setzt und dabei so regelmäßig atmet, als ginge er auf ebenem Weg?

Endlich bleibt der Förster am oberen Rand eines Latschenfeldes stehen, zerrt den Rucksack herunter, legt Büchse und Bergstock dazu und setzt sich auf den trockenen Grasboden.

»So, jetzt wollen wir ein wenig rasten, Büchner.«

Manfred legt ebenfalls alles ab, sogar seine Jacke. Dann lässt er sich neben dem Förster nieder. Wie sie so nebeneinander sitzen und ins Tal hinunterschauen, merkt Manfred eigentlich erst, wie hoch sie sind.

»War es anstrengend?«, fragt der Förster.

»Ja«, gesteht Manfred ehrlich.

»Das ist nur anfangs so«, schmunzelt der Förster. »In vierzehn Tagen sind Ihre Knie so braun wie die meinen und das Bergsteigen wird Ihnen keine Qual sein, sondern Freud. Im Übrigen, Sie haben sich gut gehalten. Ich hab schon Referendare gehabt, die haben auf halbem Weg schlappgemacht.«

»Ich war auch nahe dran. Aber ich wollte mich doch vor Ihnen nicht blamieren. Und jetzt sind wir ja da.«

»Aber noch nicht wieder im Tal. Es ist nimmer so arg jetzt und es gibt auch bequemere Wege.«

Der Förster zieht eine kurze Pfeife aus dem Janker und füllt sie mit grobem Krüllschnitt. Als sie brennt, streckt er die recht Hand weit aus und erklärt:

»Was Sie da sehen, Büchner, von unten herauf bis hinüber

zu den Jochbergen, ist Staatswald. In den Jochbergen haben diesen Monat die Jäger Niederacher und Gablmaier Dienst. Auch hinter uns, bis zu den grauen Wänden und dann wieder runter bis zu der Hochalm, ist alles Staatsbesitz. Bloß der breite Streifen Wald, der neben der Hochalm links so steil abfällt, gehört dem Riederer von Germ. Die Alm übrigens auch. Um die machen Sie besser einen Bogen. Die lassen sich jedes Glas Milch bezahlen – zu Apothekerpreisen. Na ja, Sie werden ja den Riederer noch kennen lernen. Vielleicht heut noch.«

»Ich glaub, den Jungen kenn ich, vom Maitanz her.«

»Der ist nicht viel besser als der Alte. Es heißt ja, der Apfel fällt nicht weit vom Stamm. Übrigens, im Riedererwald ist früher viel gewildert worden. Kunststück, da ist ja das Wild vom Staatswald hineingewechselt, und wenn man einmal einen erwischt hat, dann hat der Kerl sich ausgeredet, er hätt ja dem Staat nichts gestohlen.«

»Wird heute eigentlich auch noch gewildert?«

»In den Jochbergen kracht es noch von Zeit zu Zeit. Den Niederacher hat voriges Jahr einer angeschossen. Aber in dem Revier hier haben wir hübsch aufgeräumt mit dem Raubschützen. Bloß einer holt sich hin und wieder einen Bock.«

»Keinen Verdacht?«

»Überhaupt keinen. Der Kerl ist immer wie vom Erdboden verschwunden. Voriges Jahr wär er dem Gablmaier einmal fast vor die Büchs gekommen und dann war es so, als ob der Lump sich in Luft verwandelt hätte.«

»Und die Holzfäller?«, fragte Manfred.

Sofort schüttelt der Förster den Kopf. »Da leg ich für jeden die Hand ins Feuer. Wenn man die Leute schon über zwanzig Jahr kennt, dann weiß man, wie man dran ist. Im Übrigen halt ich es immer so, dass, wenn was geschossen wird, die Holzfäller immer die Innereien und auch sonst einmal einen Schlegel kriegen. Da darf man nicht kleinlich sein. Dann kommen sie erst gar nicht in Versuchung, sich selber etwas zu wildern.«

Die Pfeife ist ausgegangen und der Förster zündet sie wieder an. Eine Weile sitzen sie schweigend. Wind ist aufgekommen und treibt die letzten Nebelfetzen auseinander, und wie ein Wunder enthüllt sich alles ringsum, bis ins Tal hinunter. Leuchtende Almgründe wechseln mit blauen Schatten. Groß und schweigend dehnt sich hinter den beiden die Felsenwildnis. Hoch droben sieht man ein Rudel Gemsen ziehen, ganz langsam, als wüssten sie, dass ihnen um diese Zeit keine Gefahr droht. Manfred nimmt das Glas vor die Augen. Eine Gams steht mit hoch erhobenem Haupt auf einer Felsennadel und äugt wachsam umher. Da raschelt es plötzlich weiter unten im Latschenfeld, aufgeregt fasst der Förster nach Manfreds Arm und deutet mit der Pfeife hinunter. In seiner Aufregung verfällt er ins vertrauliche Du.

»Da schau hin! Was für ein Hirsch! Ein Sechzehnender!«

Immer wieder senkt der Hirsch das Haupt, als ob er in den Latschen etwas suche, dann reißt er das Geweih wieder empor und äugt mit funkelnden Augen umher, um plötzlich mit einem Satz zu flüchten.

»Auf den ist im vorigen Herbst bei der Treibjagd ein Staatssekretär angesessen. Aber wo der hingeschossen hat, da ist nur Luft gewesen.« Der Förster lacht, als ob ihn das heute noch freut. »Die Herren meinen, man braucht bloß zu zielen und abzudrücken! Ein paar sind ja manchmal dabei, die ganz gute Weidmänner sind und die auch was von der Jagd verstehen und die Vorschriften kennen. Aber die meisten meinen, sie halten statt der Büchse einen Federhalter in der Hand! Aber lassen wir das. Sehen Sie das Dach, das da aus dem Laub herausschaut? Das ist die Maureralm. Da kehren wir nachher ein. Das da drüben ist die Kaindlalm und weiter unten die Lachneralm.«

Weiter unten jagt der Hirsch über eine Blöße und verschwindet kurz darauf im Wald. Almglocken hört man aus dem Grund heraus und einmal einen hellen Juchzer. Der Förster zieht die Taschenuhr.

»Gehen wir jetzt wieder?«

Manfred springt hoch, als hätte er nie diese bleierne Müdigkeit verspürt. Am Rande des Latschenfeldes steigen sie nun hinunter und kommen zur Maureralm, die aus groben Steinen gebaut ist.

Die beiden Jäger setzen sich draußen an den Tisch unter dem weit vorspringenden Vordach. Nichts rührt sich und es dauert eine ganze Weile, bis die Lena erscheint. Ein freudiges Lächeln geht über ihr gebräuntes Gesicht.

»Ah, der Herr Förster! Das ist aber nett! Und du bist auch dabei, Manfred? Das freut mich aber!«

»Ihr kennt euch schon?«, staunt der Förster.

»Ja, vom Maitanz her«, sagt Manfred und ergreift Lenas Hand.

»Was darf ich euch bringen? Milch oder Bier?«

»Milch, bittschön. Bier macht so müd und wir haben noch einen weiten Weg vor uns.«

Manfred muss Lena immerzu anschauen. Das ist nicht mehr die schüchterne, zurückhaltende Lena. Es ist etwas Frisches, Beschwingtes um sie.

Als Lena in den Keller geht, um Milch zu holen, erzählt der Förster, dass im Vorjahr noch die alte Gertraud hier oben gewesen sei. Und was die Lena betrifft, sie habe noch eine jüngere Schwester.

»Ich kenne sie«, Manfred lächelt und streckt behaglich die Beine von sich.

Lena erscheint mit der Milch und fragt auch gleich: »Was mögt ihr denn zu Mittag? Geräuchertes oder einen Schmarren?«

»Wir sind doch nicht wegen des Essens gekommen«, sagt der Förster und hier müsste Manfred ihn nun der Lüge zeihen, denn als sie über den Latschenschlag heruntergegangen sind, hat der Förster gesagt: »Wenn die alte Gertraud noch da ist, kriegen wir ein sauberes Mittagessen. Die Gertraud ist berühmt für ihren Schmarren.«

»Wenn du uns schon einlädst, Lena«, sagt Manfred, »dann essen wir das Gleiche wie du.«

Also gibt es Schmarren, goldgelb, fein gestochen in der großen Pfanne. Manfred hätte eine Menge zu sagen und zu fragen gehabt, muss aber damit warten, bis der Förster nach dem Essen sagt, dass er sich jetzt für ein Stünderl hinter der Hütte ins Gras legen werde. »Das steht mir als Älterem zu«, lacht er, »nachdem ich schon so lange auf den Füßen bin.«

Die Lena bringt ihm eine Wolldecke und es dauert nicht lange, da hört man schon die Schnarchtöne des Eingeschlafenen über das niedere Hüttendach hinweg.

»So, und du setzt dich jetzt zu mir, Lena«, bittet Manfred und zieht sie zu sich auf die Bank. »Wir haben uns seit dem Maitanz nicht mehr gesehen.«

»Weil ich da oben bin jetzt.«

»Und du bist gern hier?«

»Ja, und ich hoff, dass du öfter einmal vorbeischaust.«

»Soweit es mein Dienst erlaubt, gern. Aber sag, wie geht es Judith?«

»Das müsstest du eigentlich besser wissen als ich, wenn du es ehrlich mit ihr meinst.«

»Ich hab sie seit dem Maitanz nur noch einmal gesehen. Und ob ich es ehrlich meine? Ja, Lena. Ich habe bereits meiner Mutter geschrieben. Meinst du – und das möcht ich jetzt von dir wissen, Lena, meinst du, dass ich so ohne weiteres bei euch drunten ins Haus gehen kann?«

»Freilich kannst das! Ich wollt, der Tobias tät mich auch so fragen.«

»War er denn noch nicht da?«

Lena schüttelt traurig den Kopf. »Wer weiß, ob er überhaupt kommt.«

»Der Förster hat gesagt, dass wir wahrscheinlich noch zum Riederer gehen. Kann ich was ausrichten? Ich tu es gern, Lena.«

Lena schüttelt den Kopf.

»Oder doch«, fällt ihr dann doch ein. »Wenn du einen schönen Gruß sagen möchtest.«

»Gern, Lena. Aber erzähl mir doch: Was sagt die Judith? Hat sie von mir gesprochen, ich meine, nach dem Maitanz damals.«

»Und wie! Der hast du das Herzl ganz schön durcheinander gebracht. Jedes zweite Wort war Manfred und überhaupt –«

Lena verstummt plötzlich. Die Schwester hat ihr gestanden, was in jener Nacht nach dem Maitanz noch geschehen ist, dass sie zu Manfred aufs Zimmer mitgegangen ist. Die Lena wird rot und sucht nach einem anderen Gesprächsstoff. Sie deutet auf eine Schwalbe, die soeben mit einem Halm im Schnabel unterm Firstbaum verschwindet.

»Die bauen schon wieder Nesterl«, sagt sie.

»Ja«, lacht Manfred. »Machen wir's den Schwalben nach.«

»Wo wirst du wohl einmal dein Nest bauen? Die Judith hat gesagt, dass du wahrscheinlich ned auf Dauer in Veilenstein bleiben wirst.«

»Wahrscheinlich nicht, denn in meiner Laufbahn kommt nach dem Referndar noch der Forstassessor. Und wohin es mich dann verschlägt, Lena, das liegt noch in den Sternen. Und darum hab ich ein bisschen Angst, ob Judith so lange warten kann – oder ob sie gar mit mir geht?«

»Die Judith? Die geht mit dir bis ans Ende der Welt.«

»Meinst du? Wenn das wahr wäre, Lena!«

»Da geb ich dir Brief und Siegel! Ich kenne meine Schwester und weiß, dass sie alles lieber werden möcht als eine Bäuerin.«

Tief atmend lehnt sich Manfred zurück und schließt die Augen.

»Lena, was du mir jetzt gesagt hast, das macht mich so froh wie schon lange nichts mehr.« Er fasst nach ihrer Hand und drückt sie. »Ich danke dir, Lena.«

In diesem Augenblick kommt der Förster um die Ecke und reibt sich die Augen.

»War das Schlaferl gut! Ah, ihr versteht euch ja schon ganz prächtig, wie ich sehe. Büchner, die Alm müssen Sie im Aug behalten auf Ihren Dienstgängen. Was sind wir denn jetzt schuldig, Lena?«

»Aber, Herr Förster! Ich hab mich doch gefreut, dass ihr gekommen seid! Wegen dem Bröckerl Schmarrn und dem

Schlückerl Milch! Die Hauptsach ist, dass es euch geschmeckt hat.«

»Und wie! Ich kenne es aber auch anders. Auf der Riedereralm hab ich voriges Jahr für ein Glas Milch genau noch mal so viel gezahlt wie unten im Tal.«

Die Lena schweigt und denkt ein wenig traurig: Dass ich doch nie ein gutes Wörtl über die Riederer höre! Nicht ein einziges gutes Wörtl. Und dabei ist doch der Tobias ein so guter Kerl.

»Jetzt müssen wir aber aufbrechen, Büchner«, mahnt der Förster und reicht Lena die Hand.

Es ist erstaunlich, mit welcher Kraft der Förster sich über das Almgatter schwingt. Die Lena steht auf den Hüttenstufen und winkt ihnen nach, bis sie im Wald verschwinden.

Nach wiederum zwei Stunden kommen die beiden Jäger an das Jagdhaus, einen Steinbau im Untergeschoss und oben aus schweren Holzbalken. Der Förster nestelt den Schlüssel aus seiner Hosentasche und stößt die Tür auf.

Eine große Stube sieht Manfred, dahinter eine komfortabel eingerichtete Küche. Zu ebener Erde noch zwei Schlafkammern. Dazwischen führt eine Treppe ins obere Stockwerk, in dem sich noch zwei Doppelschlafzimmer und zwei Einzelzimmer befinden. Der Förster öffnet jede Tür und erklärt:

»Die sind für die Jagdgäste. Auch die Weine und Schnäpse im Keller, was nicht heißen soll, dass Sie sich nicht selber auch einmal einen guten Schluck gönnen dürfen. Wir werden uns jetzt gleich eine Flasche Gimmeldinger Meerspinne genehmigen zur Feier des Tages, an dem der Referendar in den Außendienst eingeführt worden ist.«

In der Ecke der Stube ist ein herrlich geschmückter Herrgottswinkel. Daneben ein paar Hinterglasbilder, die Heilige darstellen.

»Wundert mich eigentlich, dass das noch hat dableiben dürfen«, sagt der Förster, während er die Flasche öffnet. »Einer hat zwar schon einmal gemeint, da müsste eine Diana ins Eck.«

Manfred hat längst gemerkt, worauf der Förster anspielt. Nicht nur jetzt, nein, des Öfteren schon, wenn sie sich in der Kanzlei am Schreibtisch gegenübersaßen. Aber der Förster ist immer vorsichtig mit seinen Äußerungen, er streut seine Ansichten immer nur bröserlweise ein, so wie man Salz nur zögernd in eine Suppe streut, damit sie nicht zu salzig wird. Und immer so, dass er noch rechtzeitig einen Rückzieher machen kann, wenn er sich zu weit vorgewagt hat. Manfred versteht ihn besser, als der Förster es weiß. Dieser Mann, dessen Haar so kitzgrau geworden ist, vielleicht nicht nur seiner sechzig Jahre wegen, hat einmal einem Kaiser gedient, dann einer Republik und hat jetzt zum dritten Mal einen Eid geleistet und er weiß nicht, wie das in der Geschichte bestehen soll, wenn man dreimal sagt: So wahr mir Gott helfe.

Es ist beinahe rührend, wie der alte Mann um den Brei herumredet, vorsichtig wie ein Kind, das Angst hat, eine wertvolle Schale zu zerbrechen, und wie in allem, was er in dieser Richtung hin sagt, ein tiefes Misstrauen steckt und wie er seinen Neuen ausprobieren will, in welcher Weltanschauung er lebt. Um dem ein für allemal ein Ende zu machen, sagt jetzt Manfred kurz und bündig:

»Ich will Ihnen einmal was sagen, Herr Förster. Zu mir können Sie ohne Bedenken alles sagen, was Sie denken. Ich habe doch schon lange gemerkt, dass Sie schwer an so manchem tragen, was man die neue Zeit nennt.«

»Ja, ausgesprochen schwer«, gesteht der Förster.

»Aber können wir es denn ändern? Wie soll man gegen den Strom schwimmen? Das ist wie ein Schicksal über uns gekommen, und es lässt keinen aus.«

»Nein, es lässt uns nicht aus.« Der Alte nickt und atmet ein paarmal tief durch. Dann lächelt er Manfred an, wie dankbar und als wäre er mit seiner Prüfung jetzt zu Ende. »Im Grunde genommen, lieber Büchner, müssen wir froh sein, wenn sie so bleiben, wie sie sind, und sich nicht einfallen lassen, die Welt in Flammen zu setzen.«

»Wie kommen Sie denn darauf?«

»Es wird zu viel marschiert, Büchner. Viel zu viel marschiert. Und immer hinter Fahnen. Und man darf gar nichts dagegen sagen, vielleicht, dass es ohne Marschtritt besser wäre.«

»Das können Sie sagen, Herr Förster. Zu mir dürfen Sie das schon sagen. Sie dürfen es nur nicht hinausschreien.«

»Einmal habe ich es leise gesagt, so wie zu Ihnen. Zu Ihrem Vorgänger und der hat es umgehend an die höhere Forstbehörde gemeldet. Dann hat man mich hinzitiert und sie haben mich gefragt, was ich gegen die derzeitige Obrigkeit hätte und wie ich meinen Untergebenen Vorbild sein könnte, wenn ich selber nicht gläubig sei.«

»Von mir haben Sie nichts zu befürchten, Herr Förster. Manchmal meine ich, aus Ihnen meinen Vater reden zu hören. Der war auch nicht ›gläubig‹ in diesem Sinn.«

Impulsiv streckte der Förster seinem jungen Referendar die Hand hin. »Ich danke Ihnen, Büchner.«

»Wofür denn?«

»Dass ich so offen zu Ihnen hab reden dürfen. Gerade weil Sie so jung sind. Ich aber bin alt und es tut weh zu sehen, wie sie die Seelen der Jungen mit Opium füllen und die dann leben wie im Rausch.«

»Sie und alt?« Manfred lacht, er will das Thema in eine andere Richtung bringen. »Das hab ich gemerkt, heute, beim Aufstieg. Ich hab mich schwer zusammenreißen müssen um mitzukommen.«

»Das war nur das erste Mal. Wenn Sie einmal vierzehn Tage in den Bergen herumgekraxelt sind, erscheint es Ihnen nur mehr wie ein Spaziergang. Und hier« – der Förster greift in die Hosentasche und nestelt dann einen Schlüssel vom Bund – »das ist der Schlüssel fürs Jagdhaus. Verlieren Sie ihn nicht.«

Sie sitzen noch eine ganze Weile auf der Bank vor der Hütte, bis die Gimmeldinger Meerspinne getrunken ist. Der Förster erzählt aus seinem Leben und Manfred erfährt, dass es ein Leben mit wenig Freuden, aber harter Pflichterfüllung gewesen ist. Der Förster erzählt auch von seiner Frau, mit der er nun schon seit dreißig Jahren in vorbildlicher Ehe lebt.

Auch von seinen beiden Söhnen erzählt er, von denen einer als Obermaat zur See fährt und der andere Architekt werden will. Und so sei sein Leben eigentlich ein erfülltes Leben.

Die Sonne neigt sich schon gegen Westen, als Manfred das Jagdhaus absperrt und die beiden dann den Weg zum Riedererhof einschlagen.

Emmeran Riederer, der Großbauer zu Germ, fährt mit einem hoch aufgetürmten Fuder Heu in den Hof über die Tennenbrücke in den Stadel hinein. Dort löst er die Stränge von den Zugscheiteln und die Kummetketten von der Deichsel und führt die zwei Braunen in den Hof hinunter. Vor der Stalltür wirft er die Zügel zu Boden und lässt einen schrillen Pfiff ertönen, ohne dass er dazu die Finger in den Mund stecken muss. Dieses schrille Pfeifen, durch die Zähne gepresst, geht jedem auf dem Hof durch Mark und Bein.

Im Pflanzgarten richtet sich die Bäuerin auf und schaut mit müdem Gesicht über den Zaun.

»Vielleicht«, schreit ihr der Mann zu, »vielleicht tust schon bald die Ross in den Stall!«

Die Riederin legt die Harke aus den abgearbeiteten Händen und geht müden Schrittes zum Hof hin. Ihr Rücken ist gekrümmt, das Gesicht gezeichnet von Linien des Leides. Während sie den Pferden die Kummets abnimmt und sie an die Haken an der Stallmauer hängt, schreit der Bauer ihr schon wieder zu:

»Ein' Krug Bier, aber schnell!«

Dann setzt er sich auf die Hausbank und streckt die langen Beine von sich, nimmt den Strohhut ab und krempelt die Hemdsärmel herunter. Dieses Gesicht vergisst so schnell niemand, der es einmal genau ansehen musste. In ihm spiegeln sich Stolz, Rechthaberei und Misstrauen in einem. Am meisten gibt die Frisur diesem Gesicht mit der langen, schmalen Nase das Gepräge, denn der Riederer trägt sein Haar nicht etwa gescheitelt, sondern lässt es glatt in die Stirne hineinhängen. Da ist es dann knapp über den dichten Brauen, wie mit einer Schnur gemessen, abgeschnitten. Bei Mädchen nennt man so was eine Ponyfrisur. Es geht etwas Unheimliches, etwas Düsteres von diesem Mann aus und kein Mensch hat jemals begreifen können, wie die gutmütige Bacher Sophie diesen Mann jemals hat heiraten können. Emmeran hatte sie ihn nennen dürfen vor der Hochzeit, hernach nur mehr »Bauer«. Und Tobias, der Sohn, muss ihn »Herr Vater« nennen. Das verlangt der Respekt, sagt der Riederer immer.

Die Bäuerin bringt einen Steinkrug mit Bier, etwas kalten Braten und Brot und stellt es auf den Tisch. Dann geht sie wieder in den Pflanzgarten, um die Beete aufzuharken.

Vom Haus aus kann der Riederer auf die Wiesen hinuntersehen, wo seine Leute das letzte Fuder Heu für diesen Tag aufladen. Sechs Fuder sind es an diesem Tag gewesen und vielleicht geht es ihnen nach der Gluthitze des Tages und dem vergossenen Schweiß nicht mehr ganz so schnell von der Hand, wie der Riederer meint, dass es gehen sollte. Jedenfalls brummt er vor sich hin:

»Nur schön langsam, wen ich ned dabei bin. Aber ich helf euch morgen schon wieder auf die Füß!«

Wie er so herumschaut, sieht er auf einmal die beiden Jäger aus dem Wald kommen, direkt auf den Hof zu. Schnell schiebt er die paar Fleischbrocken noch in den Mund, legt den Teller durchs offene Küchenfenster hinein und steht auf, weil die beiden bereits hinter der Tennenbrücke hervorkommen.

Wenn er aufsteht, meint man, ein Baum richte sich auf, so groß ist er. Sein schmales, kantiges Gesicht zeigt auf einmal Unterwürfigkeit und er verzieht den schmalen Mund zu einem Lächeln, als ihn der Förster mit Laune begrüßt:

»Der Riederer, wenn der umfällt, dann fällt er in einen andern Landkreis rein. Guten Abend, Riederer!«

»Guten Abend, die Herren! Kommen Sie zufällig oder führt sie sonst was zu mir?«

Das schlechte Gewissen lässt ihn die Frage tun. Und ein schlechtes Gewissen hat er immer.

»Sagen wir zufällig. Das ist unser neuer Referendar, Büchner mit Namen.«

»Freut mich«, sagt der Riederer, obwohl es seinem Gesicht anzumerken ist, dass es ihn nicht freut. Er trinkt von seinem Bier und wischt sich über den Mund. »Ich tät euch gern eine Halbe anbieten, aber bei euch weiß man ja nie, ob's ned als Beamtenbestechung ausgelegt wird. Und außerdem, glaub ich, ist das Fassl leer und müsst erst ein neues angezapft werden.«

»Ich darf aber doch Wasser trinken?«, fragt Manfred und deutet zum Brunnen hin.

»So viel, als S' mögen. Unser lieber Herrgott hat schon gewusst, warum er 's Wasser laufen lässt. Dass die Menschen einmal so schlecht sein können und Bier draus machen, das hat er ja ned wissen können.«

Manfred ist zum Brunnen getreten und trinkt mit der hohlen Hand von dem frischen Wasserstrahl. Der Förster aber lehnt den Bergstock an die Wand, nimmt das Gewehr zwischen die Knie und lächelt so hintergründig, wie er nur kann.

»Nein, das hat er nicht wissen können, der Herrgott. Aber sehen tut er dafür alles, was seine Menschen so machen auf der Welt. Er hat es zum Beispiel gesehen, dass der Riederer in seinem Wald oben wieder einmal übers Mark gekommen ist. Drei Bäume sind es diesmal, hat mir der Brandl Peter gesagt. Und keine schlechten. Einer soll vier Kubikmeter haben.«

Der Bauer spielt verblüffend glaubwürdig den Erschrockenen.

»Das darf doch ned wahr sein!«

»Es ist aber wahr, Riederer. Meine Leut lügen nicht.«

»Dann – dann – versteh ich das ned. Ich war selber ned oben. Mit meine Füß ist es nämlich nimmer so weit her. Aber ich hab des dem Gruber Ignaz übergeben. Man kann sich heutzutage auf niemand mehr verlassen.«

»Wenn du schon einen Holzeinschlag an jemand vergibst, dann hättest die Bäume zum mindesten anzeichnen müssen.«

»Den Tobias hab ich hinaufgeschickt und der müsst doch eigentlich wissen, wo das Mark ist. Was machen wir denn jetzt da?«

»Du musst dem Forstamt die Bäume ersetzen, da beißt die Maus keinen Faden ab.«

»Selbstverständlich, da lass ich mir nix nachsagen. Da tät ich mich schon Sünden fürchten. Na, na, dass so was hat passieren können.«

»Vor ein paar Jahren ist es schon einmal passiert.«

Der Riederer tut, als hätte er das nicht gehört, und wechselt das Thema, weil er gerade den Tobias mit dem Heufuder auf den Hof zufahren sieht. Hinter dem Fuder gehen ein halbes Dutzend Leute mit Rechen und Gabeln.

Tobias sieht kaum zur Hausbank her, bringt die Pferde in den Stall und schüttet ihnen Hafer vor, als er plötzlich den Büchner zur Stalltür hereinkommen sieht.

»Grüß dich, Tobias!«

»Ebenso.«

»Ich soll dir einen schönen Gruß ausrichten. Was meinst, von wem?«

»Weiß doch ich ned.«

»Von der Lena.«

Kaum merklich verzieht Tobias den Mund zu einem Lächeln.

»So, so, von der Lena.« Er wirft die Schüssel in die Haferkiste zurück und sieht den Manfred an. »Ich hab sie seit dem Maitanz nimmer gesehn.«

»Ja, das hat sie gesagt. Meinst nicht, dass du sie einmal aufsuchen solltest auf der Alm? Wir waren heut oben, der Förster und ich. Sie hat uns prima bewirtet.«

»Ja, ja, sie ist eine gute Haut, die Lena. Wir stecken jetzt bloß mitten in der Heuarbeit. Aber vielleicht dass ich am Samstag einmal hinaufschau zu ihr.«

»Das wird sie freuen. Auf alle Fälle, ich hab es ausgerichtet.«

Zusammen treten sie ins Freie heraus, gerade als der Förster aufsteht und seinen Bergstock von der Hauswand nimmt.

»Gehen wir wieder, Büchner. Also dann, Riederer, das Forstamt hat drei Bäume gut bei Ihnen.«

»Ja, ja, ist schon recht.«

Als sie außer Hörweite sind und schon auf das Dorf zugehen, bleibt der Förster stehen.

»Dieser Geizkragen! Der macht doch mir nicht weis, dass er keinen Schluck Bier mehr gehabt hätte für uns! Aber er braucht nicht meinen, dass er ganz ungeschoren wegkommt. Das ist nämlich jetzt schon das zweite Mal, dass er übers Mark hinausprescht. Diesmal werde ich eine Meldung ans Forstamt machen.«

»Ein merkwürdiger Mensch«, meint Manfred.

Sie stehen beim Wegkreuz, unter dessen Schindeldach ein Rotkehlchenpaar nistet. Schon liegt Abendfrieden über dem Dorf. Nur einzelne Heufuhrwerke rattern noch herein. Das Abendrot liegt über den Bergen wie ein Feuer. Auf einmal hebt der Förster seinen Bergstock und deutet auf eine merkwürdig geformte Wolke hin. Sie ist länglich gezogen, vorn ganz schmal und spitz, nach hinten hin stärker verlaufend und wie mit einem Griff versehen.

»Sehen Sie, Büchner, ein Schwert.«

»Tatsächlich«, staunt Manfred.

»Der Wegmacher würde sagen, dass das eine Bedeutung hat.«

»Ich bin nicht abergläubisch, Herr Förster.«

»Ich auch nicht, Büchner. Aber die alten Bauern wissen für so eine Erscheinung am Himmel immer eine Deutung.«

Das »Schwert« steht an diesem Abend noch lange am Himmel. Es verliert mit dem Sinken der Sonne nur den feurigen Glanz und zieht gegen die Berge, hinter denen es dann verschwindet.

Kaum sind die beiden Jäger über die Wegkuppe verschwunden, fährt der Riederer seinen Sohn an:

»Was hat denn der Grünfrack bei dir im Stall zu suchen gehabt?«

»Nix!«

»Nix? Ich hab euch doch reden hören! Da geh her zu mir, wenn ich mit dir red!«

Tobias geht aber nur bis zum Brunnen und lässt das Wasser über die nackten Arme laufen.

»Was plärrst mich denn so an? Ich werde doch noch mit jemand reden dürfen!«

»Ich plärr, wie ich mag! Und – wie redest denn du auf einmal mit mir? Mir fällt schon länger auf, dass du aufsässig sein willst. Hat dich wer aufgehetzt?«

»Mich braucht niemand aufhetzen, Vater.«

»Herr Vater, bittschön.«

Tobias schaut in den abendlichen Himmel. Er sieht auch diese schwertähnliche Wolke, findet aber keine Deutung dafür. Dann dreht er den Kopf und sagt:

»Am Samstag schau ich einmal auf unsere Alm hinauf.«

»Die Resl ist tüchtig und verlässlich. Bei der braucht man ned nachschaun.«

»Ich geh aber trotzdem.«

So, wie ihr bisheriges Zusammenleben war, ist das offene Auflehnung.

»Das werden wir ja sehn, wer bei uns anschafft! Übrigens, der Förster hat sich beschwert, dass wir im Wald übers Mark kommen wären. Hast du vielleicht fremde Bäum angezeichnet?«

»Das hast doch du gemacht, ned ich.«

»Als ob's dem Staat auf ein paar Bäum ankäm! Der Förster hat grad so getan, als ob er sie aus eigener Tasche zahlen müsst.«

»Recht oft darfst dir das nimmer leisten, sonst zeigt er dich einmal an.«

»Da wird er sich hüten! Ich hab ja schließlich meine Beziehungen nach oben hin.«

»Aber Recht muss halt doch Recht bleiben.«

Tobias geht zum Pflanzengarten, nimmt der Mutter die Harke aus der Hand und sagt:

»Geh ins Haus, Mutter. Das muss doch ned sein, dass du den ganzen Tag da im Garten arbeitest bei der Hitz!«

Dankbar lächelt die Mutter ihn an, aber nur für einen Augenblick, dann schielt sie wieder ängstlich zum Brunnen hin, wo der Riederer immer noch steht und mit umwölkter Stirn den beiden entgegensieht.

»Er hat's ja angeschafft.«

»Und ich sag, du gehst jetzt ins Haus!« Tobias nimmt den Arm der Mutter und führt sie zur Haustür und die Riederin schlupft dann schnell hinein in den kühlen Flur. Den Tobias aber hat sein Vater am Arm gepackt und herumgerissen.

»Sag mal, was fällt denn dir ein! Dass fei die ned im Garten arbeiten kann!«

Nah stehen sie beieinander. Tobias misst einen Meter achtzig, der Riederer einsvierundneunzig.

»Du behandelst die Mutter wie eine Dienstmagd!«

»Möchtest du mir vielleicht beibringen, wie man ein Weib zu behandeln hat? Und möchtest du deine Bäuerin einmal wie eine Prinzessin halten? Da würdest schaun, wie schnell du unterm Pantoffel wärst! Wenn du einer Frau bloß den kleinen Finger gibst, dann schnappt sie sofort nach der ganzen Hand! Und die da einmal reinkommt – was übrigens noch lange Zeit hat –, die such schon ich raus für dich. Du bist viel zu weich, als dass du das richtige Gespür für ein Weibsbild hättest. Viel zu weich. Ich denk oft an meinen Vater, Gott hab ihn selig. Der hat allweil gesagt, ein Eheweib braucht hin und wieder seine Schläg, dann kuschen s' und werden lammfromm.«

»Drum hast du die Mutter auch geschlagen.«

»Weil sie's braucht hat.«

Tobias schluckt ein paarmal heftig, und unwillkürlich muss er an die Lena denken. Er kann sich nicht vorstellen, dass er gegen sie einmal die Hand erheben könnte. Die Lena hat ihn überhaupt aus einem einförmigen Dasein aufgerüttelt, das er bisher so gleichgültig, so ganz ohne Auftrieb gelebt hat. Und ohne mit der Wimper zu zucken, sagt er ins Gesicht des Vaters hinein:

»Wenn du die Mutter nochmal schlägst, dann schlag ich zurück.«

Der Hüne reißt die Augen auf, als hätte ein Blitz neben ihm eingeschlagen. Die Kiefer schieben sich vor und eine messerscharfe Falte steht zwischen seinen Augen.

»Was sagst du da? Zurückschlagen, sagst? Gegen deinen eigenen Vater willst gehn?«

»Ja, weil die Mutter zu schwach ist.«

Der Riederer reißt beide Arme hoch und es sieht so aus, als wolle er den Sohn beidfäustig mitten ins Gesicht schlagen, weil es ja gar nicht sein kann und gar nicht sein darf, dass er sich wehrt. Aber da hat er sich diesmal und das erste Mal verrechnet, denn Tobias wird auf einmal aschfahl im Gesicht, weicht den drohenden Fäusten im letzten Augenblick aus und stößt zu. Wie ein Rammbock ist seine Faust, die dröhnend gegen die Brust des Riesen schlägt, dass er zurücktaumelt gegen den Rand des Brunnenbeckens, in das er unweigerlich hineingefallen wäre, hätten Tobias' Fäuste ihn nicht noch zurückgerissen. Aber er hält ihn fest, wie mit Eisenklammern, schüttelt ihn hin und her, als wolle er alles, was er in so vielen Jahren aufgestaut hat, endlich loswerden.

»Auslassen!«, brüllt der Riederer. Das ist ein gewaltiger Schrei. Aber je öfter er dieses »Auslassen« schreit, desto leiser wird es, zuletzt ist es nur mehr ein Stöhnen, mit dem er dann langsam in die Knie geht. Aus hervorquellenden Augen schreit die blanke Angst, seine Knie beginnen zu zittern, aber er will nicht zu Boden, zumal er jetzt hinter dem Küchenfenster das Gesicht der Bäuerin sieht. Die ganze Zeit hat sie zugesehen, bis sie jetzt doch das Fenster öffnet und mit kläglicher Stimme verlangt:

»Lass ihn aus, Tobias!«

Tobias weiß es danach selber nicht. Wie ein Rausch hat es ihn erfasst, und bevor ihn dieser Rausch verlässt, drückt er den Kopf des Vaters tief ins kalte Brunnenwasser hinein. Dann erst lässt er ihn los, tritt zurück und steht abwartend, denn sein Instinkt sagt ihm, dass der Vater diese Niederlage nicht hinnehmen wird.

Der Riederer reckt sich, schüttelt den Kopf, dass das Wasser von ihm sprüht. Dann erst sieht er Knechte und Mägde beieinander stehen, alle mit schadenfrohen Gesichter.

»Was steht ihr da und gafft?«, schreit er und schüttelt wieder den Kopf. Und dann zu Tobias: »Wenn du meinst, das bleibt dir geschenkt, dann bist auf dem Holzweg. Das wirst noch bitter bereun.«

Dann geht er ohne jemanden anzuschauen hinter die Tennenbrücke, um sich von der sinkenden Sonne trocknen zu lassen.

Dieses Vorkommnis – der Riederer begreift immer noch nicht, wie es dazu hat kommen können – bedrückt ihn jetzt viel mehr, als er es im Augenblick des Geschehens empfunden hat.

In die Knie ist er gezwungen worden, seinen Kopf hat Tobias ins Wasser gedrückt, der Schadenfreude ist er ausgesetzt gewesen, zur Spottfigur gestempelt für alle, die ihn nicht mögen. Und das sind viele. Er ist sich klar darüber, dass es bald die Spatzen von allen Dächern pfeifen werden. Sie werden lachen und ihm die Niederlage von Herzen gönnen. Sein Nimbus ist zerstört. Sein eigener Sohn hat ihn der Lächerlichkeit preisgegeben.

Wie hämisch sie alle gegrinst haben! Das Gesicht hinter dem Fenster hat sich ihm eingeprägt und er versucht sich jetzt zu erinnern, welcher Ausdruck in dem Gesicht seiner Frau gestanden haben mag. Erschrecken, Schadenfreude oder Angst. Auf alle Fälle wird sie alles mit grimmiger Genugtuung genossen haben, ihn nach dreißigjähriger Ehe klein und bedeutungslos erlebt zu haben. Aber sie hat doch wenigstens das Fenster aufgerissen und geschrien: »Lass ihn aus, Tobias.« Hat sie doch Angst empfunden, hat sie aus Mitleid geschrien oder war es nur die Angst um den Sohn gewesen, dass er zum Mörder seines Vaters werden könnte? Tobias hätte ihn nur etwas länger unters Wasser drücken brauchen, er wäre ersoffen wie eine Ratte. Es hätte dann wie ein Unfall aussehen können und wahrscheinlich hätte niemand die Hand zum Eid erhoben und geschworen, dass es anders gewesen sei.

Ja, so verhasst ist er bei allen. Es gibt genug Leute, die sich gut erinnern, wie dieser Emmeran Riederer dahergebraust kam wie ein Sturmwind, als für den Hof ein tüchtiger Baumeister gesucht wurde, weil die Eltern der einzigen Tochter Sophie Bacher kurz hintereinander gestorben waren.

Ja, als Baumeister ist er vor gut dreißig Jahren auf der Einöde Germ eingestanden. Und wie ein Sturmwind und unter Verleugnung seines wirklichen Charakters ist er dann über die damals zwanzigjährige Sophie Bacher gekommen. Gott hat sie nicht mit Schönheit gesegnet. Aber er hat ihr gesagt, dass sie schön sei, dass sie alle Eigenschaften habe, die er sich von einer Frau erträume. Er hat ihr schöngetan wie einem kranken Ross, und als er gemerkt hat, wie gottesfürchtig man auf dem Hof in Germ war, hat er viel vom lieben Herrgott geredet, wie er in seiner weisen Güte die Menschen erschaffen habe, dass sie sich lieben und vermehren, hat auch stets einen Rosenkranz in der Hosentasche herumgetragen, bis die Sophie im zweiten Monat war. Eine Blitzhochzeit ist es dann gewesen und ein Siebenmonatkind hat dann der gesunde, kräftige Tobias sein müssen, bloß dass die Ehre gewahrt war und die Leute nichts zu tratschen hätten.

Nach einem Jahr bereits hat der Emmeran Riederer die Maske fallen lassen und das Fegfeuer der Sophie Bacher hat begonnen. Einfach im Geiste und nichts anderes im Kopf als das Wohl des Hofes, hat sie blind an den Mann geglaubt, der jede Arbeit mit einem »In Gottsnam« begonnen hat, neben dessen Bett die Bibel gelegen hat, von der er sagte, dass er vor jedem Einschlafen noch darin lese.

Kaum war der Tobias geboren, hat es nicht mehr »beim Bacher in Germ« heißen dürfen, sondern »beim Riederer«. Bildlich gesprochen hat er ihr die Hand auf den Kopf gelegt und sie niedergezwungen, bis sie auf ihrem ererbten Hof weniger war als die unterste Magd.

Und nun hat er zum ersten Mal selbst auf die Knie müssen. Ruhelos geht er in seiner Kammer auf und ab. Die eheliche Kammer meidet er schon seit Tobias' Geburt. Auf und ab geht er. Die Dielen knarzen unter seinem Gewicht. Er ist voller Zorn und Misstrauen und meint, dass sich alle gegen ihn verschworen haben. Wie er es auch überlegt – er kommt nicht darauf, was der Grund dafür sein könnte, dass der Tobias plötzlich so rebellisch geworden ist und sogar die Hand gegen den eigenen Vater erhoben hat. Es ist nicht zu verstehen, dass der Tobias sich ganz von selber frei gemacht hat aus seiner bisherigen Duldsamkeit, seiner Unterwürfigkeit, mit der er alles hingenommen hat, was ihm und seiner Mutter zugemutet worden ist. In einer einzigen Stunde, nein, in einem einzigen Augenblick soll er das alles von sich aus abgeschüttelt haben? Das gibt es doch gar nicht! Da muss ihn doch jemand aufgehetzt haben! Aber wer?

Der Riederer versteht das einfach nicht und bekommt vor lauter Grübeln tiefe Falten auf der Stirn. Er ist zum Abendessen nicht erschienen, ist gleich in seine Kammer gegangen und hat sich umgezogen. Seitdem geht er hier auf und ab und die Heiligen auf den Hinterglasbildern an der Wand mögen sich wundern und sich fragen: Was hat er denn heute nur, unser Riese?

Dann reißt er die Kastentür auf, schlüpft in eine Jacke und geht leise die Stiege hinunter. Er zieht den Riegel von der Haustür zurück, die Nacht umfängt ihn, eine warme Nacht voll flirrender Sterne. Der Halbmond lässt das Wasser im Brunnentrog silbern glänzen. Und da überkommt ihn das Schaudern wieder, weil er bedenkt, dass ihm die Luft schon weggeblieben war. Der Tod ist schon in den Händen des Sohnes gewesen und es ist nur jammerschade, dass man es niemandem erzählen kann, dem Bezirksbaumeister in der Stadt vielleicht oder der Barbara im »Roten Ochsen«, die ihm den Terlaner Rotwein immer so wohltemperiert hinstellt und ihn im Übrigen auch über ihre eigene Temperatur nicht im Unklaren lässt.

Nein, niemandem kann er davon erzählen, denn wie er es auch wenden und drehen würde, es bliebe immer eine Schmach. Wenn es nur nicht der eigene Sohn gewesen wäre, der sich an ihm vergriffen hat! Ein Knecht wäre besser gewesen. Wenn von denen sich einer an ihm vergriffen hätte, dann könnte er zur Gendarmerie gehen und ihn anzeigen wegen Mordversuch. Warum? Aber Herr Kommissär, Sie kennen doch die Menschen, sie sind doch bloß erfüllt von

Habgier und Neid. Sie vertragen nicht, wenn man gut zu ihnen ist. Und ich bin – Sie wissen es ja selber, Herr Kommissär –, ich bin die Güte selber.

So geht er stundenlang, die Hände hinter dem Rücken verschlungen, unter den Obstbäumen dahin. Er hört die Kirchturmuhr vom Dorf herauf schlagen. Die dritte Morgenstunde schlägt sie bereits. Hinter den östlichen Bergspitzen zieht ein fahler Schein herauf, der die Sterne erlöschen lässt. Der Mond verliert auch seinen Glanz und wechselt ins Bleifarbene über. Plötzlich hört der Riederer einen Aufschlag, und als er dann so durch die Bäume lugt, sieht er im Hohlweg weiter drüben einen Schatten dahinwandern. Nur Kopf und Brust sieht er und die Bewegung eines Armes, der einen Bergstecken führt. Wie maschinell bewegt sich alles, wie ein Geist, der sich durch Nebel zieht. Beim genaueren Hinsehen aber sieht er dann doch, dass es der Forstreferendar ist, den der Frühdienst in den Bergwald treibt. Laut knirschen seine Nagelschuhe auf dem Kiesboden und jedesmal, wenn die Spitze seines Bergstocks auf einen Stein trifft, klirrt es metallisch.

Solche Leut haben's schön, denkt der Riederer. Dürfen ihrer Lebtag bloß spazieren gehen und leben doch wie Gott in Frankreich.

So, als sei ihm plötzlich eingefallen, dass er es ja auch so haben könne, zieht er das Laufwägerl aus der Remise, spannt den Traber Egmont ein und fährt mit dem Ziel Kreisstadt davon.

Der Fronleichnamstag wird auch in Veilenstein so prunkvoll und mit allem Glanz begangen, wie es einem Bergbauerndorf möglich ist. Die Vereine haben sich aufgereiht. Voraus marschiert der Gebirgstrachenerhaltungsverein und Kilian Maurer hebt kraftvoll die schwere Fahne mit den vielen seidenen Bändern in die Morgensonne. Er ist der Fähnrich und weiß, wie eine Fahne getragen werden muss, dass es wirkt. Das findet auch die Agnes, die mit den Frauen geht, in der schönen Tracht des Tals.

Hinter den Trachtlern marschieren die Schützen mit geschultertem Stutzen, voraus der Hauptmann, der seinen Säbel über der Schulter trägt und ihn in der Sonne blitzen lässt. Dann kommt der Veteranenverein, dann der Kirchenchor, von zwölf weiß gekleideten Mädchen umrahmt, und endlich, von Weihrauch umhüllt, folgt der Traghimmel, von vier gestandenen Männern getragen. Vorn rechts trägt der Riederer von Germ den Himmel. Die ziemlich dicke Stange fühlt sich in seinen Riesenfäusten wie eine Gerte an.

Unter dem Himmel schreitet der Pfarrer Lindner. Er trägt die Monstranz, und die Leute, die am Straßenrand stehen, fallen in die Knie.

Hinter dem Traghimmel gehen der Gemeinderat und die Beamten und Jäger des Forstamtes in ihren grünen Uniformen. Hinterher der Burschenverein, von dem vier Mitglieder die Statue des heiligen Josef tragen. Zum Schluss folgen dann die Frauen. Dort geht es schon nicht mehr so ruhig zu. Da wird schon mehr geratscht als gebetet. Besonders die Frau vom Molkereibesitzer Englbart lässt sich auf dem Weg von einem Altar zum anderen darüber aus, dass dieser Riederer jedes Jahr unter den Himmelsträgern sei. Ausgerechnet der Riederer, von dem man doch so allerlei höre.

»Da wird der Herr Pfarrer ned anders können, weil doch der Riederer voriges Jahr erst den neuen Beichtstuhl gekauft hat.«

»Den mit den schönen Schnitzereien an den Seitenwänden? Wär auch gescheiter, der tät seiner Bäuerin endlich einmal einen neuen Mantel kaufen! Seit zwanzig Jahr seh ich sie am Allerheiligentag mit ihrem alten Mantel am Grab stehen!«

So weiß es die Angerbäuerin und ist froh, in der Englbartin eine verständnisvolle Gesprächspartnerin gefunden zu haben. Sie können sich allerdings ihre Neuigkeiten nur zuflüstern, weil sie sich den zürnenden Blicken der wirklich Andächtigen nicht aussetzen wollen. Immerhin hecheln sie die Maurer Judith auch noch ganz schön durch, der das weiße Kranzl wohl nicht mehr zukomme, weil sie sich mit dem

Forstreferendar so offen zeigt, im Schwimmbad zum Beispiel, nur mit einem Bikini notdürftig das verhüllend, was ein Mannsbild nicht zu sehen brauche.

Nein, an der Angerbäuerin und der Englbartin kann der liebe Gott keine große Freude haben, der sich heute in der Monstranz über die weiten Wege tragen lässt, bis man wieder vor einem Altar hält. Es ist der letzte Altar von den vieren, an dem der Pfarrer den Segen spricht. Die Glocken läuten vom Kirchturm, das Geschell der Ministrantenglöckerl singt dazwischen und der Wind weht leise über das Dach des Traghimmels. Die Gläubigen sind auf die Knie gesunken, und als sie wieder aufstehen, fallen sie alle in die Melodie der Musikkapelle und des Kirchenchores ein: »Großer Gott, wir loben dich.«

Und wenn man Gott so ehrlichen Herzens gelobt hat, dann wird er sicherlich sein »Ja« sagen, wenn die Männer nun zügigen Schrittes auf den schattigen Wirtsgarten zustreben. Der reine Zufall will es, dass der Tobias mit seinem Vater am gleichen Tisch zu sitzen kommt. Und als die Maßkrüge zu einem Prost gehoben werden, sieht Tobias genau, wie sein Vater es so geschickt einrichtet, dass er nicht an seinen Maßkrug zu stoßen braucht. Tobias lächelt, sie haben sich seit jener Brunnentragödie nichts mehr zu sagen gehabt, obwohl der Riederer zu fragen gehabt hätte: Wo warst du denn heute die ganze Nacht? Du bist erst um drei Uhr früh heimgekommen. Und so, wie der Tobias jetzt eingestellt ist, hätte er vielleicht geantwortet: Das geht dich gar nichts an.

O ja, es schwelt zwischen den beiden. Keiner will nachgeben. Ja, der Riederer ist sogar unsicher geworden, denn Tobias' Veränderung ist so offensichtlich, dass man unruhig werden kann. Das Schlimmste ist, dass Tobias jetzt manchmal lächelt, über ihn vielleicht oder weil ihn irgend etwas bewegt, das ihn etwas herausgerissen hat aus seiner Dumpfheit.

Vor dem Zaun und auf dem Dorfplatz stehen die Frauen beisammen und beim Kramer Loipert klingelt unentwegt das Ladenglöckchen. Hier kennt man keinen Sonntagsladenschluss, obwohl auch für den Loipert das Gesetz gelten müsste. Aber die Gendamerie schließt die Augen. Was will sie auch sagen, wenn die Frau des Wachtmeisters Mundler selber die Stufen zum Laden hinaufgeht und schnell noch ein Pfund Bandnudeln holt, weil es zu Mittag Schinkennudeln geben soll.

Ja, da sitzen sie beieinander, die drei Männer vom Gendarmerieposten, die Jägerschaft, der halbe Gemeinderat und wer sich halt sonst noch zur »Hautevolee« rechnet. Der Kilian sagt immer »Haut voll Flöh« und reißt überhaupt gern seine Witze über diese Gesellschaft. Der Kilian ist heute wieder in seinem Element, ruft über den Zaun hinweg etwas zu den Mädchen, die vorübergehen, und sitzt da, die weißen Hemdärmel hoch gekrempelt, den Hut mit dem Gamsbart weit aus der Stirn gerückt, dass sein blonder Haarbüschel hereinfällt.

Man sollte halt wissen, denkt er, wie das nun bei den Beamten ausschaut, ob sie an so einem Feiertag noch Dienst machen. Vielleicht denkt sein Vater, der Maurerbauer, dasselbe, denn er zwinkert vom anderen Tisch her seinem Sohn zu. Und Kilian zwinkert zurück, das linke Aug kneift er zu und das könnte heißen, dass er über Kimme und Korn schaut. Der Kilian nickt schließlich und der Maurer zündet sich die erloschene Virginia wieder an. Sie verstehen sich, die beiden, wie sie sich immer schon verstanden haben. Als der Kilian seinen Militärdienst hat ableisten müssen, hat er den Vater so herzlich warm gebeten: »Gib mir gut auf mein Büchsl Acht, Vater. Immer gut ölen nach Gebrauch und tu es nie daheim aufbewahren. Lass es auf der Alm oder gib es dem Wegmacher zum Aufheben. Auf den fällt nie ein Verdacht.«

In letzter Zeit sind sie sich beide aber ein wenig unschlüssig geworden, denn da ist nun dieser Forstreferendar in ihre Familie hineingeschneit, hat ganz offen und förmlich, mit einem Blumenstrauß für die Bäuerin, um die Hand der Tochter Judith angehalten. Der Maurer hat dabei zwar die Nase ein bissl aufgezogen, die Maurerin aber hat sich geschmeichelt gefühlt und dann haben sie alle recht herzlich lachen müssen, als der Kilian meinte, mit der Hand der Judith allein könne wohl auch ein Jäger nicht viel anfangen, er wolle doch sicherlich das ganze Mädel haben oder etwa nicht?

Die ganze Familie hatte gelacht. Kilian, der Allerweltskerl, dem kein Berg zu hoch ist, der keine Gefahr scheut, der im Winter mit den Skiern über halsbrecherische Hänge rast, der die Mädchen erröten lässt, wenn sein munteres Mundwerk spielt, dass jede meinen kann, er werbe um ihre Liebe. In Wirklichkeit ist er nur seiner Agnes treu, und zwar bedingungslos.

Es geht gegen Mittag, der Dorfplatz ist nun leer geworden. Der Mesner und die Mesnerin räumen die Altäre auf, laden sie auf einen Handkarren, und nur die Birken am Straßenrand und die auf das Pflaster gestreuten Blumen erinnern noch daran, dass zwei Stunden vorher der HERR um das Dorf getragen wurde, damit er die Blumen auf den Wiesen und die ernteschweren Felder segne.

Der Maurer trinkt sein Bier aus und steht auf. »Gehst mit, Kilian?«, fragt er im Vorbeigehen seinen Sohn.

Kaum haben sie den Wirtsgarten hinter sich, sagt der Alte: »Heut wär die Luft rein. Was meinst du?«

Der Kilian nickt nur. »Im Löfflerhölzl wechselt ein schwacher Gabler.«

»Um den ist ned schad. Aber gibt Obacht, Kilian!«

»Wer mich erwischen will, muss früher aufstehn!«

Aus den Bauernhäusern steigt bläulicher Rauch in die Luft und aus den offenen Küchenfenstern strömt der Duft von Braten. Vom Kirchturm schlägt es zwölf Uhr und die beiden setzen ihre Schritte schneller.

»Sonst verkochen die Knödl«, meint der Alte. »Dann schimpft die Mutter wieder.«

»Noch narrischer wird die Judith, wenn mir ned pünktlich sind. Die hat schon was an sich von einem Beamtenton.«

»Ja mei«, seufzt der Maurer. »Ein anderer wär mir lieber gewesen. Dass es ausgerechnet ein Jäger sein muss! Aber kennst sie ja. Lasst sich ja nix dreinreden.«

»Da hat sie auch Recht, Vater. In der Lieb, da darf man sich nix dreinreden lassen. Zu eurer Zeit war des vielleicht noch anders. Da haben die Eltern noch bestimmt, wer wen heiraten soll. Aber die Zeiten haben sich da gewaltig geändert. Und im Grund genommen ist der Manfred vielleicht grad der Richtige für unsere Judith, nachdem sie allweil sagt, einen Bauern würd sie nie heiraten, lieber bleibt sie ledig.«

Sie nähern sich dem Hof, als die Judith gerade unter die Tür tritt. »Ja, geht's noch weiter! 's Essen steht schon auf dem Tisch!«

Die Judith legt heute überhaupt so eine verdächtige Eile an den Tag. Zunächst isst ist nur einen von den Kartoffelknödeln. Dann sitzt sie da, mit gefalteten Händen, als warte sie ungeduldig auf das Nachtischgebet, und runzelt missmutig die Brauen, als der Kilian sich noch den vierten Knödel heraussticht. Kaum ist dann das Dankgebet gesprochen, rumpelt sie schon auf und trägt das Geschirr in die Küche. Das Abspülen überlässt sie der Gertraud mit der Erklärung, dass sie höchste Zeit habe fortzukommen.

»Hast ein Stelldichein?«, fragt die Alte verständnisvoll, obwohl sie selbst nie eins gehabt hat.

»Um halb zwei Uhr beim Waldsee oben«, lacht die Judith. Dann springt sie in ihre Kammer hinauf, richtet das Haar ein wenig, gibt ein paar Spritzer Lavendel hinein und lächelt ihrem Spiegelbild zu. Wenig später geht sie zur hinteren Tür hinaus und läuft auf dem Sträßlein dahin, das zum Wald hinauf führt. Der Kilian schaut ihr vom Stubenfenster aus nach, dreht sich um und meint:

»Rennen tut sie grad wie ein Trakener, wenn man ihm Pfeffer gibt.«

Die Bäume am Ufer des kleinen Waldsees wundern sich über den Menschen, der so unruhig umherläuft und immer wieder auf die Uhr schaut, als ob er jemand erwarte. Seit einer halben Stunde ist Manfred Büchner bereits da und ist aufgeregt wie ein Pennäler vor der Prüfung. Wenn sie nicht pünktlich ist, denkt er, dann muss ich sie einreihen in die Schar jener Mädchen, die nie pünktlich sind und dann eine vage Ausrede für ihr Zuspätkommen erfinden. Aber als der

Zeiger seiner Armbanduhr genau auf halb zwei rückt, erscheint Judith unter den Bäumen. Sie läuft sogar noch das letzte Stück und fliegt dann lachend und schwer atmend in seine ausgebreiteten Arme. Erst als sie ausgeschnauft hat, blickt sie zu ihm auf und verlangt:

»Schau auf deine Uhr, Manfred! Bin ich nicht pünktlich?«

»Zwei Minuten drüber«, scherzt er.

»Ja, aber – jetzt bin ich ja da!«

Als sie sich müdgeküsst haben, fragt die Judith:

»Und was tun wir jetzt, Manfred? Noch tiefer in den Wald hineinlaufen?«

Er hält ihr glückliches Gesicht immer noch in seinen Händen.

»Wir wollten doch baden, Judith.«

Ein leises Erschrecken kommt in ihre Augen.

»Ich hab aber nichts bei mir, Manfred.«

»Musst du denn etwas verbergen vor mir?«

Sie hebt die Hand und streicht ihm mit den Fingerspitzen über Stirn, Augen und Mund, bis sie sagt:

»Wenn es gar keine Grenzen mehr gibt, zerbricht das Glück.«

Er versteht sie, weil vor ihr einmal eine gewesen ist, die von keiner Grenze gewusst hat. Aber das Wasser ist so lockend und im Wald ist es so schwül. Mücken tanzen zwischen den Stämmen, Libellen schwirren über die Wasserfläche und die Vögel singen, als hätte sich ein Chor von Tausenden zusammengetan, der sich vergeblich bemüht, in eine gleiche Melodie zu kommen. Einmal pfeift eine Rohrdommel zornig dazwischen, als ärgere sie sich, dass die anderen sich so gar nicht an eine Melodie halten können.

»Wenn du mir versprichst«, sagt Judith nach einer Weile angestrengten Nachdenkens, »dass du dich hinter den dicken Baum dort stellst, dann möchte ich schon ins Wasser.«

»Du, das wird mir zwar schwer fallen, aber ich verspreche es.«

»Nein, du musst schwören! Heb drei Finger auf und schwöre, dass du nicht herschaust, bis ich im Wasser bin!«

»Aber ich darf doch dann nachkommen?«

Sie will schon nicken, besinnt sich dann aber und sagt: »Wenn aber jemand vorbeikommt?«

»Bleiben wir im Wasser, bis es dunkel ist. Die Nacht ist nicht so schonungslos wie der Tag.«

Manfred setzt sich dann brav hinter den Baum und er schaut sich nicht einmal um, weil er begriffen hat, wie ernst sie es mit ihrer Bitte gemeint hat. Sie zieht sich aus. Ganz still sitzt er jetzt, bis er das Aufplätschern des Wassers vernimmt und den glückseligen Schrei, mit dem sich Judith in den See gestürzt hat.

Judith schwimmt schon weit draußen. Man sieht nur zuweilen den Kopf und das, was sie hinter sich herzieht wie einen schwarzen Strich, das lange, dunkle Haar. Es sieht aus, als schwimme eine Bisamratte da draußen. Da lässt auch er sich ins Wasser schnellen und zerbricht mit kräftigen Armen das grünlich schimmernde Nass, bis er an ihre Seite kommt.

Nach dem Bad liegen sie in der Sonne. Judith hat ihr Haar über Gesicht und Brust ausgebreitet, damit es in der Sonne trocknet. Er kann nicht in ihre Augen sehen, und was sie spricht, kommt wie unter einem Schleier hervor.

»Ich hab dich heut Vormittag bei der Prozession gesehen«, sagt sie. »In der Uniform siehst du prächtig aus.«

»Sonst nicht?«

»Doch, natürlich.« Sie zieht die Hälfte des Haares zurück und blinzelt ihn aus einem Auge an. »Weißt du, was ich wissen möcht, Manfred?«

»Ja, was denn?«

»Ob du mich liebst.«

Er verschränkt die Hände hinter dem Kopf und sieht zu den Baumwipfeln hinauf, die sich sacht im Wind wiegen. Mit der Antwort lässt er auf sich warten.

»Das musst du doch wissen«, drängt sie weiter. »Jeder muss es wissen, wenn es über ihn kommt. Das spürt man doch, wenn das Herz auf einmal viel schneller schlägt. In den Romanen steht oft was von der Lieb auf den ersten Blick.«

»Bei mir war es der zweite Blick, als ich bei euch war und

du ein Glas Zwetschgenschnaps vor mich hingestellt hast. Und dann kam der Maitanz.«

»Nein, zuerst kam dein Brief.«

»Den du mir nicht beantwortet hast. Aber in dem Brief stand ja bereits alles drin, besonders wenn man zwischen den Zeilen zu lesen versteht.«

»Ja, das kann schon sein. Aber eigentlich, Manfred, weiß ich von dir recht wenig. Du bist gekommen und hast so ganz förmlich meine Eltern gefragt, ob du mich heiraten kannst.«

»Das ist in meinen Kreisen so Brauch, wenn man es ernst meint.«

»Deine Kreise, ja eben, das ist es ja, was mir Kopfzerbrechen macht. Pass ich denn überhaupt hinein in deine Kreise? Ich bin ja bloß ein einfaches Bauernmädel, das vom Acker herkommt, mit Erdschollen an den Füßen. Und wenn du –«

Blitzschnell legt er die Hand auf ihren Mund. »Jetzt sei aber still!«

Sie nimmt seine Hand fort und legt sie auf ihre Brust.

»Nein, nein, lass mich nur ausreden. Wenn ich so über alles nachdenk, wie es mit uns beiden angefangen hat, dann frag ich mich, ob ich überhaupt neben dir bestehen kann.«

»Jetzt mach aber wirklich einen Punkt! Meinst du, ich hätte jemals die Karten so offen auf den Tisch gelegt, wenn ich mir nicht im Klaren gewesen wäre, du oder keine? Ich hab dich wirklich lieb, Judith, und mir graust, wenn ich daran denke, dass wir uns trennen müssten.«

Erschrocken richtet sie sich auf, schleudert das Haar zurück in den Nacken und sitzt ganz starr aufrecht.

»Wie meinst du das?«

»Ja, schau, Judith, ich bin immer noch in der Ausbildung. Wir werden einmal da hingeschickt und einmal dorthin. Kann sogar sein, dass es mich einmal bis nach Pommern verschlägt.«

»Davor hab ich Angst.«

»Ich auch. Weil ich nicht weiß, ob du mir dann treu bleiben wirst und ob du dann mit mir gehen wirst, wenn wir heiraten können!«

»Ach, du Narr du! Mit dir geh ich doch bis ans Ende der Welt.«

»Es kann aber immer noch einige Jahre dauern, bis wir heiraten können.«

»Ja und? Ich warte auf dich. – Ach du meine Güte! Jetzt hab ich auch noch den Kamm vergessen!«

Er greift in die Jackentasche.

»Hat Manfred. Manfred hat alles.«

Sie beginnt ihr Haar zu strähnen, und als sie die Zöpfe dann um die Stirn windet, ruft er begeistert:

»Du musst dein Haar immer so tragen! Auch später!«

»Liebst du Kinder?«

»Und wie! Vor allem dich, du großes Kind.«

»Ja, manchmal denk ich, ich bin noch Kind und hab Angst.«

»Angst? Wovor denn?«

Sie ist nun fertig mit ihrem Haar, gibt ihm den Kamm zurück und wirft beide Arme um seinen Hals.

»Ich habe Angst, Manfred, dass du einmal fortgehst und mich vergisst. Und ich weiß nicht, was dann aus mir werden soll. Es hört sich vielleicht dumm an, wenn ich sag, dass ich dann nicht mehr leben möcht. Aber ich weiß ganz sicher, dass es so ist. Was fängt man denn mit einem Leben an, wenn es zerbrochen ist?«

»Aber Judith, das sind doch dumme Gedanken! Das kommt mir gerade so vor, als hättest du kein Vertrauen zu mir.«

»Vertrauen schon, aber Zweifel sind halt da. Ich kann nichts dafür. Du sagst zwar, dass du – wie sagst du gleich immer – unendlich glücklich bist mit mir. Aber oft genügt einem Glücklichen ein Biss in den Apfel, dann wirft er die andere Hälfte weg.«

Manfred schüttelt den Kopf, dann umschlingt er stürmisch ihre Taille.

»Judith, rede nicht solchen Unfug! Da müsst ich ja tatsächlich den Verdacht haben, du hättest schon einige Enttäuschungen hinter dir. Dann sag es jetzt gleich.«

»Ich hab da nichts zu sagen, Manfred. Ich hab keine Vergangenheit, wenn du das meinst. Und wenn du eine hast, es geht mich nichts an. Was vor mir war, zählt nicht. Aber von jetzt an muss alles klar sein zwischen uns. Wir wollen einander nie belügen. Es schmerzt sehr, wenn man draufkommt, dass man belogen wurde.«

Er fasst sie an den Schultern und dreht ihr Gesicht nah an das seine.

»Du redest wunderlich daher, Judith.«

»Wunderlich? Ach, Manfred, lüg mich bitte nie an, auch in Kleinigkeiten ned. Mach es ned wie mein Vater oder der Kilian. Der sagt zwar immer, er schwindle ja nur, aber das ist auch lügen.«

»Wie kommst du jetzt auf deinen Vater? Ich kann mir gar nicht vorstellen, dass an dem ein Makel wäre.«

»Makel keiner. Aber wenn er sonntags vom Wirt heimkommt und seine acht Halbe Bier gehabt hat, weiß das die Mutter sofort und sagt: Heut, mein ich, hast dich wieder vollaufen lassen. Dann sagt er: drei Halbe, mehr waren's ned.«

»Das sind doch Kleinigkeiten!«

»Mit Kleinigkeiten fängt alles an. Die Mutter sagt immer, wer lügt, der stiehlt auch.«

Weil er nichts anderes weiß, antwortet er: »Ich hab noch nie in meinem Leben gestohlen.«

»Doch! Siehst du, jetzt lügst du.«

»Aber wieso denn?«

»Du hast doch mein Herz gestohlen.«

»Ach so!« Er lacht. »Und das werde ich auch weiterhin mit Beschlag belegen! Und jetzt gib einmal deinen Mund her.«

Ach, wie sie ihn liebt! Bis jetzt hat sie nicht gewusst, dass so etwas möglich sein kann, dass man alles vergisst, die Zeit, die Menschen, alles.

Und der See liegt in atemloser Stille, grünlich und verschlossen, nicht einmal das Schilf regt sich. Es duftet nach Harz, nach Sommer und Thymian und die Sonne steht still über den hohen Tannen.

Sie merkt nicht, dass die Vögel verstummt sind und dass der Wind die Wipfel der Tannen nicht mehr wiegt. Es ist eine seltsame Stille auf einmal ringsum. Die beiden jungen Menschen liegen im Moos, haben die Augen geschlossen und halten sich an den Händen.

Da fällt weiter unten ein Schuss und lässt das Echo über den See rollen.

Manfred springt auf.

Fast gleichzeitig steht Judith neben ihm und umklammert seinen Arm. In ihrem Gesicht stehen Schrecken, Angst und Zorn zugleich.

»Das war ein Wilderer«, flüstert Manfred.

»Das weißt du doch nicht, Manfred.«

»Doch, von uns ist heut niemand im Revier. Und das muss der Kerl wissen. Und ich hab nicht einmal ein Gewehr bei mir!« Er will sich von ihr losreißen, aber sie hält ihn wie mit Eisenklammern.

»Manfred, das hat doch keinen Sinn.«

Verwundert betrachtet er sie. Ihre Hände zittern, in ihren Augen steht Angst. Sie gleitet an ihm nieder und umschlingt seine Knie.

»Bleib da, Manfred, lass mich ned allein, ich hab Angst.«

Er hebt sie hoch und legt den Arm um ihre Schulter. Er weiss nicht, ob er sich richtig verhält. Er steht mit leeren Händen da, hat seinen freien Tag. Aber steht nicht irgendwo in der Dienstvorschrift: »Ein Jäger ist immer im Dienst.«?

Unschlüssig stehen sie beide. Judith birgt den Kopf an seiner Brust und hält ihn mit beiden Armen fest umschlungen. Eine Wolke zieht über den See und verdunkelt die Sonne. Weit hinter dem Wald ziehen weitere schwere Wolken auf, aber die sehen sie nicht. Sie hören nur dumpfes Murren in der Ferne und dann geht etwas wie ein Wetterleuchten über den See hin.

»Kommt ein Gewitter?«, fragt Manfred.

Die Stille ringsrum deutet es an. Kein Halm bewegt sich, kein Zweig an den Bäumen. Dann wieder dieses Murren in der Ferne, das rasch näherkommt. Dann fährt ein greller Blitzstrahl aus der dunklen Wolke. Zugleich erwacht der

Sturm und fällt in die Bäume ein, dass sie aufrauschen und sich in den Wipfeln biegen.

»Komm«, sagt Manfred und fasst Judith bei der Hand. So rennen sie durch den Wald auf die Lichtung, wo das Jagdhaus steht. Im Laufen schon zerrt Manfred den Schlüssel aus der Tasche. Und kaum haben sie die Tür hinter sich geschlossen, prasselt es bereits auf das Schindeldach, und wie ein Sturzbach schießt das Wasser aus der Dachrinne.

Als dieses Donnergrollen zum ersten Mal aus der Ferne kommt, steht die Lena auf, tritt vor die Almhütte und schaut umher. Über den Bergen liegt noch der Glanz des Sommertages, aber von Westen schiebt sich schweres Gewölk heran, an den Rändern gelblich glänzend, und die Bauern sagen, dass in dieser Farbe der Hagel stecke.

Über dem Almfeld scheint zwar noch die Sonne. Aber die Kühe beginnen unruhig zu werden. Sie schütteln die Köpfe und die Glocken an ihrem Hals erfüllen den ganzen Almgrund mit lautem Geläut.

Die Lena tritt zurück unter das vorspringende Dach und setzt sich zu Tobias auf die Hüttenstufen. Und wie vorhin schiebt sie den Arm unter den seinen und bettet den Kopf an seine Schulter.

»Es wird ein schweres Gewitter, Tobias.«

»Dann muss ich sofort heim«, hätte er früher gesagt. Jetzt bleibt er sitzen und meint: »Dann mag ich dich ned allein lassen, Lena.«

Ach ja, der Tobias! Es ist eine merkwürdige Veränderung mit ihm geschehen. Er ist aus seiner Schweigsamkeit herausgebrochen und sein Herz ist oft voller Freude. Zwar ist er kein stürmischer Liebhaber und weiß keine Zärtlichkeiten zu verschenken, aber er lässt sich Lenas Zärtlichkeiten gefallen und weicht nicht mehr aus, wenn sie sich an ihn schmiegt. Dann lässt er sich einhüllen in alle Wärme, die Lena zu verschenken hat. Das ist nicht nur Liebe allein, nein, sie schenkt ihm auch Vertrauen zu sich selbst und er ist ein ganz anderer Mann geworden.

Der Tobias ist jeden Samstagabend auf die Alm gekommen, seit Lena ihn durch den Forstreferendar hat grüßen lassen. Auch heute, an Fronleichnam, sitzt er schon seit dem frühen Nachmittag bei ihr, lässt sich zärteln und ist zufrieden bis in den Grund seines Herzens. Es ist, als erwache er jetzt erst zum Leben, denn nie bisher ist jemand so gut zu ihm gewesen. Seine Mutter, o ja, die hat ihn auch schon mal, wenn sie allein gewesen sind, schnell und heftig an sich gedrückt, hat aber mehr geweint dabei als gelacht, weil sie die Not seiner Kindheit mitgelitten hat. Mit zwölf Jahren hat der Vater ihm die Pflugsterzen in die Hände gedrückt und die Zügel. Und wenn die Furche nicht schnurgerade gezogen war, hat es Ohrfeigen gegeben und Schimpfworte. Wie lange er denn meine, dass man seinetwegen noch einen vierten Knecht halten müsse? Du verdienst dir ja nicht einmal die Brotsuppe! Und so was will einmal Bauer werden!

Oh, Tobias hat nichts vergessen. Wo Liebe in sein junges Herz hätte gelegt werden müssen, ist Hass gesät worden, der sich kürzlich dann zum ersten Mal entladen hat. Seither haben Vater und Sohn sich nichts mehr zu sagen. Was Liebe und Gutsein heißt, das lehrt ihn jetzt die Lena, die neben ihm sitzt, die ihm das Haar aus der Stirn streicht und ihm in die Augen schaut, als möchte sie die letzte Traurigkeit aus ihm herausnehmen. Es kommt ihm vor, als lebe er in einem Traum, aus dem er erst herausgerissen wird, als die schwefelgelbe Wolke sich auf die Hütte zuschiebt und ein vielfach gezackter Blitz aus ihr herausfährt, dem ein polternder Donnerschlag folgt.

Die Kühe drängen sich ängstlich an das Gatter, Tobias springt auf und öffnet es. Das Vieh eilt brüllend in den Stall, während der Sturm ihnen in die Leiber fährt und der Regen eine tönende Wand um die Hütte baut. Wahre Sturzbäche fallen herab und die Hütte wird zu einer friedlichen Arche inmitten der Sintflut. Urgewalten sind losgebrochen und die Lena zündet eine schwarze Kerze an, wie man es daheim auch hält, wenn ein Gewitter über dem Dorf tobt.

Die Kerze flackert und Lena schmiegt sich eng an die Brust des Mannes, der ihr den Arm um die Schultern legt.

»Du kannst jetzt nicht heim«, sagt sie und es ist wie ein Frohlocken in ihrer Stimme.

»Es wird ja mal wieder aufhören«, meint er.

Ja, es hört auf. Aber bis dahin ist es geschlagene Nacht. Nur weit in der Ferne blitzt, ganz schwach, ein Wetterleuchten.

Sie haben zusammen die Kühe gemolken, haben miteinander zu Abend gegessen und sitzen nun vor dem Herdfeuer, das ihre Gesichter erhellt.

Auf dem Maurerhof zieht die Bäuerin die Dachglocke und wartet nur noch, bis auch Kilian in den Hof fährt. Dann trägt sie die dampfende Schüssel mit dem herrlich duftenden Rehragout auf. Hinter ihr bringt die Gertraud die Schüssel mit den Semmelknödeln.

Alle am Tisch wissen, woher das Rehragout stammt, und der Kilian hat dem Vater erzählt, dass er den Gabler mitten aufs Blatt getroffen habe. Das bringt ihm aber weiter kein Lob ein. Der Maurer sagt nur:

»Das wär ja noch schöner, wenn's anders wär!«

Dann schöpft er sich als Erster heraus, fährt mit dem Schöpflöffel ganz tief in die Schüssel hinunter, damit er auch genügend Fleisch erwischt. Dann füllen die anderen ihre Teller – bis auf die Judith. Die sticht sich nur einen Knödel heraus, zerteilt ihn mit der Gabel und würgt die Brocken trocken hinunter. Zuerst fällt das niemandem auf, erst der Vater erfasst das mit seinem Späherblick und fragt:

»Warum kein Fleisch und keine Soß? Was würgst denn deinen Knödel trocken hinunter?«

»Meinst, ich weiß ned, wo das Reh her ist?«

»Ja und?«, fragt der Kilian mit den Unschuldsaugen eines Kindes.

»Das wär ja auf einmal ganz was Neues«, sagt der Maurer und nimmt einen Knödel. »Grad du warst aufs Wildbret allweil so scharf.«

»Aber jetzt nimmer.« Die Judith ist dem Weinen nahe. »Das hat sich für mich grundlegend geändert.«

Der Maurer begreift das nicht, sitzt da und starrt die Tochter verständnislos an, bis ihm auf einmal der rettende Gedanke kommt.

»Ach so, jetzt versteh ich. Du meinst wegen dem Dingsda?«

»Wegen Manfred, jawohl! Schön langsam könntest dir seinen Namen schon merken!« Ein wütender Blick zu Kilian hin. »Und du, Kilian, lass das in Zukunft bleiben, sonst gibt es noch ein Unglück!«

Kilian legt das Besteck weg. Ihm ist der Appetit vergangen. Nicht weil er sich schuldig fühlte, o nein. Er ärgert sich nur, dass die Judith ihn maßregeln will. Seine Faust legt sich auf die Tischplatte, ein wenig hart, dass die Knöchel krachen.

»Kann ich was dafür, dass du dir ausgerechnet den Grünfrack anlachst? Verlang bloß net, dass ich jetzt dir zulieb mein Büchsl an die Wand schlag und dir die Trümmer vor die Füß leg! Bis jetzt hast du nix Unrechtes daran gefunden. Tu nur ned grad so, als wenn du mit deinem Jäger auch das Gesetz mitgepachtet hättest!«

»Du bist gemein, Kilian!«, schreit Judith weinerlich auf und wirft die Gabel auf den Tisch.

»Müsst ihr das jetzt beim Essen ausmachen?«, mengt sich die Mutter kläglich ein. Der Vater aber schöpft sich zum zweiten Mal raus und sagt gemütlich:

»Lasst euch bloß den Appetit ned verderben! Wenn was übrig bleibt, ich mag's dann zum Nachtessen. Und überhaupt, Judith, der Kilian hat schon Recht. Wenn du mit dem Jäger kein Gspusi angefangen hättest, wär der ganze Krach ned.«

»Gspusi?«, heult nun die Judith los. »Was wisst denn ihr? Der Manfred ist mein Leben!« Energisch wischt sie mit dem Handrücken die Tränen fort. »Und lass dir gesagt sein, Kilian: Das war das allerletzte Mal! Wenn du noch mal nausgehst, ich sag ihm klipp und klar, dass du es warst.«

Kilian wechselt die Farbe. Sein sonst so frisches Gesicht sieht aus, als hätte man es mit Kalk beworfen. Dann schließt er die Augen und lehnt sich zurück.

»Das – hättest ned sagen dürfen, Schwester. Jetzt weiß ich, wo du stehst. Dank dir schön für deine Offenheit und es ist gut, wenn man weiß, wie man dran ist.«

Er steht auf, schiebt sich hinterm Tisch hervor und geht in den Stall, um den Pferden Hafer vorzuschütten. Drinnen sitzen sie alle wie versteinert, der Maurer schaut seine Tochter an, als sei sie ihm auf einmal fremd geworden.

»Hättest es dem Kilian ned allein sagen können? Zieht sie da beim Essen so ein Theater auf!«

»Theater, sagst du?« Judith schüttelt traurig den Kopf. »Ja, merkst du denn ned, Vater, dass sich das zu einem Unglück auswachsen kann, wenn der Kilian es ned lässt? Zum Unglück für mich und für uns alle! Brauchen wir denn das überhaupt?«

Der Maurer fährt sich durch die Haare, streichelt zuletzt die Sechserlocke über der Stirn.

»Was heißt brauchen? Natürlich können wir uns ein Wildbret auch kaufen. Aber seit mir Maurers auf dem Hof sind, ist noch jeder hinausgangen. Mein Vater schon und mein Großvater auch. Und übertrieben haben wir's nie. Grad allweil ein Stück für den Hausgebrauch. Und bisher hast du auch nie was dagegen gehabt.«

»Aber jetzt ist es halt anders geworden.«

»Ja, leider.«

Die Stube hat sich inzwischen geleert. Nur die Eltern und Judith sitzen noch da und vielleicht sieht die Judith jetzt ein, dass sie nicht so offen am Tisch, vor allen, so hätte rebellieren dürfen. Jedenfalls versucht sie einzulenken und meint:

»Dass ihr das nicht verstehen wollt, Vater und Mutter! Als der Manfred gekommen ist und hat bei euch um mich angehalten, da habt ihr ja gesagt, und –«

»Weil er an sich ein recht netter Bursch ist«, unterbricht der Maurer sie. »Und weil du – kaum dass du aus der Schul warst – schon gesagt hast, einen Bauern nimmst du nie.«

»Aber nicht einmal im Traum hab ich daran gedacht, in was für Gewissenskonflikte wir kommen. Der Manfred ist Forstbeamter und muss seine Pflicht tun. Und ich steh dazwischen. Herrgott, ist denn euch mein Glück überhaupt nix wert?«

»Wenn es wirklich dein Glück ist.«

»Ja, das weiß ich. Und nächste Woche kommt seine Mutter. Wie kannst du, Vater, der Frau ehrlich in die Augen schaun, wenn du denken musst, dass einmal dein Sohn und ihr Sohn im Wald aufeinandertreffen, jeder mit dem Gewehr in der Hand?«

Die Maurerin nickt heftig.

»Recht hat sie, die Judith. Des wär ja ned zum Ausdenken.«

»Wenn man es so sieht, schon. Aber ich mein, du siehst Gespenster.«

»Was neunundneunzigmal gut geht, braucht noch lange nicht hundertmal gut zugehen. Ich leb im Glück und zugleich in der Not, Vater. Ich mein, das wär doch zu verstehen.«

»Ich bin ja ned begriffsstutzig«, meint der Maurer und steht auf. Er greift nach seinem Hut und geht hinaus. Kilian fährt gerade mit dem Braunen und dem zweirädrigen Almkarren aus dem Hof. Der Maurer will ihm etwas nachrufen, für die Lena auf der Alm einen Auftrag. Aber bei dem Rädergerassel auf dem groben Kiesweg hört Kilian nichts mehr. Er hockt auf dem Karren, tief gebeugt in den Schultern, als hätte das Schicksal ihn bereits geschlagen. Die Sonne glüht auf ihn herunter, Schmetterlinge umgaukeln sein Gesicht. Aber Kilian scheint von allem nichts zu merken und richtet sich erst auf, als ihn die Kühle des Waldes umfängt.

Bei der ersten Kehre, wo im Winter das Forstamt den großen Holzschlag gemacht hat, bleibt der Gaul stehen, gerade als ob er noch rasten wolle, bevor es den steilen Fahrweg hinaufgeht. Von dort sieht man hinüber auf die Einöde Germ und Kilian denkt flüchtig, wie es jetzt der Lena wohl gehen mag mit ihrer unglücklichen Liebschaft, denn dass die Lena da drüben auf Germ als Bäuerin einziehen wird, daran glaubt Kilian nicht. Er hat ihr den Tobias schon ein paar Mal ausreden wollen, aber jedes Wort fällt auf fruchtlosen Boden.

Da sieht er, wie drüben ein großes Auto den Serpentinenweg hinaufkriecht, grau in der Farbe mit einem roten Kreuz auf der Rückseite. Es hält dann knapp vor der Haustür und zwei Männer gehen mit einer Bahre ins Haus.

Wird wohl die Riederin krank sein, denkt der Kilian und klatscht dem Braunen das Leitseil auf das gut gepolsterte Hinterteil.

»Wüah! Geh zu, Fanny, sonst kommen wir heut nimmer auf die Alm!«

Seit Tagen hat der Riederer Tobias über heftige Leibschmerzen geklagt, hat immer wieder die Faust auf den Bauch gedrückt und gestöhnt. Zuletzt hat er vor Schmerzen geschrien, aber nur seine Mutter hat Erbarmen mit ihm gehabt. Der Riederer schaut den Leidenden nur im Vorbeigehen mit schmalen Augen an und sagt:

»Wegen ein bissl Bauchweh jammert er wie ein altes Weib! Wahrscheinlich hast zu viel gefressen. Oder möchtest mit deinem Gebrüll bezwecken, dass man den Doktor holt?«

Die Mutter aber macht ihm heiße Umschläge auf den Bauch, meint es von Herzen gut damit und weiß nicht, dass sie damit den Blinddarm erst recht zur Entzündung bringt. Zum Schluss liegt Tobias dann teilnahmslos da, hat hohes Fieber und phantasiert.

Jetzt geht die Mutter selbst, da der Riederer sich immer noch weigert, ins Dorf hinunter zum Doktor. Der nimmt sie gleich in seinem Wagen mit, und als er den Kranken untersucht, schüttelt er verzweifelt den Kopf und reißt das Fenster auf, weil er den Riederer gerade vorbeigehen sieht.

»Warum holt ihr mich jetzt erst?«, schreit er den Bauern zornig an.

Der Riederer runzelt die Brauen. Wie kommt dieser Mensch dazu, ihn so anzuschreien! Dann sagt er:

»Als ob man wegen ein bissl Bauchzwicken euch allweil gleich holen müsst! Da müsst ihr erst einmal die Rechnungen weniger saftig schreiben!«

Der Doktor schluckt etwas hinunter, denn er erinnert sich, dass der Riederer erst vor ein paar Wochen wegen einer kleinen Schnittwunde am Finger zu ihm gerannt ist und dringend eine ärztliche Behandlung gefordert hat.

»Das bissl Bauchzwicken, wie Ihr meint, das war nichts anderes als eine Blinddarmentzündung«, sagt der Doktor. »Mit einer sofortigen Operation wäre das zu beheben gewesen. Aber mittlerweile ist der Blinddarm durchgebrochen und wahrscheinlich jetzt die Bauchhöhle schon voller Eiter. Sofort einen Krankenwagen, wenn überhaupt noch zu helfen ist!«

»Ah so«, sagt der Riederer nun doch ein wenig schockiert. »Wer denkt denn gleich an so was? Machen Sie das mit dem Krankenwagen, oder soll ich ihn mit der Kutschen hinfahren?«

»Dass er Ihnen unterwegs stirbt!« Der Doktor reißt seine Tasche an sich, rennt hinaus und springt in seinen Wagen. »Ich werde von mir aus sofort das Krankenhaus anrufen. Richten Sie inzwischen alles her.«

Es ist dann doch alles sehr schnell gegangen, denn um halb zwei Uhr fährt das Krankenauto bereits mit dem nur mehr leicht stöhnenden Tobias durch das Dorf auf die breite Straße hinaus in Richtung Kreisstadt. Im dortigen Krankenhaus machen die Ärzte bedenkliche Gesichter.

»Wie gewöhnlich«, schimpft der Chefchirurg. »Da warten sie, die Bauern, bis es dann zu spät ist! Es könnte ja etwas kosten. Sofort in den Operationssaal!«

Ein paar Fetzen dieses Gesprächs nimmt Tobias noch auf. Dann wird ihm etwas über die Nase gestülpt und es wird Nacht um ihn.

Als der Kilian auf der Alm ankommt, bürstet die Lena gerade auf dem großen Tisch vor der Hütte, was so im Zeitraum von vierzehn Tagen an Wäsche anfällt. Das sind Handtücher, Unterwäsche und Bettzeug.

»Grüß dich, Lena«, sagt er nur und fährt hinter die Hütte in den Schatten. Dort schirrt er den Gaul aus und lässt ihn laufen. Dann trägt er alles, was die Lena so für eine Woche braucht, in die Hütte, Brot, ein Sack Mehl, ein Tragl Bier, ein

Körberl Eier, etwas Rauchfleisch und einen in ein nasses, essiggetränktes Tuch eingewickelten Rehschlegel. Hernach setzt er sich neben die Schwester auf einen Felsbrocken und zündet sich eine Zigarette an.

»Ich bin gleich fertig«, sagt die Lena und beginnt bereits, die Wäsche im Brunnentrog zu schwenken. »Magst einen Kaffee dann?«

»Lieber Bier«, sagt Kilian in einem Ton, der Lena so fremd ist, dass sie ihn unwillkürlich anschauen muss. Er hat was, denkt sie, denn wenn er sonst kommt, ist es immer ein frohes, lachendes Begrüßen, ein Fragen, wie es ihr geht und was die Liebe macht. Heute aber nur dieses »Grüß dich, Lena«. Und seither Schweigen. Er schaut den Wölkchen seiner Zigarette nach, über das Latschenfeld hinauf zu den grauen Wänden. Eine wunderbare Stille liegt über dem Almfeld, die Stille eines großen Sommertages und dennoch hundertfältig tönend mit dem feinen Rauschen eines Bergbaches, dem Läuten der Kuhglocken aus dem Grund.

Lena hat die Wäsche nun aufgehängt an dem Strick, der sich zwischen den beiden Vogelbeersträuchern spannt. Sie trocknet die Hände an der Schürze ab und steht vor Kilian:

»Hast du dich über was geärgert, Kilian?«

»Warum?«

»Weil du eine Zigarette rauchst. Du rauchst doch bloß allweil, wenn du auf irgendwas eine Wut hast.«

Kilian wirft den Zigarettenstummel weg und tritt mit dem Schuh darauf.

»Mit der Judith hat's Krach geben.«

»Ihr habt schon öfter einmal gestritten!« Die Lena lacht. »Am andern Tag war alles wieder vorbei.«

»Diesmal ned.«

Lena zieht ihn am Arm hoch.

»Komm, setz dich unters Dach in den Schatten. Ich hol dir ein Bier und dann erzählst mir.«

Kilian braucht kein Glas, er trinkt gleich einen tiefen Zug aus der Flasche. Dann sagt er:

»Die Judith hat heut Mittag kein Bröckerl Fleisch vom

Ragout gessen. Auch keine Soß. Lieber hat sie den Knödl trocken runtergewürgt.«

Die Lena lächelt vor sich hin und überlegt. Dann hebt sie den Kopf.

»Neulich nachmittag, da hat es einmal kracht weit drunten im Wald. Warst du das?«

»Ja, ich war's. Aber warum jetzt auf einmal das Theater? Sie hat ja früher auch nix gesagt! Verstehst du das, Lena?«

Zu seiner größten Überraschung sagt Lena:

»Ja! Und du müsstest es eigentlich auch verstehen, Kilian. Mir ist das alles auch so durch den Kopf gegangen, als der Manfred einmal hier war.«

»Was? Zu dir kommt er auch?«

»Hin und wieder auf ein Glas Milch oder einen Teller Schmarrn.«

Kilian trinkt wieder, trinkt das Flaschl leer und lässt dann seinen ganzen Spott heraus:

»Dann gib Obacht, dass du ihm ned statt einem Schmarrn einen Rehbraten hinstellst, denn ich hab dir einen Schlegel mitgebracht.«

»Hab ihn bereits in den Keller mitgenommen, als ich das Bier für dich holte. Und nimm's ned so tragisch, Kilian. Die Judith, weißt es ja, sie ist eine Hitzige und schreit gleich alles aus sich raus. Und sie wird halt auch Angst haben jetzt.«

»Aber ned um mich.«

»Das derfst ned sagen, Kilian. Keins von uns hat immer so zu dir gehalten wie die Judith. Und dass sie jetzt mit ihrer Lieb ausgerechnet an einen Jäger hinkommen ist, Kilian, das ist Schicksal. Und ich bin überzeugt, wenn du heiratest, die Agnes wird auch kaum einverstanden sein, wenn du wilderst.«

»Zwei Reh im Jahr! Das nennt man noch lang ned wildern.«

»Ich wüsst keinen andern Namen dafür. Aber reg dich ned weiter auf jetzt. Ich richt dir gleich eine Brotzeit und dann lachst wieder.«

»Mir ist's Lachen vergangen, wie sie gesagt hat – wie hat

sie jetzt gleich gesagt? Ja, wenn ich wieder hinausgeh, hat sie gesagt, dann sagt sie es ihm brühwarm. Das vergess ich ihr ned.«

»Ah geh, das glaubst doch selber ned, Kilian. Das sagt sie halt jetzt in ihrer Angst, aber wenn es so weit ist, dann wird sie es sich doch anders überlegen. Dazu hat sie dich viel zu gern.«

»Aber der andere steht ihr doch näher.«

»Das ist was anders.«

Kilian nickt. Die Welt beginnt für ihn jetzt wieder ein bissel anders auszusehen. Und als die Lena ihm jetzt auf einem Holzteller kalten Braten vorsetzt, heitert sich sein Gemüt allmählich wieder auf. Plötzlich fragt er:

»Wie geht's denn dir eigentlich mit dem Tobias?«

»Bis jetzt ist er jeden Samstag raufkommen. Bloß letzten Samstag ned. Ich weiß ned, was da los ist.«

»Ach ja, Lena, da fällt mir was ein. Wie ich raufgefahren bin, ist in Germ grad ein Krankenwagen vorgefahren.«

Erschrocken springt die Lena auf.

»Ist mit dem Tobias was?«

»Das glaub ich ned. Der ist mir vor drei Tagen noch begegnet, als ich in der Schmiede war. Wird halt sie wieder krank sein. Die Frau ist ja völlig abgearbeitet. Lena, das sag ich dir, wenn du wirklich den Tobias einmal heiraten solltest, dann darfst dich auf die Füß stellen, sonst geht's dir grad wie der jetzigen Riederin. Wenn der Tobias seinem Alten nachgerät, dann gute Nacht.«

»Der Tobias ist anders«, sagt die Lena und schaut versonnen über das Almfeld hinunter. »Ich weiß es, dass er anders ist.«

»Du musst es ja wissen!« Kilian lacht. »Und Lena, vergiss dann ned, du hast ja uns noch. Mich und den Vater. Ich schlage den Kerl windelweich, wenn da was wär.« Er schiebt den Teller zurück, er ist satt und lässt sich einfallen: »Almrosen hast ned zufällig irgendwo?«

»Ein großer Buschen steht auf dem Tisch. Gestern erst hab ich ihn gepflückt. Kannst ihn mit heimnehmen.«

»Ich brauch bloß für die Agnes ein Sträußerl.«

»Von der kommst auch nimmer weg?«, forscht die Lena.

»Ich will ja auch nimmer weg von ihr.«

»Früher hast bald mit der anbandelt und dann wieder mit einer anderen. Du warst so ein richtiger Zugvogel.«

»Und reun tät mich jede Stund, die ich versäumt hätt. Ich weiß schon, ich hab nix anbrennen lassen. Aber wenn man gleich allweil die Erste heiraten möcht, dann kennt man ja keinen Unterschied.«

»Da hast du wohl Recht.«

Bei diesen Maurerkindern ist es so, dass sie Anteil nehmen aneinander und darum ist es jetzt auch so schwer, dass die Judith mit ihrer Liebe zu dem Jäger ein wenig aus dem Rahmen gefallen ist, dass sie kein Geheimnis mehr haben will mit dem Bruder. Aber es wird schon nicht so schlimm werden, sagt sich die Lena. Sie misst eben alles mit der stetigen Ruhe ihres Wesens, ebnet und glättet, und sie hat auch jetzt Kilians schweres Herz wieder in die Ruhe gebettet, dass er viel freier heimfährt, als er gekommen ist.

»Ja, was hast du denn mitzugeben?«, fragt der Kilian noch und lockt die Fanny herbei, damit er sie einschirren kann.

Es ist nicht besonders viel, ein halber Zentner Butterschmalz, ein paar Kübel mit Buttermilch und dann etwas Geld, die Einnahme von den Sommerfrischlern, die vorbeikommen und ihren Durst mit Milch stillen wollen oder ihren Hunger mit einem Schmarrn.

»Also dann mach's gut, Lena«, sagt Kilian und steigt auf den Wagen.

»Halt, die Almrosen!«, fällt es Lena noch ein und legt ihm den ganzen großen Buschen in den Schoß. »Und sag mir Bescheid, wenn mit dem Tobias was sein sollt.«

»Kilian nickt und fährt weg. Er winkt zurück, denn die Lena steht vor der Hütte, bis sein Gefährt in den Wald einbiegt.

Und die Zeit vergeht. Noch ist zwar Sommer, aber es ist etwas wie Schwermut in die Tage gekommen, die Geräusche klingen gedämpfter, es ist, als ob sich der Herbst schon anmelden will. Aber der Sommer wehrt sich noch. Und doch liegt eines Morgens Reif über den Almmatten. Als die Lena die Hüttentür aufstößt, erschrickt sie über dieses glitzernde Weiß und sie denkt, dass sie das Vieh jetzt nachts nicht mehr draußen lassen kann und es jeden Abend in den Stall bringen muss. Der Wind weht auch kälter von Osten her und zieht unter dem hohen Mond hin, der die Farbe einer Milchglasscheibe angenommen hat.

Lena spürt, wie eine schwere Traurigkeit ihr Herz anweht, denn dieser kalte Wind und der Reif deuten auf die Abschiedsstunde hin. Ein Almsommer geht zu Ende, vielleicht auch ihr Traum vom Glück. Sie weiß nicht, wie es weitergehen soll. Es sind nun drei Wochen, seit der Tobias zuletzt hier war. Statt des Kilians ist am letzten Samstag der Vater mit dem Fuhrwerk heraufgekommen und der hat auch nichts gewusst, obwohl eine ganze Woche lang im Dorf drunten von nichts anderem die Rede gewesen ist, der Riederer Tobias sei so schwer krank, dass man stündlich mit seinem Ableben rechne und dass niemand zu ihm dürfe, weil die Ärzte dies verboten hätten.

Aber soll man das der Lena sagen? Die Familie ist zu dem Entschluss gekommen, der Lena die Sorgen zu ersparen. Ja, weiß Gott, es ist alles so verworren, so trügerisch, auch dass der unverhoffte Reif schon Herbst bedeutete, wie Lena angenommen hatte, während der Monat Juni gerade zu Ende geht und unten im Tal aus den Holunderblüten gerade schwarze Kügelchen werden wollen.

Diese herbstlich-traurige Stimmung kommt aus ihrem Inneren. Sie hat sich noch nie so einsam gefühlt, ist noch nie ein so unglückliches Menschenkind gewesen und weiß mit dem Bedrückenden nicht fertig zu werden, denn sie fühlt, dass mit ihr selbst nicht mehr alles ist wie früher, und zuweilen weht sie eine große Angst an.

Und so sitzt sie an jenem Morgen, als der Reif liegt, auf den Hüttenstufen, lässt die Hände in den Raum zwischen den Knien hineinhängen und schaut zu, wie die steigende Sonne den Reif von der Erde nimmt, wie er sich verflüchtigt und dann nichts mehr da ist wie ein paar weiße Wolkenballen, die zwischen zwei Bergrücken verschwinden. Hinter ihnen kommt nichts mehr nach, der Himmel ist wie ausgekehrt und spannt sich als riesige blaue Glocke.

Ich werde ihm schreiben, denkt die Lena. Ich muss ihm ja wohl schreiben, denn er kann doch nach allem, was war, nicht einfach wieder aus meinem Leben verschwinden. Sie wird ihm auch schreiben, dass ihr vor ihm noch keiner nahe gewesen ist und dass sich in ihrem Herzen kein anderer Name eingeschrieben hat als nur seiner, Tobias.

Gerade als sie sich Bleistift und Papier holen will, sieht sie einen Mann aus dem Wald kommen. Mit krummen Beinen kommt er rasch den Hang herauf und steht dann vor ihr. Es ist der Wegmacher Stelzl, mit einem Korb, in dem ein paar wenige Pilze liegen.

»Es ist noch ned viel los heuer mit den Schwammerln«, klagt er und stellt den Korb auf den Brunnenrand.

»Einen warmen Regen bräucht man halt«, meint Lena und schaut sich die Ernte an. Es sind nur ein paar Steinpilze, ein paar Rotkappen und etliche Pfifferlinge. »Mit knapper Not gibt das eine Suppe.«

»Die trag ich gar ned heim. Koch du dir eine Suppe davon und mir gibst ein Flaschl Bier dafür.«

Lena bringt ihm das Bier, bringt auch gleich eine Schüssel mit und beginnt die Schwammerl zu putzen. Die Sonne ist inzwischen höher gestiegen und scheint warm herunter, so dass Lena die Strickjacke auszieht.

»Was gibt's Neues drunten?«, fragt Lena so nebenbei.

»Nix Besonderes.«

»Und wie geht's der Kordula?«

»Die hab ich heut früh zum Postwirt geschoben. Da hilft sie in der Küch, Kartoffeln schälen und Salat putzen. Das kann sie im Sitzen machen und verdient sich dabei auch ein paar Mark.«

»Ein braves Dirndl! Schad, dass ihr so was hat passiern müssen.«

»Ja mei, da kann man halt nix machen, Lena. Freilich tut's

weh, wenn man andere junge Madl anschaut, wie die umeinanderspringen können, wie sie zu hübschen jungen Frauen werden, wie du zum Beispiel. Du hast dich gut gemacht, Lena.«

»Ja, meinst?«, fragt sie unsicher.

»Freilich, freilich! Ich versteh schon was davon. So neben dir sitzen, das kann einem Mannsbild ganz schön warm machen.«

»Dir doch nimmer?«, lacht die Lena. Der Mann ist alt, der Mann ist krumm. Aber es ist eben doch ein Mann, der da sagt, dass sie hübsch sei. Sie hört es ganz gern, zumal der Tobias das nie gesagt hat.

»Ja, du wärst recht«, lächelt der Alte verschmitzt. »Die Äst sind zwar nimmer frisch, aber solang aus den Wurzln noch Saft in den Stamm läuft, ist nix abgestorben.«

»Warum hast dann nimmer geheiratet, wie dir die Frau gestorben ist?«

Fast heftig schüttelt der Wegmacher den Kopf.

»Weil meist nix Besseres nachkommt. Und weil ich meinem Dirndl keine Stiefmutter hab geben wollen. Ein Kind im Rollstuhl, Lena, da gehört viel Geduld her. Und Geduld ist halt bei so vielen Menschen eine Rarität geworden.«

Lena ist nun fertig mit ihrer Arbeit und holt im kleinen Pflanzgarten ein Büschl Petersilie.

»Stimmt das, Stelzl, dass die Zwiebeln blau werden, wenn ein giftiges Schwammerl in der Suppen ist?«

»Ah woher denn! Das ist bloß dummes Gerede. Im Übrigen, ich kenn die Schwammerl. Da is gewiss kein giftiger drunter. Oder hast Angst?«

»Ich hab keine Angst.«

»Das wär ja noch schöner! Bei so viel Jugend und wo alles blüht an dir vor Kraft und Lebenslust.«

»So? Sieht man das?«

»Ich schon.«

»Aber in einen Menschen innen hineinsehen kannst halt auch ned. Oft steht neben einem lustigen Lachen das Weinen.«

Der Stelzl betrachtet die Lena aufmerksamer. Aber er kennt sie doch zu wenig, um etwas an ihr deuten zu können, obwohl man ihm so etwas wie ein zweites Gesicht nachsagt.

»Magst noch ein Bier?«, fragt die Lena jetzt, wartet seine Antwort gar nicht ab, sondern bringt gleich ein Flaschl und sagt dabei:

»Bis du es austrunken hast, schreib ich einen Brief und tät dich halt bitten, dass du ihn dem Riederer Tobias bringst. Vielleicht geht es so, dass niemand es sieht.«

»Wem soll ich's bringen? Dem Riederersohn?« Der Stelzl schaut sie ein wenig unsicher an. »Ja, gern, Lena, aber – wie soll ich in die Kreisstadt kommen? Das heißt, wenn du es unbedingt willst, fahr ich halt morgen hin.«

»Wer redet denn von der Kreisstadt?« Verwundert schaut Lena den Alten an und denkt sich: Jetzt redet er wieder einmal sein wirres Zeug. »Ich hab doch nix von der Kreisstadt gesagt. Nach Germ sollst den Brief bringen und ihn dem Tobias geben.«

»Ach so!« Der Alte scheint langsam zu begreifen. »Du und der Riederer! Da schau her! Davon hab ich ja noch gar nix gewusst! Aber, der Tobias – ja, weißt du das denn ned?«

Ein kalter Schrecken durchzuckt die Lena.

»Was soll ich wissen?«

Der Alte will zuerst noch mal trinken und sich besinnen, wie man so was am besten hinbringt. Aber die Lena reißt ihm das Bierflaschl aus der Hand.

»So red doch schon! Ist was passiert?«

»Also gut, wenn du es noch ned weißt, der Riederer Tobias liegt im Krankenhaus.«

»Im – Kranken – haus?«

»Jawohl!« Der Wegmacher nickt eifrig und meint nun, in einem heftigen Wortschwall alles heraushaspeln zu müssen, was um die Krankheit des Riederer Tobias im Dorf geredet worden ist. Viel Unsinn ist auch dabei gewesen und so mancher hat den Tobias schon sterben lassen, wenn die kleine Glocke im Kirchturm geläutet hat.

Wie tief der Schrecken in die Lena gefahren ist, das kann der Stelzl nicht ermessen. Die Hände über der Brust zusammengekrampft, geht sie mit schweren Schritten vor ihm auf und ab. Die nackte Angst schreit aus ihren Augen und tiefe Sorgenfalten stehen auf ihrer Stirn. Plötzlich hält sie mit einem Ruck an.

»Und kein Mensch sagt mir was! Wenn du ned zufällig vorbeigekommen wärst, wüsst ich es immer noch nicht! Ich sag's ja, auf keinen Menschen kann man sich mehr verlassen!« Dann schaut sie dem tiefen Gebrumm entgegen, das von Westen herankommt. Eine Staffel Jagdbomber zieht daher, silberfunkelnd unter dem blauen Himmel.

Es ist, als hätte die Lena gerade diese Zeitspanne gebraucht, um ihren Entschluss zu fassen.

»Wenn du jetzt ins Dorf gehst, dann schau bittschön bei uns rein und sag der Judith, sie soll morgen raufkommen auf die Alm. Ich melk in der Früh noch, dann fahr ich in die Kreisstadt. Bis zum Abend bin ich zurück.«

Die Lena steht am Zaun des kleinen Pflanzgartens, der vor der Hütte angelegt ist, und schaut dem Alten nach, bis er im Wald verschwindet. Jetzt, da sie allein ist, darf sie weinen, lautlos rinnen die Tränen die Wangen herunter. Sie weiß nicht recht, warum sie weint. Um Tobias wahrscheinlich oder wegen der Falschheit der anderen, die ihr nichts gesagt haben. Kilian hätte es ihr eigentlich sagen müssen. Oder die Judith. Warum, warum nur haben sie alle geschwiegen?

Sie hebt die Schürze hoch und wischt sich die Tränen ab. Dann schaut sie einem Bussard zu, der in majestätischem Flug über dem Almfeld weite Kreise zieht.

Ja, sich auch so aufheben und fortschweben können, denkt Lena. So wie dieser Vogel, der von aller Erdenschwere losgelöst scheint und seinen hellen Schrei kriegerisch in den Mittagshimmel stößt. Ach, dass auch sie sich lösen könnte von allem, was sie so schwer bedrückt. Ein seltsames Lächeln huscht um ihren Mund und einen schweren Seufzer trägt der Bergwind davon.

Kurz nach zehn Uhr hält der Postbus in der Ausbuchtung einer Straße zwischen einem Bäckerladen und einem Juweliergeschäft. Hastig steigen ein paar Dutzend Passagiere aus, zuletzt die Lena.

Der dunkle Faltenrock, den sie trägt, bleibt beim Aussteigen an der Tür hängen. Der Busfahrer schiebt die Mütze aus der Stirn und gibt seiner Verwunderung Ausdruck über den Anblick der strammgewachsenen Beine, der ihm für einen Augenblick geboten wird.

»So was sehen meine Augen selten«, lacht er.

Lena streift den Rock glatt und schaut zu ihm hinauf.

»Wo geht's denn zum Krankenhaus?«

Das wird eine langatmige Erklärung, obwohl es mit ein paar Sätzen gesagt gewesen wäre. Den Schlossberg hinauf und dann rechts die Straße entlang. Dann wird die Tür zugeschlagen, der Bus zieht einen großen Bogen und fährt in einen Hof. Lena steht allein und ein bisschen unsicher auf der Straße, obwohl während der ganzen Fahrt eine große Sicherheit in ihr gewesen ist. Auf einmal verspürt sie auch Hunger, denn sie hat in der Früh in der Eile nur einen Schöpflöffel kuhwarmer Milch getrunken und sonst nichts zu sich genommen.

Im Umherschauen entdeckt sie auf der anderen Straßenseite einen Stand, an dem Gemüse und Obst angeboten werden. Ich muss ihm ja auch etwas mitbringen, denkt sie, und kauft dann zwei Pfund Bergamottebirnen. Zwei davon hat sie bereits gegessen, als sie im Krankenhaus ankommt und nicht hineingelassen wird, weil kein Besuchstag ist und vormittags schon überhaupt nicht.

»Erst morgen Nachmittag wieder, von zwei bis vier Uhr«, sagt der Pförtner unfreundlich.

»Ja, aber ich bin jetzt so weit hergefahren«, sagt Lena.

»Tut mir Leid, aber ich muss mich an die Vorschriften halten. Zu wem wollen Sie denn überhaupt?«

»Riederer. Tobias Riederer.«

Der Pförtner setzt die Brille auf und sucht in einer Liste.

»Zimmer achtunddreißig, zweiter Stock«, stellt er fest.

»Aber Sie dürfen nicht hinauf. Wenn er erster Klasse läge, wäre es anders.«

»Ach so, hier gibt's also Menschen erster und zweiter Klasse?«

»Reden Sie nicht so daher!«, kreischt der Mann in dem Glaskasten, streckt den Kopf heraus, wie um diese renitente Person besser betrachten zu können. Er schaut Lena zürnend ins Gesicht, aber Lena meint, er schaue an ihr vorbei zur Wand hin, wo eine Tafel mit der Hausordnung hängt. »So, und nun verduften Sie. Aber schnellstens und kommen Sie morgen wieder.«

»Das werd ich ned tun, weil ich ned mag!«

Lena hat auf einmal jede Unsicherheit und jede Furcht vor dem Mann hinter der Glasscheibe verloren. Sie ist ja an sich gutmütig, aber wenn ihr einer so kommt wie der, dann explodiert sie.

»Meinen Sie vielleicht, weil Sie in einem Glaskasten sitzen, Sie können sich mit mir alles erlauben? Ich lass auf meiner Alm alles liegen und stehen, dass ich hierherfahren kann und dann sitzt da einer in seinem Glaskasten und will mich ned zu meinem Tobias lassen!«

Wie von einer Tarantel gestochen, springt der Pförtner auf und kommt heraus.

»Was erlauben Sie sich, Fräulein oder Frau oder was Sie sonst sein mögen!« Er deutet mit dem Zeigefinger auf die Eingangstür. Alles an dem Mann ist in Aufruhr. Sogar sein Zeigefinger zittert. »Hinaus!«

Die Lena aber gibt ihren Worten jetzt erst jene Schärfe, die einen Menschen beleidigen muss:

»Hinauswerfen wollen Sie mich? Ich kann mir ned denken, dass Sie die letzte Instanz sind. Da muss es doch noch einen Chefarzt geben oder einen Direktor.«

Gewalt hat Lena einem Menschen gegenüber noch nie angewandt und so stemmt sie sich auch nicht gegen den Mann, der sie jetzt robust hinauszuschieben beginnt und hinter ihr die Tür zuschlägt.

Die Lena steht wieder auf der Straße, gedemütigt durch

die Macht des Pförtners, der wahrscheinlich daheim gar nichts zu melden hat und darum hier den starken Mann spielt. Sie ist zwar verunsichert, aber sie gibt noch lange nicht auf. Im Gegenteil, es bereitet ihr Genugtuung, dem Mann gesagt zu haben, dass er nicht die letzte Instanz sei und ihn somit in seine Schranken, vielmehr in seinen Glaskasten verwiesen zu haben. Eine andere hätte nun wahrscheinlich aufgegeben, nicht aber die Lena. Sie ist fest entschlossen, die Barriere zu nehmen und doch zu ihrem Tobias zu gelangen, dem Pförtner zum Trotz.

Und siehe da, auf der Rückseite des Hauses steht eine Tür weit offen. Zwei Mädchen kommen mit einem Korb Wäsche heraus und beginnen sie an eine Leine zu hängen. Sie beachten das Bauernmädchen gar nicht, das durch die Hintertür ins Haus schlüpft. Im ersten Stock begegnet ihr eine Nonne, eine Mallerdorfer Schwester mit gütigem Gesicht und um Menschenleid wissenden Augen. Weil die Lena es sich nicht ein zweites Mal verderben will, sagt sie freundlich: »Grüß Gott, Schwester!«

»Grüß Gott! Wo wollen Sie denn hin?«

»Ja, das ist nämlich so, Schwester, ich muss unbedingt jemand besuchen, den Tobias Riederer, aber der Glatzkopf da unten, der wollt mich ned reinlassen.«

»Ja, unser Mansdorfer!« Die Schwester lächelt. »Manchmal ist er ein Tyrann. Jedoch, Ordnung muss sein in so einem großen Haus. Aber weil Sie nun schon einmal da sind, einen Stock höher, auf Zimmer achtunddreißig.«

»Danke schön, Schwester. Wie geht's ihm denn?«

»Jetzt schon besser. Aber vorige Woche, da stand es auf des Messers Schneide. Sind Sie seine Schwester?«

»Nein, der Tobias ist mein – Verlobter.« Zum ersten Mal gebraucht sie dieses Wort und sie muss nun über sich selbst staunen.

»Soso, aha. Na, dann gehen Sie halt hinauf. Die Visite ist ja schon vorbei.«

Zaghaft öffnet Lena dann die Tür zu Nummer 38. Sie sieht die vier Betten an der Wand, reckt sich ein bisserl und entdeckt den Tobias in dem Bett am Fenster. Der im ersten Bett setzt sich sofort auf, als er die Besucherin sieht.

»Ja, was kommt denn da für ein schöner Engel? Wenn man da nicht gesund wird!«

Lena aber geht schnurstracks durch das Zimmer, direkt auf Tobias zu und streckt ihm beide Hände hin.

»Ja, was machst denn du für Sachen? Liegst im Krankenhaus, und ich weiß nix davon!«

Tobias ist die Freude anzumerken, er kann sie nur nicht so äußern. So bleich und abgemagert liegt er in den Kissen. Sein Kinn ist voller Bartstoppeln, und die Hände, die auf der Decke liegen, sind weiß wie Wachs. Endlich bringt er heraus:

»Du kommst, Lena! Kein Mensch hat mich hier besucht. Du bist die Erste, Lena. Setz dich her zu mir.«

Sie setzt sich auf den Bettrand und stellt ihr Körbchen auf den Boden.

»Ich hab es gestern erst erfahren. Der Wegmacher hat's mir gesagt. Und heut früh bin ich gleich nach dem Melken losgefahren.«

»Ja – und's Vieh?«, ist sofort seine Sorge. »Hast 's Vieh allein lassen?«

»Kümmer dich ned darum, Tobias. Die Judith ist oben. Und da schau her, ich hab dir Birnen mitgebracht. Magst eine?«

»Jetzt ned. Später vielleicht. Aber – des freut mich schon recht, Lena, dass du da bist.«

»Willst du uns der Dame nicht vorstellen?«, fragt der vom hinteren Bett.

Und so erfährt Lena, wer die Mitpatienten sind. Der im Nebenbett ist ein pensionierter Trambahnschaffner mit Magendurchbruch. Der zweite ein Schenkkellner mit Durchblutungsstörungen und der im letzten Bett ein Immobilienhändler mit einer Darminfektion. Alle drei sind schon aus dem Gröbsten heraus, können aufstehen, lesen oder Karten spielen. Ihnen wird die Zeit nicht mehr so lang. Sie hatten ja auch immer Besuch. Nur zu Tobias ist kein Mensch gekommen. Aber jetzt ist Lena da. Seine Augen wandern über ihr

Gesicht, ganz langsam gehen sie hin und her, zuletzt bleiben sie an ihrem Mund hängen. Dann sagt er:

»Grad dass ich halt dem Totengräber noch mal von der Schaufel gesprungen bin.« Er lächelt sogar ein bissel dabei und streichelt ihre Hand.

»Aber jetzt bist schon wieder besser beieinander, gell? Bloß arg blass bist halt.«

»Die Sonn schleicht halt allweil grad am Fenster vorbei, weißt. Aber heut, hat er gesagt, der Doktor, soll ich einmal 's Aufstehn probiern und in den Garten runtergehn.«

»Ich werd dich führen, Tobias. Und wann, meinst denn, dass du rausdarfst?«

»Nächste Woch vielleicht. Wenn ich ned so eine gesunde Natur hätt, hat er gesagt, der Doktor, dann hätt ich's ned überstanden.«

»Du wirst dich daheim auch noch ein bissl halten müssen. Wirst ned gleich wieder hinlangen können an die Arbeit.«

Tobias nickt und denkt an seinen Vater, dem es ein Dorn im Auge ist, wenn jemand auf dem Hof herumsitzt und nicht gleich mit anpackt. Er weiß das noch von der Mutter her, wie die einmal aus dem Krankenhaus heimgekommen ist und wie er die gleich wieder an den Herd gedrängt und ihr dauernd vorgerechnet hat, was Krankenhaus und Doktor gekostet haben. Aber da ist auf einmal Lenas warme Hand da, die ihm sanft über die Stirn streicht, als hätt sie seine düsteren Gedanken erraten.

»Tu jetzt ned grübeln, Tobias.«

Die Tür öffnet sich, und die Schwester von vorhin schiebt ein Wägelchen mit dem Essen herein. Zwei bekommen Diät, Tobias und der Immobilienhändler eine Nudelsuppe, dann gedünstetes Kalbfleisch mit Salzkartoffeln und als Nachspeise einen Pudding.

Die Schwester betrachtet die Lena mit freundlicher Miene.

»Helfen Sie ihm ein bisschen. Er ist ein schlechter Esser. Und nachmittags heißt es in den Garten gehen. Wenn die Füße noch nicht tragen, dann nehmen wir einen Rollstuhl. Sind Sie am Nachmittag noch hier, Fräulein?«

»Um drei geht halt mein Omnibus wieder.«

»Länger als eine Stunde darf er sowieso nicht unten sein. Also, guten Appetit!«

Keiner von den vieren isst seine Mahlzeit auf und der Lena wird großzügig angeboten. Sie hat Hunger und freut sich nun, wenn es nach dem Essen in den Garten hinuntergehen soll, denn hier kann sie Tobias nicht sagen, was unbedingt gesagt werden muss. Sie weiß nur nicht, wie man so was jemand schonend beibringt, dem nur durch die Kunst der Ärzte das Weiterleben geschenkt worden ist.

Es geht schon über die Stiege ein bisschen mühsam. Schwer stützt sich Tobias auf Lenas Schultern. Als ihn draußen die frische Luft empfängt, wäre er beinahe zusammengesackt. Doch Lenas starker Arm lässt das nicht zu. Sie legt seinen Arm um ihre Schultern, geht Schritt für Schritt mit ihm und steuert die nächste Bank an, die im Schatten einer Buche steht.

»So, angefangen ist jetzt«, lacht Lena. »Jetzt rasten wir ein Stückerl, dann gehen wir wieder ein bissl.«

Oh, diese Lena! Er hat sie vielleicht nie bis in ihre Tiefen erfasst. Alle haben ihn vergessen, nur die Lena ist gekommen. Ein ungeheurer Trost in dieser Stunde, in diesem großen Krankenhausgarten mit seinen alten Bäumen, den gepflegten Wegen und den Blumenrabatten. Es ist so still ringsum. Ganz fern pfeift eine Sirene und gleich darauf beginnen die Glocken zu läuten. Es ist Mittag. Im Krankenhaus wird halt immer früher gegessen.

»Die Luft hier ist viel besser als drinnen im Zimmer«, sagt Tobias. Er ist zufrieden, ein warmer Glanz ist in seinen Augen. Lena riecht so gut, nach Harz, nach Tannenwald und Bergwasser. Sie ist ein gutes Mädel, denkt er, so freundlich und voller Güte. Wenn es nur nicht so verdammt schwer wäre, die richtigen Worte herauszubringen. Er schluckt ein paarmal heftig, bis er sagen kann:

»Das freut mich aber schon richtig, dass du da bist, Lena.«

»Das ist doch selbstverständlich, Tobias.«

»Hättest mich auch hängen lassen können wie die andern.«

»Du ließest mich doch auch ned hängen, oder?«

Er schüttelt den Kopf und meint dann, ob sie jetzt nicht wieder gehen sollten. Ob man nicht noch ein bisserl so sitzen könne, meint Lena. Sie müsse ihm nämlich etwas Wichtiges sagen.

»So? Was denn?«

»Ja, damals in der Gewitternacht, weißt es noch, Tobias?«

»Wie's so blitzt und kracht hat?«

»Ja, da muss es auch bei mir eingeschlagen haben.«

Gleich begreift er es noch nicht. Auf seiner Stirn sind ein paar Falten, die Brauen bewegen sich hin und her.

»Du meinst …«

Lena nickte. Ängstlich hängt jetzt der Blick an ihm.

»Ja, ich hab schon das Gefühl, dass … dass ich schwanger bin, Tobias.«

Tobias, sonst langsam im Begreifen, schwer in seinen Gedankengängen, jetzt spuren sie unerwartet schnell.

»So ist's recht! Das geht mir jetzt grad noch ab! Und du täuscht dich ned, meinst?«

»Ich glaub ned, Tobi.«

Er hört nicht, dass sie ihn mit einem Kosenamen anredet. Jetzt hat er ganz was anderes zu denken. Lena fasst nach seiner Hand und drückt sie fest. Sie ist schon froh, dass er nicht böse aufbraust und nicht flucht wie andere bei solchen Enthüllungen. Doch da kommt dann doch der vernichtende Peitschenschlag, denn Tobias stellt die Frage:

»Und – du meinst, dass ich – ein anderer kommt ned in Frage?«

Erschrocken lässt sie seine Hand los und fährt in ihren Kittelsack nach dem Taschentuch. Die Tränen wollen kommen und unter Aufschluchzen stößt sie heraus:

»Das, Tobi – das hättest ned sagen dürfen. Vor dir hat mich doch noch keiner angerührt.«

»No ja, 's Fragen wird einem doch noch erlaubt sein. Hör auf zu weinen! Ich glaub dir ja. Und in Gottsnam, es wird dann schon alles recht werden. Wenn ich bloß erst einmal da heraußen wär.«

»Danke, Tobi, dass du mich ned sitzen lässt. Ich hab dich doch so gern, Tobi.«

Er lächelt, und die Falten auf seiner Stirn verwehen.

»Wie sagst du zu mir?«

»Magst es ned, wenn ich Tobi sag?«

»Tobias ist scheinbar für alle zu lang. Daheim sagen sie Bias zu mir. Aber Tobi, ja, das gefällt mir.«

»Gehen wir jetzt wieder ein bissl?«, fragt Lena. »Häng dich nur fest ein! Ich trag dich auch auf dem Buckl, wenn's sein muss!«

Fast eine Stunde gehen sie so im Garten, bis Tobias erschöpft ist. Im Zimmer oben richtet die Lena ihm die Kissen und bettet ihn dann hinein. Eine seltsame Rührung will ihn überkommen, weil sie so um ihn bemüht ist. Der Immobilienhändler schläft jetzt und schnarcht, die anderen zwei sind noch im Garten. Als Lena sieht, dass auch dem Tobias die Augen zufallen, sagt sie:

»Ja, nun muss ich halt wieder gehen, Tobias. Ned, dass mir der Bus davonfährt.«

»Kommst wieder, Lena?«

»Nächste Woch, wenn du noch ned heimkommst. Aber jetzt behüt dich Gott, Tobi.« Sie neigt sich über seinen Mund, und als sie sich wieder aufrichtet, ist in seinen Augen ein Glanz und dieses Glänzen bleibt, als Lena längst fort ist. Es ist nicht zu verbergen, und der Trambahnschaffner sagt:

»So eine Frau wie die Lena, das ist was Richtiges. So was musst du dir warmhalten, Riederer.«

Es dämmert schon, als die Lena wieder auf der Alm eintrifft. Die Judith hat bereits gemolken und die Kühe wieder auf das obere Almfeld getrieben. Sie will jetzt noch die Hütte aufräumen, als sie die Lena den Steig heraufkommen sieht. Sie geht ihr entgegen, öffnet das Gatter und überfällt die Schwester gleich mit der Frage:

»Wie geht's ihm?«

Lena lehnt sich verschnaufend an den Zaunbalken. Ihr Gesicht ist gerötet vom raschen Steigen.

»Vielleicht darf er nächste Woche heim. Aber sag, warum habt ihr mir denn nix gesagt? Wie leicht hätt' er sterben können, und ich hätt nix davon erfahren.«

»Wie man's macht, ist's verkehrt«, wehrt sich die Judith. »Wir wollten dich ned unnötig aufregen und haben es gut gemeint.«

»No ja, jetzt weiß ich ja, wie's ihm geht. Aber z'sammgrissen hat's ihn, meinen Tobi.«

Während sie auf die Hütte zugehen, erzählt die Lena von ihrer Fahrt und trotz welcher Hindernisse sie endlich zu Tobias gekommen ist. Dann will sie wissen:

»Hast nix mehr von Mittag? Ich hab' einen narrischen Hunger.«

»Leider. Der Manfred war da, wir haben alles aufgegessen. Aber ich richt' dir schnell ein Wurstbrot her.«

Als Erstes holt sich Lena gleich ein Flaschl Bier. Hunger hat sie und Durst und müd' ist sie wie ein Ackergaul, aber glücklich.

»Der Manfred war da?«, fragt sie zwischenhinein. »Ist das eigentlich ganz fest jetzt mit euch zwei?«

»Uns bringt nix mehr auseinander!« Die Judith lacht siegesgewiss. »Wir können bloß jetzt nicht gleich heiraten, weil der Manfred zuerst noch seinen Assessor machen muss. Und da wird er wahrscheinlich noch an ein anderes Forstamt versetzt.«

»Ah, so ist das. Mich und den Tobi bringt auch niemand mehr auseinander.«

Immer tiefer fällt draußen die Dämmerung. Man sieht durch das Fenster die Kühe am Hang nur mehr als Schatten, aber ihre Glocken hört man noch läuten. Mit Heißhunger verspeist Lena die Wurstbrote, trinkt immer wieder einmal vom Bier und hätte sich fast verschluckt, als Judith die Frage aufwirft:

»Sag, Lena, falls der Tobias dich heiratet – hast denn vor dem Riederer keine Angst? An dem hängen doch alle Untugenden der Welt.«

»Mit mir kann er sich ned viel erlauben«, antwortet Lena,

als sie ausgehustet hat. »Ich tu meine Arbeit, aber traktieren lass ich mich von dem ned. Schließlich bin ich ja ned auf der Brennsuppen dahergeschwommen. Eine Maurertochter lässt sich ned so leicht unterkriegen!«

»Jedenfalls wünsch ich dir alles Glück, Lena.« Die Judith steht auf und nimmt ihren Schal von der Herdstange. »Ich werd jetzt gehen, Lena. Und wenn du noch mal zu ihm fahren willst, sag's. Ich vertrete dich dann schon wieder. Gute Nacht, Lena.«

Sie ist schon an der Tür, als Lena die Schwester noch mal ruft. »Wart ein bissl, ich muss dir noch was sagen, Judith.« Sie nimmt die Schwester am Arm und zieht sie hinaus, gerade als ob sie es völlig dunkel um sich braucht für das, was sie noch zu sagen hat. Mittlerweile sind schon die ersten Sterne aufgegangen und vom Latschenfeld weht ein kühler Wind herunter.

»Was möchtest mir denn noch sagen?«, drängt Judith.

»Du musst mir versprechen, dass du es zunächst für dich ganz allein behältst.«

»Wenn du es verlangst, selbstverständlich. Geheimnisse haben wir zwei beide ja nie voreinander gehabt.«

»Ich glaub, Judith, ich bekomme ein Kind …«

Die Judith erschrickt nicht einmal. Sie fasst nur die Lena hart an der Schulter.

»Weißt das gewiss?«

»Ich glaub schon.«

Schweigen. Die Judith schaut zu den Sternen hinauf, die immer zahlreicher werden.

»Was wird da unser Vater sagen?«, fragt die Judith dann.

»Erschlagen kann er mich deswegen auch ned. Was passiert ist, ist passiert!«

»Du nimmst das ein bissl gar leicht, Lena.«

»Ja – soll ich mich deswegen vielleicht aufhängen oder ins Wasser gehen? So dumm bin ich ned! Und selbst wenn der Tobias mich wirklich ned heiraten darf, ich bin dann doch nie mehr allein, Judith.«

Da umarmt Judith stürmisch die Schwester und drückt sie fest an sich.

»Mein Gott, Lena, wie hast du dich gewandelt! Aus dir springt ja 's Glück direkt raus! Ich gönn dir alles von Herzen, und – ich werd zu dir stehen in allem, was kommen mag. Jetzt muss ich aber wirklich fort!«

»Halt«, schreit ihr die Lena nach. »Da hinunter geht's ins Dorf!«

»Ja, aber da geht's zur Jagdhütte hinüber und da wartet Manfred auf mich!«

Hunderttausende von Sternen stehen am Himmel in dieser klaren Nacht.

Im Dorf wird es still, wenn die Feierabendstunde naht. Nur hin und wieder schaukelt noch ein Erntewagen herein und verschwindet durch ein weit geöffnetes Scheunentor. Beim Maurer treibt die Judith die Enten vom Bach herauf, die dann mit vollen Kröpfen in den Stall hineinwatscheln. Der Kilian putzt sein Motorrad und nur der Maurer und die Maurerin sitzen auf der Hausbank. Die alte Gertraud wischt den Küchenboden auf und dann geht sie auf den Balkon hinauf, der das Haus auf drei Seiten umzieht, und gießt die Geranien, Fuchsien und Hortensien. Diese Arbeit lässt sie sich nicht nehmen, sie hat da ihre eigene Methode, mischt lauwarmes Wasser mit Taubenmist und es ist für jeden im Dorf sichtbar, dass man beim Maurer den schönsten Blumenschmuck an den Fenstern und am Balkon hat.

Der Maurer raucht seine Pfeife, die Maurerin strickt, hat die Brille auf der Nase und die Nadeln klirren leise. Über sich hören sie die Tritte der Gertraud auf dem Balkon, manchmal fallen auch ein paar Tropfen Wasser herunter, dem Maurer direkt auf die Pantoffeln. Er zieht die Füße ein wenig ein und brummt:

»Muss denn die grad nach Feierabend da oben noch herumwerkeln!«

»Mach bloß der Gertraud keine Vorschriften, wann sie ihre Blumen gießen soll!«, antwortet die Bäuerin. »Seien wir froh, dass wir sie noch haben!«

Kilian ist mit seinem Motorrad längst abgebraust. Die jungen Leute verbringen ihren Feierabend nicht mehr auf der Hausbank. Jedenfalls nicht auf der eigenen. Man lebt ja nur einmal, sagt der Kilian immer und darum muss man das Leben richtig leben. Er wird seiner Agnes wohl kaum erzählen, dass sie heute sechs Fuder Weizen heimgefahren haben und dass der Hafer schon reif werden will. Aber er hat die silberne Medaille eingesteckt, die ihm verliehen worden ist und die der Landrat persönlich vor ein paar Tagen ins Haus gebracht hat. Ihm, dem mutigen, furchtlosen Kerl, der im Frühjahr unter Lebensgefahr ein Ehepaar aus Paderborn von der Wand geholt hat, in der sie sich verstiegen hatten. Die Zeitungen haben darüber geschrieben und ein Loblied auf den tapferen Retter angestimmt. Und die Agnes wird diese Medaille in ihren Händen halten und wird sie betrachten.

Sie sitzen weit draußen im Moor. Die Agnes hält die Medaille in den Händen, als sei sie ein Heiligtum, und sagt dann:

»Ich werde ein Kissen aus Samt nähen und da legen wir die Medaille drauf, damit auch die Kinder sie noch betrachten und auf ihren Vater stolz sein können.«

Das hat sie so leichthin gesagt. Danach lacht sie, weil auch der Kilian von einem Kinderpaar spricht, einem Mädel und einem Buben. Nichts als Verliebtheit ist diese Agnes, Güte und mädchenhafte Zärtlichkeit. Es ist still ringsum, das weite Moor ist so feierlich gestimmt und hoch über den weißen Birken blinken die ersten Sterne auf. Das Moor ringsum ist wie ein weiches Kissen, die Agnes lehnt sich zurück und sie reden wieder, wie es einmal sein soll. Sie wollen das Bauernleben ein wenig aus dem Althergebrachten herausheben. Es soll nicht jeden Tag Sauerkraut und Knödel mit Selchfleisch auf den Tisch kommen, meint die Agnes. Jawohl, jeden Tag etwas anderes, Rinderbraten, Sauerbraten, Gulasch, Kalbsrouladen, einen Wiener Rostbraten und freitags dann Dampfnudeln oder Pfannkuchen.

»Aber nur die Hollerküchl ned vergessen«, träumt der Kilian ihren Traum weiter. Die Agnes will im Winter in die Kreisstadt gehen und im Hotel »Drei Mohren« etwas von der Kochkunst erlernen. Oh, sie haben beide so kühne Träume.

Kilian redet von einem Auto, wie der Riederer von Germ sich kürzlich eines gekauft hat. Aber nicht so schwarz. Der sieht wie ein Totenwagen aus, sagt der Kilian. Nein, himmelblau, meint die Agnes, mit einem vierblättrigen Kleeblatt auf dem Kühler. Himmelblau malt sich in ihrer jugendlichen Phantasie die Zukunft.

Ganz fern sind sie von daheim, wo man immer noch auf der Hausbank sitzt. Die Judith hat sich zu den Eltern gesellt. Ihre Hände liegen im Schoß und im Licht der Straßenlampe leuchtet der goldene Ring an ihrer linken Hand. Vor vierzehn Tagen haben sie Verlobung gefeiert im Beisein von Manfreds Mutter, die beim Postwirt wohnt. Der Maurer hat sich bei diesem Anlass einen Rausch angetrunken, und weil er in diesem Zustand immer sentimental wird, hat er es allen ganz offen geklagt, wie schwer es für einen Vater ist, wenn man eine Tochter verliert, noch dazu in einen ganz fremden Kreis hinein, weil sie ja unbedingt aus dem Bauernleben herausspringen will. Sonst aber, sagt er, sei der Manfred ein feiner Kerl, auch wenn er bloß ein Jäger sei.

Still ist es jetzt im Dorf. Nur vom Postwirt her hört man noch etwas Stimmengewirr. Da sitzen noch ein Dutzend Gäste im Garten, leise Radiomusik tönt dazwischen, gerade noch so, dass es niemand stört und die Maurerbäuerin davon nicht aufwacht. Das Strickzeug liegt in ihrem Schoß, die Brille ist ihr die Nase hinuntergerutscht. Der Maurer klopft am Bankgeländer die Pfeife aus, richtet sich ächzend ein wenig auf und sagt:

»Gehen wir halt schlafen jetzt.«

Auf der Straße ein trippelnder Schritt. Die Judith springt sofort auf und eilt an den Zaun.

»Du bist es noch, Mama?«

»Mama«, sagt sie und streichelt den Pudel, der am Zaun hochspringt. So gut kennen sie einander bereits. Der Maurer stupst seine schlafende Bäuerin wach. Sie kommen auch an den Zaun.

»Ich wollte nur noch auf Wiedersehen sagen und mich für eure Gastfreundschaft bedanken.«

»Fahren Sie wirklich schon?«, fragt die Maurerin.

»Ja, morgen früh mit dem Achtuhrbus.«

»Warten Sie, ich richt Ihnen noch ein bissl was z'samm«, sagt die Bäuerin und eilt in die Küche.

»So spät sind Sie noch unterwegs«, meint der Maurer vorwurfsvoll.

»Ja, ich war in der Jagdhütte. Manfred hat Dienst und kommt erst am Samstag runter.«

»Dann hat er endlich wieder einmal einen Sonntag frei«, freut sich die Judith. »Willst du nicht reinkommen, Mama?«

»Sonst recht gern, aber ich habe noch nicht gepackt, Judith.«

»Nächsten Sommer wohnen Sie aber bei uns«, verlangt der Maurer. »Wär was anders, wenn wir kein Fremdenzimmer hätten.«

»Ja, gern. Aber wer weiß, was bis nächsten Sommer alles sein wird.«

Die Maurerin kommt mit einem Körbchen. Eier hat sie hineingetan, Butter, Rauchfleisch und einen halben Laib von dem Brot, das der Frau Büchner immer so geschmeckt hat. Dann verabschieden sie sich. Judith nimmt das Körbchen und öffnet die Zauntür.

»Ich begleite dich noch, Mama.«

Die beiden Alten stehen noch vor der Haustür. Beim Wirt ist jetzt auch alles still geworden. Nur beim Staffner oben bellt der Hund. Ruhig stehen die Sterne über dem Dorf. Plötzlich wird die Stille durch Motorgeräusch unterbrochen. Der Riederer rast mit seinem schwarzen Kasten vorbei, dann auf den Berg hinauf. Auf dem Kirchturm schlägt es zehn Uhr und die beiden gehen ins Haus.

Es ist nun nicht mehr zu leugnen, der Herbst ist da. Er meldet sich an mit einem Sturm, der die Blätter von den Bäumen reißt, und den alten Holunderstrauch im Maurergarten schüttelt er her, als wolle er ihm ans Leben. Er reißt ihm die dürren Äste weg, aber der Strauch selbst steht, er trotzt in seinem Wurzelwerk, als wolle er sagen: Ich zeig's euch schon im Frühjahr, da werde ich wieder blühen und ihr werdet froh sein, wenn ihr dann wieder in meinem Schatten ruhen könnt.

Die Lena hat sich auf der Alm längst vorbereitet auf diese Zeit. Sie hat Tannenkränze geflochten, viele Meter, und hat Papierblumen hineingesteckt, damit sie ihre Herde schmücken kann, wenn sie sie zu Tal treibt. An manchen Abenden ist auch der Forstreferendar bei ihr gesessen und hat ihr geholfen. Auch der Tobias ist einmal gekommen, aber es ist noch nichts Rechtes mit ihm. Der Weg ist noch zu weit für ihn, er ist matt und jeder Schritt bergauf hat ihn viel Schweiß gekostet. Es ist ja auch nicht so wichtig, denn was jetzt zu reden ist, das muss im Familienkreis besprochen werden. Er muss da schon Farbe bekennen. Ich steh zu dem Kind, muss er im Maurerhof bekennen und dass er Lena heiraten werde. Das hat er ihr versprochen. Sowie sie von der Alm daheim ist, wird er es tun.

Dann ist es so weit. Der Maurer schickt den Kilian mit dem Fuhrwerk hinauf, er soll Lena helfen. Sie hat alles blank gescheuert und um die Hütte herum aufgeräumt. Nachdem sie noch miteinander zu Mittag gegessen haben, brechen sie auf. Zunächst geht es schon durch etwas Schnee, erst weiter unten im Wald wird es besser. Lena geht voraus, den Rucksack umgehängt, den Bergstock in der Hand. Kilian fährt mit dem Fuhrwerk hinterher. Nach ein paar Stunden fahren sie auf das Dorf zu. An den Straßenrändern stehen ein paar Urlauber und hantieren aufgeregt mit ihren Fotoapparaten, denn so ein malerisches Bild muss doch festgehalten werden. Laut tönen die Glocken der Kühe durcheinander. Es lohnt sich auch für die Bauersleute, aus dem Fenster zu schauen, und so manche sind unter ihnen, die ihre Herde ohne Schmuck heimgebracht haben, weil das Unglück zugeschlagen hat. Ein Kalb ist vielleicht abgestürzt, eine Kuh hat nicht kalben können und hat notgeschlachtet werden müssen.

Beim Maurer stehen sie alle auf dem Hof, als die Herde von der Straße abbiegt. Die Bäuerin mit einem Weihwasserkesselchen, in das sie immer wieder die Finger taucht, um über die Herde das Wasser zu spritzen. Neben ihr steht der

Maurer, den Kopf zurückgelegt. Die Augen schmal, mustert er Stück für Stück und zuletzt die Lena. Zweimal schaut er hin, das zweite Mal schärfer. Dann stupst er seine Bäuerin an.

»Schau hin, die Lena hat sich – war denn die schon so gut beleibt, wie sie auf die Alm hinauf ist?«

Notgedrungen muss ja auch die Bäuerin nun genauer hinschauen, erschrickt und sie begreift sofort. Aber sie sagt: »Was du dir einbildest!«

Alle helfen nun zusammen, lösen die Glockenriemen von den Kühen, nehmen den Kranzschmuck ab und ketten die Tiere im Stall an den Barren.

In der Stube ist bereits der Tisch gedeckt und aus der Küche kommt der Duft von Kaffee. Das ist so Brauch. Wenn die Herde gut heimkommt, muss das gefeiert werden. Die Lena legt die große lederne Geldtasche auf die Anrichte und sagt:

»Dort liegt dann das Geld, Vater.«

Immer wieder blinzelt der Maurer über den Tisch hin. Irgendwie kommt die Lena ihm verändert vor. Sind etwa die Sommersprossen um ihre Nase herum dichter geworden? Liegt es an dem Mund, der so anders scheint, so weich, als hocke in seinen Winkeln ein Geheimnis?

Als die Lena dann das zweite Stück Gugelhupf herausgenommen hat, steht sie plötzlich auf, hebt die Hand vor den Mund und rennt in den Stall hinaus. Sie muss sich erbrechen. Die Judith ist ihr nachgelaufen und will ihr beistehen, aber es ist da nicht viel zu helfen. Sie sagt dann nur:

»Passiert dir das öfter?«

»In letzter Zeit schon ein paarmal. Heut aber, mein ich, ist mir der Kaffee zu stark gewesen.«

Auf einmal steht auch die Mutter hinten im Futtergang. Ihre hängenden Wangen zittern ein wenig, als hätte sie Angst, dass sie etwas Ungutes erfahren wird.

»Was ist denn mit dir los?«, fragt sie misstrauisch.

Die Lena richtet sich mühsam auf, ist ganz rot im Gesicht und sieht die Judith an.

»Sag's du ihr, Judith.«

»Was soll sie mir sagen?«

Die Judith schaut lange ihre Schwester an, dann dreht sie den Kopf wieder der Mutter zu.

»Warum solltest es ned wissen, was sich doch bald nimmer verheimlichen lassen wird. Die Lena – na ja, was ist denn schon dabei – ein Kind kriegt sie halt.«

Der Maurerin fällt das Kinn herunter. Sie schnappt ein paarmal nach Luft, bis sie losplärrt:

»Da fragst du, was ist denn schon dabei? Ja, habt ihr denn den Verstand verloren?«

Sie öffnet noch ein paarmal den Mund, bringt aber nichts mehr heraus, dreht sich auf dem Absatz herum und rennt in die Stube zurück, in der nur noch der Kilian und der Maurer sitzen. Dort erst fällt ihr ein, dass sie ganz vergessen hat zu fragen, wer denn derjenige sei, der die Lena in diesen Zustand gebracht hat.

»Stell dir vor«, sagt sie zu ihrem Mann, »wie die Lena von der Alm heimkommt!«

»Ja, wie denn?«

»Sie kriegt ein Kind!«

Der Maurer rumpelt vom Tisch auf, dass der Stuhl hinter ihm umfällt.

»Ja, Himmelherrgott! Der schlag ich 's Kreuz ab!«

»Gar nix wird geschlagen«, sagt der Kilian ganz ruhig. »Zuerst muss man wissen, wer der Vater ist – ich kann mir's zwar denken –, aber dann muss man ganz ruhig miteinander reden.«

Die Judith steht plötzlich in der Stubentür und sagt: »Der Riederer Tobias kommt in Frage – und sonst keiner.«

»Was? Der? Ich hab gemeint, der könnt net bis fünfe zählen! Die Lena – wo ist sie denn? Sie soll reinkommen! Der werd ich jetzt den Schädel waschen.«

»Nix wird gewaschen«, sagt der Kilian wieder. »So was kann vorkommen, und zwar sogar in den besten Kreisen.«

Der Maurer hört die Warnung nicht und schreit krebsrot im Gesicht: »Du redest dich leicht! Von der Schand sagst nix!«

»Nimm dich doch selber bei der Nasen! Die Lena ist ja auch auf die Welt kommen, da seid ihr erst fünf Monat verheirat gewesen!« Die Maurerin beginnt zu weinen, der Maurer weiß auch nicht, was er dagegen sagen soll, er schaut nur die Lena mit wütendem Blick an, als sie zur Tür hereinschleicht, ganz kleinlaut, ganz schuldbewusst. Ein langes Schweigen entsteht. In dieses Schweigen hinein pfeift der Kanarienvogel in seinem Bauer einen Triller. Draußen vor den Fenstern geht ein Schneeregen nieder.

»Jetzt ist's schon, wie's ist«, sagt die Lena.

»Wer ist es denn?«

Weil die Lena nicht gleich Antwort gibt, antwortet wieder die Judith:

»Der Riederer Tobias.«

»Also doch der. Hm.« Der Maurer kann es immer noch nicht fassen. »Hat er wenigstens vom Heiraten was gesagt?«

»Der Tobias hat gesagt, es wird schon alles recht werden.«

»Das ist ein Versprechen und keins. Aber dem werd ich schon hineinhelfen in die Schuh! Geheiratet muss werden, noch bevor es alle merken. Am liebsten ging ich jetzt auf der Stell hinauf nach Germ.«

»In der ersten Wut soll man nix tun«, meint der Kilian. »Jetzt erst mal drüber schlafen, morgen schaut dann alles schon anders aus. Was wir tun müssen, ist einzig und allein, dass wir jetzt zur Lena halten. Net schimpfen und plärren, des hat gar keinen Sinn.«

Die Judith pflichtet ihrem Bruder mit Eifer bei und legt den Arm um Lenas Schultern.

»Du redest dich leicht«, knurrt der Maurer noch, aber sein Zorn ist schon etwas gebändigt. »Aber morgen geh ich nach Germ, des steht fest! Da muss Klarheit her!«

»Um Gottes willen!«, jammert die Bäuerin. »Du kennst doch den Riederer!«

»Ich kenn ihn, ja. Aber er kennt mich net. Wenn er mich reizen will, dann kommt er in ein Hagelwetter! Und jetzt geh ich zum Wirt und sauf mir einen Rausch an.«

»Deswegen wird's Unglück auch ned besser«, jammert die

Maurerin und steckt verdrossen dem Kanarienvogel ein Apfelstückchen in das Bauer.

»Was heißt denn da Unglück?«, fragt der Kilian. »Der Tobias muss die Lena heiraten und dann ist sie immerhin eine der größten Bäuerinnen im Umkreis.«

»Und wenn er sich spreizt, dann gehen wir aufs Gericht«, sagt der Maurer und schlüpft in die Jacke.

»Drum sag ich ja, abwarten und alles in Ruh überlegen.«

Und als ob alles bereits in schönster Ordnung wäre, sagt die Judith:

»Die Taufpatin mach ich.«

Als der Maurer gegangen ist, reden sie noch lange miteinander. Die Mutter hat sich jetzt auch beruhigt und sieht die Sache nicht mehr wie ein Unglück an. Und die Lena ist froh, dass sie den ersten Sturm überstanden hat. Sie hat es sich eigentlich schlimmer vorgestellt. Vielleicht wäre es übler ausgefallen, wenn der Kilian nicht der ruhende Pol gewesen wäre. Ein herrlicher Bruder, dieser Kilian. So gerecht, so ausgleichend, so überlegen in seinen Abwägungen.

Im Übrigen, das mit dem Rausch ist nur so eine leicht hingeworfene Drohung gewesen, denn um neun Uhr ist der Maurer bereits wieder daheim, kommt auf die Sache nur noch insofern zurück, dass er kurz und bündigt sagt:

»Am Sonntagnachmittag geh ich nach Germ – und damit basta.«

Am Sonntag schneit es zum ersten Mal richtig. Aber der Schnee ist zu wässerig und nur die Wiesen und Felder nehmen ihn auf. Auf der Straße kann er sich noch nicht festsetzen.

Nach seinem Mittagsschlaf zieht sich der Maurer an. Er will nun wirklich nach Germ gehen. Aber Kilian hat bereits das Motorrad aus dem Schuppen geholt und kommt in die Stube.

»Du wirst doch ned glauben, Vater, dass ich dich allein nach Germ gehen lasse! Da fahren wir schon zu zweit mit dem Motorrad hinauf.«

Ein bisschen zweifelnd schaut der Maurer seinen Sohn an. Dann nickt er.

»Also gut, wenn du meinst.« Er schlüpft in die Überjacke, setzt den Hut auf und greift nach dem Stecken.

»Zu was brauchst denn den?«, fragt der Kilian.

»Man kann nie wissen. Wenn er rabiat wird, der Riederer, dann schlag ich ihn windelweich!«

»Freilich, dass er dich dann anzeigt wegen Körperverletzung! Der ist so schlecht und legt sich ins Bett und du kannst zahlen. Nix da! Der Stecken bleibt hier!«

»Und sei net gar zu hart, Vater, mit dem Tobias«, bittet die Lena.

»Mir geht's zunächst um den Alten. Weißt du überhaupt, ob der Tobias daheim schon was gesagt hat?«

»Nein, des weiß ich ned.«

»Na, gute Nacht dann! Das wird ja eine nette Überraschung geben da oben!«

»Denkt euch nix«, lacht der Kilian. »Deswegen fahr ich ja mit, dass kein Blödsinn rauskommt!«

Dann steigen sie auf das Motorrad. Der vielen Kurven wegen kann Kilian nicht so schnell fahren, wie er möchte. Unterwegs, bei einer großen Kehre, stupst der Maurer den Kilian in den Rücken. Kilian hält und dreht den Kopf.

»Was ist's, Vater?«

»Meinst ned, ich hätt doch den Stecken mitnehmen sollen?«

»Ach, Schmarrn! Du vergisst allweil, dass ich dabei bin. Ihr kuscht alle vor dem Riederer. Ich fürcht ihn ned.«

»Ich auch ned. Fahr zu jetzt.«

Friedsame Sonntagsstille lagert um alle Gebäude des Hofes. Vor der Haustür steht der schwarze Wagen. In der Stube kramt der Riederer in einer kleinen eisernen Kassette herum, steckt ein paar Geldscheine in die Brieftasche, schließt die Kassette wieder ab und steckt den Schlüssel in die Westentasche. Er ist bereits zum Fortfahren angezogen.

Tobias sitzt am Tisch und hat den Bauernkalender vor sich. Er liest nicht, schaut nur die Bilder an, ist aber mit den

Gedanken ganz woanders. Wenn der Vater fort ist, will auch er sich auf den Weg machen zum Maurerhof hinunter, um offen und ehrlich mit den Eltern der Lena zu reden. Wenn auch sonst vieles an ihm zu bemängeln sein mag, so ist er in seinem Innern doch der Mann, der zur Sache steht, wenn es sein muss. Und es muss sein.

Die Riederin sitzt beim Ofen, schält Äpfel für die danebenstehenden Einmachgläser. Zusammengesunken sitzt sie da, die Hände krumm, das Haar schlohweiß, den Mund fest zusammengepresst, wie ein Mensch, dem die Zähne fehlen. Längst hätte sie zum Zahnarzt müssen, aber dafür hat der Bauer kein Geld.

Wie zufällig schaut der Riederer zum Fenster hinaus und sieht, wie die Maurers gerade vom Motorrad steigen.

»Was wolln denn die?«, fragt er.

Tobias steht auf und wird blass. Er hat sowieso seine gesunde Farbe noch nicht erreicht. Die schwere Krankheit hat ihm doch schwer zu schaffen gemacht.

»Der Maurer«, sagt er. »Und der Kilian.«

Natürlich kann er sich zusammenreimen, was die beiden wollen. Aber merkwürdig, in diesem Augenblick überkommt ihn eine sonderbare Ruhe.

Von draußen hört man die Schritte der beiden Männer, dann klopft es bereits an die Stubentür.

»Herein«, sagt Tobias, nicht der Riederer. Der dreht nur den Kopf über die Achsel und schaut verdutzt auf seinen Sohn.

Gerade dass der Riederer nicht an die Decke stößt, so groß steht er da. Man müsste schon Angst vor ihm haben beim bloßen Anblick. Er rührt sich nicht vom Fleck, ist ungehalten, weil man ihn hindert wegzufahren. Es fällt ihm gar nicht ein, die Angekommenen mit irgendeinem Wort zu begrüßen. Er hat nur einen Fluch auf den Lippen, als er sieht, wie Tobias hingeht und den beiden die Hand gibt und dabei sagt:

»Ich wär sowieso heut zu euch gekommen.«

Die Riederin deutet mit dem Messer in der Hand auf die reihum laufende Bank.

»Setzt euch doch.«

Jetzt kennt sich der Riederer überhaupt nicht mehr aus. Er schaut auf den Tobias, dann auf seine Frau und von der wieder auf die beiden Besucher, die sich gesetzt haben. Endlich fragt er:

»Darf man vielleicht wissen, was euch zwei heut zu uns rauftreibt?«

»Ja, das ist nämlich so«, beginnt der Maurer und dreht seinen Hut in den Händen. »Ich weiß ja ned, ob euer Bub schon mit euch geredet hat.«

»Über was?«

»Na, wegen unserer Lena halt. Die war heuer im Sommer auf der Alm, und wie's halt dann oft so geht – der Tobias, ned wahr –«

Kilian unterbricht seinen Vater.

»Red doch ned lang um den Brei rum, Vater. Die Lena erwartet ein Kind vom Tobias.«

Der Riederin fällt das Messer aus der Hand. Nicht vor Schreck, o nein, sie hätte am liebsten laut gelacht, wenn sie es noch nicht verlernt hätte. Sie lehnt sich an die Kacheln des Ofens und schließt die Augen. Ihr Bub, der immer unter dem Daumendruck seines Vaters hat leben müssen, hat sich losgerissen, hat zum wirklichen Leben gegriffen und hat sich verliebt. Das ist zunächst unfassbar für sie. Aber sie freut sich und empfindet dabei ein längst vergessenes Glück.

Dem Riederer aber ist zumute, als hätte ihm jemand einen Prügel vor den Kopf geschlagen. Dann wirft er den Kopf zurück und lacht laut heraus:

»Jetzt schau einmal so ein Rindvieh an! Da meinst, der Kerl könnt ned bis fünfe zählen, und tappt aufs Eis wie ein blinder Esel! Des ist ja ein Witz!«

»Dann gehst hinunter zu uns und schaust dir den Witz an«, sagt der Maurer.

»So alt wirst du ned. Wer sagt denn überhaupt, dass es der unsere sein muss? Euer Dirndl meint vielleicht, unser Trottel wär grad gut genug! Da habt ihr euch aber verrechnet! Es gibt da schon so was wie eine Blutprobe. Und die werden wir machen lassen.«

Das verschlägt dem Maurer zunächst die Stimme. Er neigt sich zum Kilian hin und flüstert ihm ins Ohr:

»Hätt ich halt doch mein Stecken mitnehmen sollen!«

Kritisch wird es erst, als der Riederer noch sagt: »So eine unbeschriebne Henn wird ja eure Lena auch nimmer sein. Und jetzt sucht sie halt einen Dummen.«

Wie eine Pantherkatze schnellt der Kilian hoch und packt den Riederer bei den Jackenaufschlägen, reißt ihn zu sich her.

»Du, so was sagst ned noch mal! Von dir lass ich meine Schwester ned schlechtmachen!«

Schnaufend bemüht sich der Riederer sich loszureißen, und als er endlich frei ist, wird sein Ton gemäßigter.

»Wenn's wirklich so ist, dann muss halt zahlt werden. Und das legt dann schon 's Vormundschaftsgericht fest.«

»So schaust du aus! Heiraten muss er sie und das bald! Was meinst denn, was der Herr Pfarrer sagt, wenn ich ihm erzähl, dass ihr euch drucken und 's Madl in der Schand sitzen lassen wollt!«

»Das geht den Herrn Pfarrer gar nix an.« Der Riederer reißt seinen Schädel herum. »Und du Trottel sagst gar nix! Ist das überhaupt wahr, was die da behaupten?«

»Was soll ich denn sagen, wenn du dauernd schreist«, meint Tobias überraschend selbstsicher. »Ja, es ist wahr. Und ich hab der Lena auch versprochen, dass ich zu ihr halt und dass schon alles recht werden wird.«

»Ja, das hat die Lena auch gesagt«, bestätigt der Kilian.

»Und ich werd sie auch heiraten.«

So, nun ist es heraus. Die Riederin faltet dankbar die Hände im Schoß. Der Riederer schaut stirnrunzelnd zur Decke hinauf, zu der er es gar nicht weit hat. Er überlegt ziemlich lange, bis er sagt:

»Dann muss ich zu Lichtmess einer von den Mägden kündigen, weil sonst eine zu viel ist.«

Das begreifen die Maurers nicht gleich, bis Kilian die Worte deutet:

»Ach so, du meinst, als Magd wär unsere Lena grad gut genug bei euch heroben?«

»Ja, sonst nix mehr!«, schreit jetzt auch der Maurer. »Bäuerin muss sie werden – und nix anderes!«

Der Riederer zieht seine schwere Taschenuhr.

»Mit euch hab ich jetzt einen Haufen Zeit vertrödelt. Und gesetzt den Fall, ich wär einverstanden, was brächt sie denn mit, eure Lena?«

»Ein bissl mehr schon, als du reingebracht hast, als ihr geheiratet habt.« Das sagt Kilian. Und der Maurer fügt hinzu:

»Als Baumeister bist eingestanden hier oben. Mit einem Rucksack bist kommen. Meinst denn du, das wüssten wir nicht? Das wissen alle. Und heut spielst den Herrn! Aber wenn du es schon wissen willst: Zwanzigtausend geben wir ihr mit, unserer Lena. Eine Brautausstattung mit einer Kuh.«

Der Riederer schaut drein wie einer, dem zwanzigtausend bloß ein Pappenstiel sind. Den »Rucksack« wird er nie vergessen. Da haben sie nun eine Feindschaft gesät, die er sich merken wird. Bloß, das sieht er ein, mit den zweien da kann er nicht spielen. Er hat nicht einmal mehr den Mut sie hinauszuweisen. Er sagt nur:

»Das schaut wie eine Erpressung aus. Aber wenn er unbedingt heiraten will: Den Hof übergeben, das kommt für mich ned in Frage.«

»Mir wollen bloß, dass so schnell wie möglich Hochzeit ist.«

Der Riederer schaut wieder auf die Uhr und greift nach dem Hut. »Von mir aus macht das unter euch aus. Ich muss jetzt fahren.« Gerade dass er nicht noch sagt: Die Barbara wartet.

Sein Abgang ist nicht gerade rühmlich. Aber dass der Mann voll gepfropft ist mit rasender Wut, das beweist er, indem er draußen den Motor aufheulen lässt, dass die Fenster von dem Lärm zittern. Genauso laut und so schnell fährt er auch weg.

Und nun kocht die Riederin Kaffee und die vier besprechen alles. Man sitzt beisammen und sogar der Tobias redet jetzt. Ihm geht es vor allem um die Mutter, dass die es leichter haben soll. Nicht von einer tiefen Liebe zu Lena spricht er, sondern von der Mutter, der er mit Lena eine verlässliche Stütze geben will, eine starke, junge Kraft, die den Mut hat, sich dem Bauern entgegenzustemmen. Tobias nickt sogar, als der Maurer meint, sie könnten dann gleich morgen ins Pfarrhaus gehen und dem Pfarrer sagen, dass sie es ganz ernstlich im Sinn hätten, Mann und Frau zu werden.

Tobias zeigt dann den Maurers den ganzen Hof, alles, was es zu zeigen gibt, vom Stall bis in den Dachboden hinauf. Auch die Kammertüren öffnet er. Da schlafe die Mutter und weiter vorne der Vater.

»Was?«, fragt der Maurer verblüfft. »Die schlafen auseinander? Ja, wie gibt's denn so was?«

Um fünf Uhr erst fahren sie heim und sagen der bang wartenden Lena, dass sie sich für morgen Abend einrichten solle, mit dem Tobias zum Pfarrhof zu gehen und das Aufgebot zu bestellen.

Die Hochzeit wird auf den 25. Oktober anberaumt und verläuft ganz anders, als der Riederer es gewollt hat. Die Maurers bestimmen einfach über seinen Kopf hinweg und sind gegen eine Trauung mit einer stillen Messe um sechs Uhr in der Frühe. Zum Schluss resigniert er und sagt:

»Macht doch euern Zauber allein!«

Dabei denkt niemand an Zauber. Die Maurers wollen nur eine Hochzeit, so wie es im Tal üblich ist. Der Kilian nimmt das in die Hand. Er bestellt die Musik für den Tanz im Postwirtsaal und außerdem die Riederinger Buam, die beim Hochamt die Bauernmesse singen sollen. Kein Mensch soll danach sagen können, die Maurer Lena sei ganz still und ohne Aufhebens in den Bauernhof auf Germ gekommen.

So kommt der Tag heran. Dem Riederer bleibt ja nun nichts anderes übrig, wenn er nicht ins Gerede kommen will, als dass er sein Auto auf Hochglanz bringt. Die Riederin schmückt es mit Tannengrün und Zwergasterln. Und so fahren sie zu dritt – die Riederin darf zum ersten Mal in diesem Auto mitfahren – so gegen halb acht Uhr im Maurerhof vor.

Alle sind festlich gekleidet, die Braut in der farbenfrohen Tracht des Tales.

Es ist ein wunderschöner, noch warmer Oktobertag. Marienfäden schweben durch die Luft. Die Sonne vergoldet die Blätter, die der Wind noch nicht abgerissen hat.

Die Glocken läuten, man stellt sich zum Kirchenzug auf und der Riederer runzelt missmutig die Brauen, als er die vielen Menschen auf dem Kirchplatz stehen sieht.

»Da ham's heut wieder was zu gaffen«, schimpft er vor sich hin.

Wie träumend geht die Lena an Tobias' Seite, der in seinem neuen Trachtenanzug recht stattlich aussieht. Als sie dann in der Kirche nebeneinander knien und der Pfarrer ihnen das Ehegelöbnis abverlangt: »So frage ich dich, Magdalena Maurer –«, da geschieht es, dass der Tobias sein Gesicht ein wenig wendet und seiner Braut genau auf den Mund schaut, wie sie ihr »Ja« ausspricht. Leuchtende Augen hat sie dabei. Tobias ist von der Feierlichkeit des Augenblicks tief durchdrungen und so beansprucht, dass er es beinahe überhört hätte, als der Pfarrer die Frage auch an ihn richtet, und er hört in der Hauptsache nur: »Bis dass der Tod euch scheidet.« Und da hätte er statt des einfachen »Ja« am liebsten geantwortet:

»Aber das ist doch selbstverständlich!«

Hernach stehen sie dann noch, wie es Brauch ist, an den Gräbern der verstorbenen Vorfahren. Im Aufschauen sieht die Lena zum ersten Mal bewusst ihre Schwiegermutter. Den Rücken gekrümmt, den Rosenkranz um die zitternden Finger gewickelt, steht sie da, und man sieht, dass ihr der Geiz des Mannes zur Hochzeit des Sohnes keine neue Kleidung gegönnt hat. Das seidene Schultertuch und die gleichfarbige Schürze des Dirndlkleides sind schon ausgebleicht, nur der schwarze Schal ist noch neu, denn sie hat ihn ja nur einmal angehabt, an ihrem eigenen Hochzeitstag, der still gefeiert worden ist, abseits des Dorfes in einer Wallfahrtskirche und ganz nach dem Willen des Mannes. Ja, von allen Bäuerinnen steht sie am armseligsten da. Nur über ihrem mageren Gesicht liegt heute ein Glanz freudiger Erregung.

Und nun, da die Lena Tobias Riederers angetraute Frau ist, kann es ihr niemand verübeln und es ist sogar ihr Recht, dass sie hingeht, beide Arme um den mageren Hals der Riederin legt und sie auf beide Wangen küsst. Die Riederin klammert sich an die Lena und will sie gar nicht loslassen. Sie weint dabei und flüstert ihr ins Ohr:

»Bitt dich gar schön, sei wenigstens du ein bissl gut zu mir.«

»Ja, Mutter.«

Der Riederer steht daneben und verzieht den Mund ob solchen Getues. Vielleicht wartet er darauf, dass die Lena auch ihn auf die Wange küsst. Aber daran denkt die Lena nicht, denn sie weiß, dass dieser Mann ihr nichts Gutes will und sie als Eindringling betrachtet.

Ein einmalig prächtiges Bild bietet sich dem Betrachter, als der Hochzeitszug dann, voraus die Musikkapelle, zum Postwirt marschiert, wo man an weiß gedeckten Tischen Platz nimmt. Das Brautpaar sitzt im Herrgottswinkel, rechts von ihr ihre Angehörigen, links von Tobias bleibt ein Platz frei für den Pfarrer und daneben dann die Riederers.

Tobias schwitzt ein bissl vor Aufregung, denn schließlich steht er ja zum ersten Mal in seinem Leben im Mittelpunkt. Zuweilen greift er heimlich nach Lenas Hand und drückt sie. Einmal sagt er, als hätte er es in der Kirche zu wenig betont:

»Bis dass der Tod uns scheidet.«

»Ja, Tobi, bis dass der Tod uns scheidet.«

Sie streichelt dabei über seine Hand, an der jetzt der goldene Ring glänzt. Sie ist bis in die Seele hinein glücklich zu dieser Stunde. Nur wenn sie an ihrem Tobi vorbeischaut, in das Gesicht des Riederers, erzittert sie leicht bei der Frage, ob dieser Mann ihr das Leben da oben auf Germ leicht oder schwer machen wird. Sein Gesicht ist so undurchdringlich, so kalt und unnahbar. Wie tröstend für Lena sitzt neben ihm seine Bäuerin. Schüchtern sitzt sie da, nippt an ihrem Wein, hat rote Backerln und in ihren Augen einen stillen Glanz.

Zum Mittagessen erscheint auch der Pfarrer. Der Gesichtsausdruck des Riederers wird devot und unterwürfig.

Der hochmütige Mann schlüpft hurtig in das Gehabe eines Büßers. Als die Schüsseln mit der Grießnockerlsuppe aufgetragen werden, steht der Pfarrer auf und spricht ein Tischgebet. Niemand hebt dabei die Hände so streng und aufrecht gefaltet vor das Gesicht wie der Riederer und keiner bewegt die Lippen zum Mitbeten so eifrig wie er.

Danach gibt es Schweinebraten mit Kartoffelknödeln und verschiedenen Salaten. Während des Essens sagt der Pfarrer zum Riederer:

»Ich muss Ihnen gratulieren zu dieser Schwiegertochter. Mit der Lena bekommt der Tobias wirklich eine tüchtige und brave Frau.«

Hast du eine Ahnung, wie brav die war, denkt der Riederer. Laut aber sagt er:

»Es ist halt so, Herr Pfarrer, jedem Lappen gefällt seine Kappen. Und leben, na ja, leben muss ja er mit ihr und ned ich.« Er hebt sein Weinglas: »Zum Wohlsein, Herr Pfarrer.«

»Auch auf das Ihre, Riederer. Wollen Sie sich jetzt in den Austrag zurückziehen, oder –?«

Der Riederer schüttelt heftig den Kopf und lächelt dünn.

»So wie ich noch beinander bin, gibt's so schnell keinen alten Riederer. Solang ich leb, geb ich nichts aus der Hand. Und ich leb lang, möcht neunzig Jahr alt werden. Werden's sehen, Herr Pfarrer, den Neunziger pack ich leicht!«

»Ich wünsche es Ihnen, Riederer. Wenn man gesund bleiben darf, ist das Altwerden etwas Schönes. Doch – unser aller Leben liegt in Gottes Hand, und keiner kennt seine Stunde.«

Nach dem Mittagessen beginnt der Tanz. Zuerst das Brautpaar allein, dann erheben sich alle, der Boden beginnt zu ächzen unter der schweren Last. Die Riederers bleiben auf ihrem Platz sitzen. Er selbst kann nämlich gar nicht tanzen – und sie, mein Gott, wer soll sich denn der müden, abgerackerten Frau schon erbarmen! Aber sie schaut mit glänzenden Augen zu den Tanzenden hinüber, kaut an einer übrig gebliebenen Semmel und nimmt ein Schlückerl Wein dazu, weil es dann leichter rutscht. Verdrossen dagegen starrt der Riederer auf dieses fröhliche Volk, besonders auf den Maurer, der seine Bäuerin herumwirbelt, seinen Hut in die Höhe wirft und einen gellenden Juchzer ausstößt. Der geht dem Riederer durch Mark und Bein. Er dreht den Kopf zu seiner Bäuerin hin.

»Wie er plärrt! Wie ein Gockl auf dem Mist!«

»Lass ihm doch die Freud.«

»Der kann leicht juchzen! Er hat ja seine Tochter gut losbracht. Meint er wenigstens. Aber die wird sich schon noch umschaun!«

Die Riederin wagt darauf nichts zu sagen, nimmt lieber wieder ein Schlückerl von dem Rotwein, was ihn veranlasst weiterzunörgeln:

»Sauf nur du wieder recht! Nachher jammerst wieder, dass dir's Kreuz weh tut.«

Da ist nicht das Tröpferl Wein schuld, hätte die Riederin antworten müssen. Abgearbeitet ist sie halt und gebeugt und sie betrachtet es sowieso als ein Wunder, dass sie diesen Tag der Freude erleben darf. Sie sind alle so freundlich zu ihr, als wüssten sie über ihr Seelenleid bestens Bescheid. Die Judith winkt ihr im Vorübertanzen mit ihrem Manfred lachend zu und auf einmal steht dann der Kilian vor ihr.

»Geh weiter, Riederermutter! Jetzt packen's wir zwei!«

»Ah geh«, wehrt sie errötend ab. »Ich kann's ja gar nimmer.«

»Ja, des wär ja noch schöner! Ich lupf dich schon rum!« Und weil der Kilian heut wieder in seiner glänzenden Laune ist, verbeugt er sich und fragt: »Du erlaubst doch, Riederer?«

Der hätte am liebsten geflucht, aber da sitzt der Pfarrer in der Nähe und er lächelt nur süßsauer.

»Was fragst denn da mich?«

Von wegen nicht mehr tanzen können! Wie eine Feder wirbelt der Kilian seine Tänzerin herum, dreht sie aus und fängt sie wieder ein. Nach ihm tanzt der Maurer mit ihr und flüstert ihr dabei etwas zu vom Zusammenhalten der Verwandtschaft, man sei ja jetzt so was wie eine Familie und die Lena werde schon ein rechtes Aug auf sie haben, dass sie es auch einmal leichter bekäme.

116

»Ja, ich freu mich schon.« Die Riederin streicht eine locker gewordene Haarsträhne aus der Stirn. Als sie dann doch heftig schnaufend wieder an den Tisch zurückkommt, zischt ihr der Mann zu:

»Gell, da tun dir die Füß ned weh! Untersteh dich bloß ned und jammer morgen wieder!«

»Ich jammere ja ned. Und es ist halt so lustig.«

Nach dem Kaffee, so gegen halb vier, bricht der Pfarrer auf. Der Riederer begleitet ihn bis zur Saaltür hin und jammert dabei:

»Von Mäßigkeit im Essen und Trinken merkt man heut gar nix. 's Vieh ist gscheiter, das hört auf, wenn's satt ist.«

Der Pfarrer schlüpft in den Mantel und der Riederer hilft ihm geflissentlich dabei.

»Ach, wissen Sie, Riederer, Hochzeit feiert man nur einmal und man soll die Feste feiern, wie sie fallen. Wer weiß, was alles noch kommt.«

»Wie meinen Sie denn das, Herr Pfarrer?«

»Verstehen Sie denn die Zeichen dieser Zeit nicht, Riederer? Es wird zu viel hinter Fahnen marschiert. Also nochmals meinen Glückwunsch. Und vergessen Sie nicht, am Donnerstag ist Pfarramtsversammlung.«

Der Riederer kehrt an seinen Tisch zurück. Die Riederin tanzt gerade mit ihrem Sohn Tobias und eine Weile darauf bittet sogar Manfred Büchner um einen Tanz.

»Nein, nein«, seufzt sie. »Zugehn tut's heut um mich, grad als wenn ich noch ein junges Madl wär!«

Je glücklicher sie sich fühlt, um so wütender wird ihr Mann. Alles dreht sich um die Bäuerin! Um ihn kümmert sich niemand. Er ist zu einer Null geworden in dieser Gesellschaft, die immer größer wird, denn am Abend marschiert der ganze Trachtenverein auf und viele andere, die der Lena – und nur der Lena – die Ehre geben wollen. Der Riederer nennt die lustige Gesellschaft ein schlimmes »Pack« und beginnt, obwohl er ein paar Stunden vorher dem Pfarrer gegenüber noch von Mäßigkeit gesprochen hat, den Wein in sich hineinzuschütten. Beim abendlichen Kalbsbraten ist er bereits so blau, dass er keinen Bissen mehr hinunterbringt. Zum Glück gehört er nicht zu den schlechten Trinkern, die dann anfangen zu streiten, sondern zu jenen, die schläfrig werden. Er legt die Arme auf den Tisch und bettet den Kopf darauf. Erst als die Musik nach dem Essen wieder zu spielen anfängt, fährt er hoch und packt seine Bäuerin derb am Arm.

»Jetzt wird heimgefahren.«

»Nix mehr wird gefahren! Du bist ja besoffen!«

Der Riederer reißt die Augen auf, erkennt aber seinen eigenen Sohn nicht mehr.

»Wer ist besoffen? Wer bist denn du überhaupt, dass du dir sagen traust, ich kann nimmer fahren?«

Von irgendwo aus der Menge raus schreit jemand:

»Lasst ihn doch fahren! Vielleicht derrennt er sich!«

Dem ganzen Streit wird dann schnell ein Ende gemacht. Jemand ist in die Gaststube gegangen und hat dem Wachtmeister der Gendarmerie etwas zugeflüstert. Der kommt gleich in den Saal.

»Herr Riederer, den Autoschlüssel, bitte.«

»Such ihn dir selber«, grunzt der Riederer, lässt sich dann aber doch ohne Widerstand in die Jackentasche greifen.

Der Hausknecht vom Postwirt trägt den Betrunkenen hinunter und lässt ihn schwer in die Polster des Rücksitzes fallen.

Die Riederin will mitfahren, aber Tobias und Lena halten sie zurück.

»Du bleibst da, Mutter, wenn es dir gefällt.«

»Gefallen tut's mir schon, es ist ja so lustig.«

Und so bleibt denn die Riederin und genießt es, einmal ohne Furcht vor ihrem Mann in einer frohen Runde zu sein, in der man ihr Achtung und Freundlichkeit entgegenbringt. Wie hat sie das entbehrt, all die langen Jahre, die vergangen sind, seit sie den Riederer Emmeran geheiratet hat.

Der Hausknecht vom Postwirt hat den Riederer heimgefahren und ist mit dem schwarzen, immer noch geschmückten Wagen gleich ins Dorf zurückgefahren, um später die

Riederin und die jungen Eheleute dann nach Germ zu bringen.

Doch es ist nur die Riederin, die er heimbringen muss, denn der Tobias und seine junge Frau wollen zu Fuß gehen.

Es ist kurz vor Mitternacht, als sie sich auf den Weg machen. Von den Musikanten sind sie aus dem Saal gespielt worden, auf die Straße hinunter. Dann sind sie allein, endlich allein. Sie fassen sich bei den Händen und gehen langsam dahin. Beim Maurerhof bleiben sie stehen und da erst begreift die Lena, dass sie nun hier nicht mehr daheim ist. Und plötzlich beginnt sie zu weinen. Tobias ist hilflos und weiß sich keinen Rat.

»Wein doch ned«, sagt er.

»Ach, Tobi, das verstehst du ned. Was ich bisher gehabt hab, das weiß ich. Was mich erwartet, das muss sich erst erweisen.«

»Langt es dir denn ned, dass du jetzt meine Frau bist?«

»Doch, Tobi.« Sie strafft sich plötzlich und wischt die Tränen fort. »Wenn nur wir zwei fest z'sammhalten, Tobi, dann wird's schon gehen, auch wenn dein Vater mich ned mag. Aber du musst zu mir halten.«

Tobias nickt, obwohl er selbst nicht weiß, wie das nun auf dem Hof in Germ werden wird. Kein Wort ist von einer Übergabe gesprochen worden, keine Silbe davon, dass die Lena nun am Herd stehen solle. Aber es ist ja jetzt ihr Leben und die Lena hat schon Recht: Wenn sie fest zusammenhalten, werden sie sich auch behaupten.

Dann gehen sie weiter und sind auf einmal voller Zuversicht. Auf der Welt gibt es nun ein Ehepaar mehr, das bereit ist, mit seiner Kraft und Jugend allen Stürmen zu trotzen. Die Lena wenigstens ist bereit, eine starke Wurzel auf fremdem Grund zu schlagen. Wenn nur erst einmal das Kind da ist! Sie will mehrere Kinder haben – vielleicht dass es ein halbes Dutzend wird, ein neues, starkes Geschlecht auf Germ.

Je steiler der Weg wird, desto öfter bleiben sie stehen. Gerade als ob sie es hinauszögern möchten, das Haus zu betreten, das Lena noch so fremd ist. Sie schauen dann hinunter ins Dorf, in dem nur noch die Lichter vom Gasthaus zur Post glimmen. Manchmal trägt der Wind einen Polkaklang zu den Hügeln hinauf. Sterne leuchten am hohen Himmel, gleich tanzenden Irrlichtern. Irgendwo schlägt ein Hund an. Dann wird es ganz still, je höher sie kommen. Tobias lässt Lenas Hand nicht mehr los, es ist gerade, als ob er von ihr in eine neue Heimat hineingeführt würde.

Kein Willkommensschild hängt über der Haustür. Nur der schwarze Wagen steht neben der Stallmauer. Tobias greift hinter den Fensterladen, wo der Schlüssel hängt. Er gibt ihn Lena in die Hand.

»Sperr du auf«, sagt er.

Und dann wartet Lena, dass er sie auf den Arm nimmt und über die Schwelle trägt. So hatte sie es sich immer gewünscht. Aber Tobias weiß das nicht. Er lässt nur ihre Hand nicht los und so betreten sie dann ihr Schlafzimmer.

Vor ihrer Hochzeit ist Lena noch im Wegmacherhäusl gewesen, spät, in der Dunkelheit, wie es viele tun, wenn sie über ihr Schicksal Bescheid wissen wollen. Manche suchen auch Trost in einem Herzeleid. Lena aber hat nur wissen wollen, ob sie ein Mädchen bekommt oder einen Buben.

Dazu braucht Sebastian Stelzl zunächst keine Karten. Er lehnt sich in seinem Lehnstuhl, den ihm die Gemeinde als Abschiedsgeschenk für treue Dienste überreicht hat, zurück und schließt die Augen. Er hat seine Gesichte und rechnet mit den Gestirnen. Er fragt die Lena, wann es geschehen sei – und wenn das stimme, dass der Mond im Wachsen gewesen sei, dann werde es unweigerlich ein Bub.

Zu allem andern braucht er dann die Karten. Die Lena muss mit der linken Hand abheben und selbst mischen. Aberglaube – oder sind es uralte Lehren aus Tausenden von Jahren, weitergegeben von Geschlecht zu Geschlecht? Wer weiß das?

Einerlei! Die Lena glaubt, was die Karten sagen. Sie wird es sehr, sehr schwer haben da oben auf Germ, wird ihr gesagt. Hindernisse auf Hindernisse. Aber mit ihrer Kraft und ihrer Geduld sind sie zu bezwingen. Der Mann? Jawohl, Tobias hält zu ihr. Von ihrer Kraft werde er mitgerissen. Und Moment mal: Da liegt über dem Grünkönig tatsächlich der Eichelneuner – ein Lichtblick für Lena, denn neun Monate nach einer Zeit vom Hochzeitstag an gerechnet, da werde sie plötzlich von allen Schatten erlöst und viel Licht falle dann in ihr Leben. Bald darauf komme sie auch wieder in gesegnete Umstände, etwa um die Zeit, in der dann das große Feuer über die Erde komme, aus dem dann eine geläuterte Welt hervorgehe.

Das Letztere interessiert Lena weniger. Für sie ist die Hauptsache, dass ihr Kind der Hoferbe wird. Der könnte das Eis vielleicht brechen, meint sie. Bis dahin muss sie sich halt in Geduld üben.

Gerade aber dieses Geduldüben schlägt trotz besten Willens zu einer Fehlrechnung aus, denn der Riederer von Germ will nicht Geduld, sondern Demut und Unterwerfung. Dazu ist die Lena aber nicht geeignet, denn in ihr braust doch das schwere Bauernblut der Maurers. Und so kommt es nach vierzehn Tagen schon zur Explosion.

Eines Morgens klagt die Riederermutter über starke Magenschmerzen. Sie krümmt sich am Herd, und als die Lena vom Stall hereinkommt, um den Kälbertrank zu holen, erschrickt sie, denn die Riederermutter hält sich an der Herdstange fest und stöhnt vor Schmerzen.

»Was ist denn, Mutter?«

»So viel Schmerz – im Magen«, wimmert die Mutter.

»Dann sofort ins Bett! Ich mach dir heiße Umschläg und dann muss der Doktor geholt werden.«

»Ned ins Bett«, wimmert die Alte. »Was glaubst denn du, was er sagt, wenn er runterkommt!«

Im Augenblick ist die Lena etwas ratlos, aber dann fragt sie nicht mehr lang, nimmt die Schwiegermutter auf ihre starken Arme, bringt sie zu Bett und geht wieder in den Stall hinunter.

»Tobias, spann gleich ein und hol den Doktor. Die Mutter ist krank.«

Tobias hat immer noch ein bissel die Faust im Nacken und fragt zuerst: »Hat er es angeschafft?«

»Der ist doch noch ned auf. Spann ein, Tobias, sonst fahr ich selber ins Dorf.«

Der Doktor kommt und schimpft, dass man auf so einem großen Hof noch kein Telefon hätte. Dann untersucht er die Kranke, verordnet strengste Bettruhe und Schonkost und verschreibt Medikamente. Vor acht Tagen dürfe sie auf keinen Fall aufstehen. Er werde jeden Tag nachsehen, und wenn keine Besserung eintrete, müsse er sie ins Krankenhaus einweisen.

Lena steht dabei und ist voller Sorge.

Der Doktor schaut sie an. »Auf dich kann ich mich doch verlassen, Lena?«

»Das können Sie, Herr Doktor. Ich werd schaun auf sie, als ob sie meine eigne Mutter wär.« Sie begleitet den Arzt bis an sein Auto.

»Und wie geht es dir selbst, Lena? In deinem Zustand, mein ich.«

»Gut, Herr Doktor. Bloß manchmal ein bissl Sodbrennen.«

»Dann wird's bestimmt ein Bub«, lacht er. »Nach einer alten Bauernregel wenigstens. Ich weiß noch, wie ich dich ins Leben geholt hab, Lena. Wie doch die Zeit vergeht! Jetzt bist du dran. Ruft mich, wenn es so weit ist, aber nicht erst fünf Minuten vor zwölf, sondern lieber schon um elf. Wann ist es denn so weit bei dir?«

»Anfang Mai, Herr Doktor.«

»Die schönste Zeit, weil da alle Welt blüht.«

Lena kocht dann Pfefferminztee, gibt etwas Melissengeist hinein und bringt das Getränk der Kranken hinauf. So schmal und ärmlich liegt die Großbäuerin in den Kissen, mit fiebergerötetem Gesicht. Dankbar schlürft sie den Tee, den Lena ihr an den Mund hält. Dazwischen redet die Angst aus ihr.

»Das wird heut ein Wetter geben, wenn er aufsteht und ich lieg im Bett!«

»Denk daran überhaupt ned, Mutter. Ich werd schon fertig mit ihm.«

»Mit dem wird kein Mensch am Hof fertig. Tu ihm nur ned widerreden, wenn er schimpft. Das kann er ned vertragen.«

»Das kommt drauf an, was er sagt.«

»Und, tu's ned vergessen, Lena: Zum Frühstück mag er Bohnenkaffee, zwei weiche Eier und Schinken, ganz dünne Blattln müssen es sein.«

Der Tee ist nun getrunken. Lena schüttelt die Kissen auf, zieht der Kranken das Deckbett bis zum Hals und öffnet das Fenster einen kleinen Spalt, damit frische Luft herein kann.

Dann geht sie hinunter. Es ist höchste Zeit. Die Leute kommen zum Frühstück. Jeder hat seine eigene Schüssel, die mit heißer Milch gefüllt ist, in die sie das dunkle schwarze Bauernbrot einbrocken. Die Lena sitzt mit am Tisch neben Tobias.

»Was sagt der Doktor?«, will er wissen.

»Sie muss zunächst einmal acht Tag liegen bleiben.«

»So schlimm ist's? Sie hat doch schon öfter über Magenschmerzen gejammert und hat sich ned niedergelegt.«

»Weil sie sich ned getraut hat. Aber das muss jetzt anders werden, Tobias. Das Erste ist jetzt, dass die Mutter zum Zahnarzt muss. Sie kann ja nix mehr beißen. Daher kommen ihre Magenschmerzen.«

»Da kannst Recht haben«, nickt Tobias und die Leute sind auch dieser Ansicht. Mit dem Gesinde steht Lena vom ersten Tag an auf gutem Fuß. Überraschend schnell hat sie zu ihnen gefunden und die Leut zu ihr. Etwas von ihrer unverwüstlichen Kraft strömt anscheinend in alle hinein. –

Die Knechte legen dann Mist auf, Tobias fährt ihn auf die Wiesen und die Mägde breiten ihn aus. Die Lena aber steht in der Küche und schneidet auf einem Brett mit einem langen Messer ein großes Stück Rindfleisch in kleine Stücke. Daneben steht die Kanne mit dem bereits gefilterten Bohnenkaffee. Gulasch will sie heute machen, mit Bandnudeln dazu. Um halb acht Uhr hört sie den Bauern die Stiege herunterkommen. Die Küchentür öffnet sich und er bleibt gleich auf der Schwelle stehen.

»Ja, was ist denn das? Warum bist du ned beim Mistbreiten draußen?«

»Weil die Mutter krank ist und ich heute kochen werd.«

Die Antwort ist kurz, nicht unfreundlich, aber bestimmt. Der Riederer ist nur erbost, weil sie so kurz und ohne weitere Erklärung gegeben worden ist. Er ist, wie immer, wenn er um diese Zeit herunterkommt, rasiert und fertig angezogen.

»Was heißt da krank? Sag nur gleich, sie faulenzt im Bett.«

»Sie faulenzt ned im Bett, sie ist krank.« Lena ist immer noch ganz ruhig, will überhaupt alles mit Güte versuchen. »Schwiegervater«, beginnt sie und wird sofort unterbrochen:

»Nenn du mich ned Schwiegervater! Für dich bin ich der Riederer. Merk dir das gefälligst! Und jetzt will ich meinen Kaffee!«

Lena trägt Kanne und Tasse zum Tisch, legt Brot und Butter dazu. Er schiebt sich hinter den Tisch und schaut umher.

»Wo bleiben die Eier und der Schinken?«

»Dazu hab ich noch keine Zeit gehabt. Zuerst war der Doktor da und dann –«

»Wer war da? Der Doktor? Und da brauch ich nix wissen? Ja, wie hätten wir's denn? Möchtest du vielleicht neue Sitten einführen?«

Jetzt verliert Lena die Ruhe. Sie spürt, der Augenblick ist da, in dem hart geredet werden muss.

»Höchste Zeit ist es«, sagt sie, »dass hier ein anderer Schwung reinkommt. Und jetzt lass dir sagen: Seit ich auf Germ bin, tust nix als mich schikanieren! Jetzt mag ich aber nimmer!«

»Was magst nimmer? Da hört sich doch schon alles auf! Hängt die mir's Maul an und will frech werden! Ja, sag einmal, wer bist denn du eigentlich? Wo stammst denn du her, meinst?«

Lena hat wieder begonnen, Fleisch zu schneiden. Jetzt aber reißt sie den Kopf zurück.

»Von wo ich stamm, das weiß ich. Woher aber du stammst, das weiß man ned.«

Der Riederer rumpelt hoch und geht auf Lena zu, drohend, mit angewinkelten Armen.

»Was sagst du da? Sag das noch einmal!«

Blitzschnell hebt Lena das Messer vor die Brust. Der Bauer wird bleich und taumelt zurück.

»Ich glaub gleich gar, du möchtest mir 's Messer reinrennen.«

»Wenn du mich anrührst, ja.«

Langsam geht der Riederer an den Tisch zurück, schenkt sich Kaffee aus der Kanne ein. Dann schreit er:

»Jetzt weiß ich, wie ich dran bin! In meinem Haus trachtet man mir nach dem Leben! Gut, dass ich das weiß.«

»Du redest ja irres Zeug! Kein Mensch will dir ans Leben. Du bist es doch, der uns allen das Leben zur Hölle macht! Ich hab viel geschluckt in der Zeit, die ich hier bin, hab den Mund gehalten und hab alles recht machen wollen, nur um Frieden zu halten im Haus. Aber einmal läuft auch das größte Fass über, und jetzt ist Schluss damit! Von jetzt ab weht ein anderer Wind!«

Der Riederer hört anscheinend erheitert zu, schneidet sich ein Stück Brot ab und schmiert dick Butter darauf. Weich gekochte Eier und Schinken kann er sich heute wahrscheinlich sowieso in den Wind schreiben.

»Red weiter, das interessiert mich.«

»Du brauchst gar ned spötteln, ich mein es ernst.« Sie wischt sich mit dem Ärmel über die Augen, nicht weil sie weint, sondern weil sie vom Zwiebelschneiden tränen. Nein, sie weint nicht, das will sie jetzt aufgeben. Sie will nicht mehr hinausgehen, wenn es dunkel wird, damit niemand sieht, dass sie weint. Wie ernst sie es jetzt meint, das sagt sie dem Riesen da hinten im Winkel in aller Ruhe. Alles bringt sie jetzt los. Auch das von den Eiern, die er zweimal in der Woche in die Küche des Hotels zu den Drei Mohren in der Kreisstadt bringt. Ob er als Bauer, der er sein will, nicht wisse, dass die Hühner im Winter schlechter legen. Einmal sei es schon so weit gewesen, dass sie zu ihren Leuten hat gehen müssen, um dreißig Eier auszuleihen, weil kein einziges mehr im Haus gewesen ist.

»Was hast du?«, fragt er nun doch erschrocken und gereizt.

»Ja, das passt dir nicht, gell? Aber was hätt ich denn machen sollen? Für zwanzig Knödl hab ich noch ein einziges Ei gehabt, weil der Herr Schwiegervater in der Früh seine weichen Eier haben will. Und überhaupt«, fährt sie dann fort, »auf jedem Bauernhof ist es Sitte, dass das Eiergeld der Bäuerin gehört. Du aber steckst das selbst ein und daheim weiß man oft nicht, wovon man das Notwendigste kaufen soll.«

Draußen fährt der Tobias mit einem Fuder Mist vorbei und schaut zum Küchenfenster herein. Die Lena hebt die Hand und winkt ihm. Er bleibt stehen und fragt zum Fenster herein:

»Ist der Alte schon auf?«

Der Riederer rumpelt aus seiner Ecke heraus.

»Jawohl! Der Alte ist schon auf! Jetzt weiß ich wenigstens, wer ich für euch bin.«

»Auweh!«, meint Tobias. »Du bist wieder mit dem linken Fuß zuerst aus dem Bett, mein ich.« Er geht zu seinem Fuhrwerk zurück. »Hüa, ihr zwei!« Ächzend bewegt sich das schwere Fuhrwerk zum Hof hinaus.

Mit dem linken Fuß aus dem Bett! Das hätte der Tobias sich früher niemals zu sagen getraut. Oder ihn gar den »Alten« nennen! Daran hat er zu schlucken. Aber daran ist nur diese freche Schwiegertochter schuld, die da so selbstbewusst am Herd steht und nun die geschnittenen Zwiebeln in einen Topf wirft, in dem bereits ein Brocken Schmalz zerflossen ist. Es zischt und eine kleine Wolke steigt auf. Dann streut sie Salz und Pfeffer und Paprika hinein und zum Schluss dann die Fleischbrocken. Kochen kann sie schon, das muss man ihr lassen. Aber soll er sie vielleicht gar loben? Lieber bisse er sich die Zunge ab. Er hat sie von Anfang an nicht leiden können und nun hat sie ihm auch noch den Fehdehandschuh hingeworfen. Das Schlimmste ist, dass er jetzt nicht mehr weiß, was er sagen soll. Nur eins weiß er: Wegfahren wird er. Ja-wohl, zu den Drei Mohren, wo die rote Barbara bedient. Um-ständlich schlüpft er in seine Jacke, fährt mit dem Unterarm ein paarmal über den Plüschhut und will hinaus. Doch bevor er die Tür erreicht, dreht die Lena den Kopf vom Herd weg.

»Dass ich es ned vergess, die Mutter, hat der Doktor ge-sagt, darf in der nächsten Zeit kein Schweinernes essen. Also werd ich Kalbfleisch und Diätwurst kaufen.«

»Wenn du 's Geld dazu hast.«

»Nein, hab ich nicht.«

»Ohne Geld kriegt man aber nix.«

»O ja. Ich lasse beim Kramer und beim Postwirt aufschrei-ben. Dann musst zahlen, weil du dich sonst vorm ganzen Dorf unmöglich machst.«

Das verschlägt ihm beinahe die Sprache. Er muss tief Luft holen, bis er sagen kann:

»Also, du bist doch das abgefeimteste Frauenzimmer, das mir je begegnet ist. Aufschreiben lassen! Also, höher geht's nimmer! Da muss ich gehen jetzt, weil ich mich sonst vergess.«

»Ich halt dich ned auf. Aber da – nimm das Rezept mit, die Mutter braucht die Medizin.«

Er reißt ihr den Zettel aus der Hand und schlägt dann hin-ter sich die Tür zu, dass es durchs ganze Haus dröhnt. Vom Fenster aus sieht Lena ihm zu, wie er in den Wagen steigt und aus dem Hof braust. Nun muss sie sich auf den Hocker neben dem Herd setzen. Dieser Streit wäre bald über ihre Kraft gegangen. Jetzt ruht sie sich aus und dann spürt sie wieder, wie sich das Kind bewegt. Und das ist ihr ein großer Trost in allem Kummer.

Das »Hotel zu den Drei Mohren« ist ein renommierter Gasthof mit Fremdenzimmern und Metzgerei und einer Küche, die weit über die Kreisstadt hinaus einen ausgezeich-neten Ruf hat. Früher hat es Gasthaus »Zum Mohren« ge-heißen, aber der jetzige Besitzer hat nach seiner Einheirat den Drang zu Höherem verspürt, obwohl er früher auch bloß ers-ter Metzger hier gewesen ist.

In der großen Gaststube mit den sechs Gewölben verkehren meist nur die Bauern, kleine Handwerker und Arbeiter. Im daneben liegenden Mohrenstüberl sitzen die Geschäftsleute, Beamten, Vertreter, und auch der Riederer pflegt dort zu essen und seinen Wein zu trinken, wenn er in die Kreisstadt kommt, denn dort bedient die rothaarige Barbara. Die Barbara, die so gewachsen ist, dass nur schwer vorbeizuschauen ist an ihrem schlanken Hals und der pfirsichfarbenen Haut, die sich über die etwas vorstehenden Wangenknochen spannt.

Die Barbara weiß ihre Gäste genau abzuschätzen, weiß sofort bei deren Hereintreten, in welcher Stimmung sie sind, ob sie schlecht gelaunt sind oder ob sie von Heiterkeit erfüllt sind.

Als an diesem Vormittag der Riederer das Mohrenstüberl betritt, sieht sie sogleich an seiner Stirnfalte, dass er Ärger gehabt haben muss. Weil um diese Zeit gerade niemand sonst im Stüberl ist, reicht sie ihm die Pfirsichwange zu einem flüchtigen Kuss und sagt:

»Ein großer Cognac, dann wird es gleich besser sein.«

Ihre Stimme ist dunkel. Das »R« rollt ein bisschen. Sie bringt den Cognac und setzt sich zu ihm.

»Ärger gehabt?«

Der Riederer stürzt den Cognac hinunter. Dann sieht er sie an und spannt die Finger um ihr Handgelenk.

»Heut ist die Junge mit dem Messer auf mich losgegangen!«

Barbara erschrickt darüber, wie es sich gehört, und sagt:

»So was hättest du eben nie ins Haus lassen dürfen. Und die andere, die Alte?«

»Die hat sich heut niedergelegt. Krank, sagen sie, ist sie.«

»Ernstlich?«

Er zuckt die Achseln.

»Was kann man bei der schon sagen! Die ist zäh wie ein Fiakergaul.«

»Wenn sie nicht lange zu leiden braucht, wär es ja gut.«

»Ich weiß ned, ob es schon so weit ist.«

»Zeit wär es, Emmeran. Als ich im vorigen Sommer einmal bei euch im Vorbeigehen ein Glas Milch getrunken habe, da hab ich mir gedacht, die macht es kein halbes Jahr mehr. Na ja, vielleicht klappt es diesmal. Du darfst nämlich nicht vergessen, Emmeran, ich werde auch nicht jünger und hab deinetwegen schon auf manch gute Partie verzichtet.«

»No ja, ist ja recht, aber –«

In diesem Augenblick geht die Tür auf. Schnell schiebt Barbara seine Hand weg und steht auf. Es ist der Kunstschlosser, der jeden Tag um diese Zeit kommt und sein Tellerfleisch will.

»Gut Morgen, Herr Tristl. Tellerfleisch, wie immer? – Und Sie, Herr Riederer? Auch was essen?«

»Bring mir Schweinswürstl mit Kraut und einen Schoppen Rotwein. Ich hab nämlich heut noch nichts Gescheites im Magen.«

Nacheinander kommen noch der Metzger Ballauf, der Möbelhausbesitzer Grabl, der pensionierte Justizrat Langer, vom Landratsamt der Amtmann Windner, der eigentlich nur einmal schnell von seinen Akten weggelaufen ist, um ein paar Weißwürste zu vertilgen, und danach auch gleich wieder verschwindet. Dann kommen noch der Tierarzt Ledermoser und der Gärtnermeister Hack. Das ist der Kreis, in dem der Riederer sich wohl fühlt. Hier wird er geschätzt, der Herr Gutsbesitzer Riederer vom Gut Germ. Sie alle hat er schon zu Besuch gehabt und sie alle kennen die kleine magere Frau, die mit flinken Händen und so unterwürfig Brot, Butter, Rauchfleisch und Bier auf den Tisch gestellt hat. Hier ist er der Herr Riederer hin und der Herr Riederer her und hier wird er auch vom Justizrat gefragt:

»Und wie geht es der lieben Frau Gemahlin, Herr Riederer?«

»Danke der Nachfrage. Zur Zeit ein bissl matt und schwindlig. Ich glaub, dass wir Schnee kriegen. und das spürt sie schon allweil ein paar Tage vorher.«

Um die Mittagszeit, als die Glocken läuten, verschwinden die Herren einer nach dem anderen. Andere kommen dafür,

Abonnementesser aus den Ämtern. Viele von ihnen kennen den »Gutsherrn« und grüßen, verschlingen hastig ihr Essen, denn bei manchen ist die Mittagspause sehr kurz. Die Barbara setzt dem Riederer gegrillte Schweinelendchen vor mit Beilagen. Sie weiß, was er mag. Danach langt sie in ihr Geldtäschchen und steckt ihm einen Schlüssel zu:

»Leg dich ein paar Stunden nieder in meinem Zimmer. Pass aber auf, dass dich niemand hinaufgehen sieht.«

Um drei Uhr erscheint er wieder zum Kaffee. Diesmal sitzt auch die Wirtin dabei. Ihr kann er erzählen, was er alles im Sinn hat, denn früher war beim Mohrenwirt auch noch Landwirtschaft dabei. Überhaupt kann er sich mit fremden Leuten besser unterhalten als mit denen daheim im Dorf. Hier kann er seine Pläne ausbreiten. Hier kann er statt der hundert Tagwerk Wald auch ruhig zweihundert sagen. Auch dass er im Sinn hat, demnächst die Hälfte seiner Milchkühe abzustoßen, um dafür junge Bullen zu mästen. Die brächten schneller Geld, die Milch stünde sowieso schlecht im Preis.

Nach dem Kaffee sucht er das Baureferat im Landratsamt auf, schaut sich in der Maschinenfabrik Ertl einen neuen Traktor an, bringt zum Goldschmied ein paar Hirschgrandl, die ein paar Ohrringe abgeben sollen, und sitzt um fünf Uhr wieder am Stammtisch.

Dort sitzt er auch um neun Uhr noch, bis dann die Barbara die Stühle auf den Tisch zu stellen beginnt. Aller Voraussicht nach kommt um diese Zeit niemand mehr ins Mohrenstüberl, während die Gaststube nebenan noch recht voll ist.

»Willst du noch was trinken, Emmeran?« Die Frage klingt fast wie ein Gähnen. Und der Riederer versteht das sogleich. Die Barbara ist müde vom langen Tag. Und wenn sie müde ist, werden ihre Zärtlichkeiten langweilig. Er darf dann höchstens noch eine kleine Weile den Kopf an ihre Schulter legen und zum fünften Mal wohl schon erzählen, dass ihm der Sohn schon einmal im Brunnentrog nach dem Leben getrachtet habe und heute diese verdammte Schwiegertochter Lena mit dem Messer: Das wirkt mit der Zeit langweilig und auch nicht mehr recht wahrheitsgetreu. Barbara kriegt ganz schmale Augen und verachtet ihn in solchen Augenblicken, weil dieser Riese immer nur bemitleidet werden will und sich anscheinend doch nicht gegen das Übel wehren kann. Sie begleitet ihn zwar noch zum Wagen hinaus, aber sie schaut bei seinem Kuss zum schwarzen Himmel hinauf, an dem sich kein einziger Stern zeigt.

»Na ja«, sagt er bloß und »bis zum nächsten Mal dann. Übrigens, bis zum nächsten Dienstag werden deine Ohrringe fertig.«

Dann fährt er langsam an, zuerst durch die hell erleuchtete Hauptstraße, kurz außerhalb geht es dann bereits in den rabenschwarzen Wald hinein, der sich in einer Länge von acht Kilometern in Richtung Veilenstein zieht. Die Scheinwerfer stoßen wie zwei feurige Pfeile in die Schwärze. Wegen des Motorengeräuschs hört man das Rauschen der Bäume im Nachtwind nicht. Wenn man diesen Kreuzwald hinter sich hat, führt die Straße zunächst noch durch ein paar Weiler, dann kann man in der Ferne bereits die Lichter von Veilenstein sehen. Als er am Haus des Doktors vorbeifährt, fällt ihm ein, dass er vergessen hat, das Rezept in der Stadtapotheke einzulösen. Das belastet ihn aber nicht. Er kann ja schließlich nicht an alles denken.

Im Hof ist schon alles dunkel. Nur im oberen Stockwerk ist noch ein Fenster erhellt, ganz matt nur und mit rötlichem Schimmer.

Natürlich findet er die Hausschuhe nicht da, wo sie bereitzustehen haben. Auch die Kaffeekanne am Herdrand fehlt, als ob man nicht wüsste, dass er stets beim Heimkommen noch eine Tasse Kaffee will. Aha, denkt er grimmig, so will man es also halten jetzt. Das ist wahrscheinlich der neue Wind, von dem die Schwiegertochter gesprochen hat.

Droben kann er dann doch nicht an der Kammer vorbeigehen, wo ein schwacher Lichtschimmer durch die Türritzen fällt. Vorsichtig drückt er die Klinke nieder und streckt den Kopf hinein. Mühsam erhebt sich das schmale Vogelgesicht der Riederin aus den Kissen.

»Nun?«, fragt er.

Nichts weiter. Das kann heißen: Nun, wie geht's? Oder auch: Nun, wann tust denn den letzten Schnapper?

»Geht schon ein bisserl besser«, flüstert die Riederin und lässt den Kopf in die Kissen zurückfallen.

»'s Licht kost ein Haufen Geld«, brummt er und dreht es ab. Dann zieht er die Tür zu und sucht seine Kammer auf. Sein Bett ist heute nicht aufgedeckt, ein Fenster steht offen und der Wind lässt die Vorhänge hoch wehen, als er die Tür öffnet.

Die Leute von Veilenstein stöhnen unter der Last dieses strengen Winters, soweit sie ihm ausgeliefert sind. Und das sind vor allem die Männer, die in den Wald müssen, um Holz zu schlagen. Aber auch daheim ist es nicht so gemütlich. Man sitzt ja nicht nur in den warmen Stuben und der Wind zieht kalt durch die Ritzen in der Tenne, wenn sie dort Häcksel schneiden. Die Frauen ziehen sich drei Paar dicke Socken an, wenn sie draußen vor dem gewaltigen Daxenhaufen stehen und die Äste zu Brennholz hacken und zu Reisigbündeln. Auch beim Maurer müssen sie in diesem Winter einen größeren Holzeinschlag machen, denn die Heirat der Lena hat doch ein großes Loch in den Geldbeutel gerissen.

»Geh voran«, sagt der Kilian zum Knecht Florian. »Ich komm gleich nach.«

Er macht einen kleinen Umweg und kehrt auf Germ zu. Ohne besonderen Grund eigentlich, wie man meint. Er zieht die nassen Fäustlinge aus und lehnt sich mit dem Rücken an die Kacheln des großen Ofens, an dem auch die alte Riederin sitzt. Dann schaut der Kilian sich um und stellt die Frage:

»Alles in Ordnung, Lena?«

Der Riederer geht jedesmal hinaus, denn er kennt ja das Hintergründige dieser Frage, die zugleich wie eine Drohung klingt. Die Frage hätte genauso gut an ihn gerichtet sein können, nur mit der Mahnung: »Halt sie nur gut, meine Schwester, schließlich ist sie schwanger.«

So ein Getue, so ein stures verwandtschaftliches Zusammenhalten, denkt der Riederer. Alle Augenblick kommt vom

Maurerhof jemand. Nein, sie lassen ihre Lena nicht im Stich, seit sie wissen, wie schwer der Riederer ihr das Leben macht. Lächerlich, dass der Maurer stets seinen Hakelstecken dabeihat. Dann diese Judith, die ganz frei heraus sagt: »Lass dir nur nix gefallen, Lena.«

So eine Brut! Aber der Riederer kann nichts machen dagegen. Es sind ihrer zu viele, die da zusammenhalten. Auch das Gesinde macht kein Hehl daraus, dass es hinter der jungen Bäuerin steht. Von Tobias, diesem Lappen, gar keine Rede. Der Riederer steht allein da. Wenn das die Barbara in den Drei Mohren nur begreifen möchte, deren Fragen immer drängender werden, ob denn die Alte immer noch lebe.

Ja, die Riederermutter hat sich wieder erholt, ist zwar immer noch schonungsbedürftig, aber sie steht unter dem Schutz der Lena und sagt oft, jetzt lebe sie ihre besten Tage.

Endlich schaut es dann aus, als sei die Herrschaft des Winters zu Ende, Föhn bricht ein und nimmt den Schnee von den Wiesen. Es ist eine lautlos wehende Luft, die da über den Kamm der Berge kommt und über die schwarz gefärbten Wälder ins Tal fließt.

Aus der dampfenden Erde drängen sich schon die Schneeglöckchen, die Weiden beginnen zu grünen. Nein, es lässt sich nichts mehr aufhalten. Unter der Erde gärt es, die grüne Saat vom Herbst reckt sich, schießt mächtig aus dem Boden, glänzt am Morgen betaut in der Sonne und lässt am Abend die bläulichen Schatten wieder geduldig über sich legen. Die Zugvögel kehren aus dem Süden zurück und sind mit hellen Rufen über den Feldern. Alles geschieht so rasch und es ist wie immer, überall springen die Knospen auf, und das ganze Tal beginnt wieder weiß zu werden von Blüten.

In Germ rückt die Stunde der Geburt immer näher. Lena ist in keiner Weise beunruhigt. Soll er nur endlich kommen, der kleine Fratz, der sich jetzt schon so heftig gebärdet. Der Tobias ist da viel ängstlicher, er tut geradeso, als müsse er ein Kind zur Welt bringen. Er redet immer noch nicht von Liebe, aber es ist schon viel, dass er zur Lena sagen kann: »Ich bin ganz vernarrt in dich.« Und dann geht er in der Stube vor ihr auf und ab, die Hände hinter dem Rücken verschränkt, bleibt kurz stehen und geht wieder.

»Es wird doch alles gut gehen?«, fragt er einmal, nur um es kurz darauf noch einmal zu fragen.

Und Lena lächelt ihm dann zu, lächelt die Angst aus seinem Herzen fort und legt dabei die Hände um ihren Bauch. Die Mutter ist ja Gott sei Dank wieder so weit gesund, dass sie für das Kind da sein kann, wenn die schwere Arbeit des Sommers wieder beginnt.

Der Holunder blüht. Auf Germ gibt es nur eine kleine Staude davon und die Lena denkt an die weiße Blütenpracht daheim hinterm Obstgarten am Bach. Die Mutter hat ihr kürzlich ein Glas eingemachter Holderbeeren gebracht. Nimmt jedes Fieber weg, wenn man den Saft trinkt, und wenn ein Gewitter aufsteige, möge Lena nie in den Blitz schauen, weil sonst das Kind eine Hasenscharte bekommen könnte. Außerdem möge sie Obacht geben, dass sie nicht stolpere, weil sonst das Kind stottere.

Im April kommt kein Gewitter, und was das Stolpern betrifft, so setzt die Lena ihre Füße fest, wenn auch behutsam, wenn sie die Stiege heruntergeht.

Das Kind kommt am zweiten Mai ohne viel Aufhebens zur Welt. Man braucht nicht einmal den Doktor. Die Hebamme macht das in ihrer bewährten Weise, klopft dem gerade Geborenen auf das rosige Hinterteil und das Kind beginnt kräftig zu schreien. Dann erst zeigt die Hebamme es der Mutter.

»Schau her, Lena, ein Bub ist's.«

Ja, es ist ein Bub, der schon schwarze Haare auf seinem rosigen Köpfl hat. Darum das viele Sodbrennen in letzter Zeit! Die Lena nimmt ihr Kind, als es gebadet ist, in die Arme und der Glanz ihrer Augen ist von seltsamer Tiefe.

Tobias trägt das Vaterglück mit Würde, er verliert nicht viele Worte und doch kann er seinen Stolz nicht verbergen, als er seinen Sohn betrachtet. Ob er ihn auch einmal in den Arm nehmen dürfe?

»Ja, aber gib Obacht«, sagt die Hebamme. »Und zerdrück ihn nicht mit deinen großen Pratzen.«

Sie einigen sich auf den Namen Urban, es war Judiths Idee. Sie ist ja die Taufpatin. Alle Maurers kreuzen auf, um das Kind zu sehen und ob es die Lena auch gut habe in ihrem Wochenbett.

So ein Getue wegen einem Kind, grantelt der Riederer gegenüber seiner Frau, die ihre Freude über den Enkel, der sich so kräftig ins Leben schreit, gar nicht zeigen darf, denn der Alte ist wütend, dass man ihn zum Großvater gemacht hat. Er hat das Kind überhaupt noch nicht angeschaut. Es bedeutet ihm nichts, es ist ihm weniger wert als ein Kalb, das man nach vier Wochen an den Metzger verkaufen kann.

»Wirst sehen«, nörgelt er, »die faulenzt jetzt mindestens vierzehn Tag im Bett.«

Er muss seine Meinung aber ändern, denn am fünften Tag nach der Geburt steht die Lena wieder am Herd, kräftig wie immer. Groß und gestreckt geht sie durch das Haus, schiebt die Schwiegermutter wieder vom Herd weg. Die soll sich nur weiter schonen. Es ist schon genug, wenn sie sich um den Kleinen kümmert und ein seidenes Tuch um die Wiege breitet, weil die Fliegen so lästig sind. Er schläft viel in diesen ersten Tagen, und wenn er dann zu schreien anfängt, rennt die Lena gleich und stillt ihn.

Voller Stolz erwartet Lena die Taufgäste. Sie ist zwar noch ein bisschen blass, aber, merkwürdig, es ist gerade, als hätte das Kind auch ihre Sommersprossen fortgenommen. Sie hat sich »geputzt«, sagen die Leute.

Man hat, weil an diesem Tauftag die Sonne so warm scheint, den Kaffeetisch draußen gedeckt. Auch die Wiege hat man ins Freie gestellt und einen Schirm darüber aufgespannt, damit die zarte Haut unter den Sonnenstrahlen nicht leidet. So kann das Kind nichts weiter sehen als die rote Seide des Schirmes über sich. Von den Blüten sieht es nichts, auch nicht die kleinen weißen Wolken, die über den Himmel ziehen und hinter den blauen Bergen verschwinden. Es spürt nur die kühle Brise des Frühlingswindes und die kleinen Hände können noch nicht nach den zwei Schmetterlingen fassen, die zuweilen unter dem Schirm auftauchen und dann wieder verschwinden.

Zehn Personen sitzen da beisammen. Nur der Riederer fehlt. Er ist zwar auch eingeladen worden, aber er schließt sich selbst aus, sitzt öfter denn je im Mohrenstüberl bei der roten Barbara, deren Launen er sich unterordnet, die ihn manchmal bemitleidet und ihm dann wieder die Meinung sagt, die immer darauf hinausläuft, dass er es schlucken muss, wenn sie ihn einen traurigen Kerl nennt, der seinem misslichen Zustand ein Ende zu machen nicht bereit ist. Sie lässt ihn dann ganz gehörig zappeln und er muss sich alle Mühe geben, dass sie wieder ein schmeichelndes Kätzchen wird und ihm dann schnurrend die Frage ins Ohr flüstert, welches Gift unauffälliger und schneller wirkt, E 605 oder Arsen. Arsen in kleinen Dosen wirke unauffälliger, meint er. Aber es ist noch nicht so weit, er zögert noch und meint, er könne es auch so abwarten. Aber da muss die Barbara ihn erinnern, dass er den ganzen Winter über gesagt habe, das Frühjahr werde sie nicht überstehen – und jetzt rede er vom Herbst, der alles schwache Leben unter die Erde reisse. Dabei vergesse er immer, dass sie nun schon dreiunddreißig sei.

Ach ja, allmählich wird die Barbara ihm lästig, aber er kann sich nicht lösen von ihr. Wenn sie ihre guten Stunden hat, dann fällt er immer wieder auf sie herein und lässt sich von ihrer Leidenschaftlichkeit mitreissen.

Und so segelt der Frühling übers Land. Wie ein einziges freudiges Lachen ist er über dem Tal, umschmeichelt auch die Herzen der Menschen und es kann schon vorkommen, dass der Tobias Riederer mitten unter der Arbeit schnell einmal in die Küche rennt, nicht nur um das Kind in der Wiege zu schauen, sondern um in Lenas Nähe zu sein.

»Zum Urban noch ein Mädl«, fordert er scheu und die Lena lacht ihn an. Ein bissl müsse man schon noch warten, meint sie und erinnert daran, dass es nun ein Jahr wird, dass sie mit viel Erwartungen auf die Alm gezogen ist. Gestern ist die Judith hinaufgegangen, und wer weiss, wie sie im Herbst wieder herunterkommt!

Sie lachen beide und Tobias beugt sich dann noch über die Wiege und betrachtet seinen Sohn, der fröhlich und zufrieden in den Kissen liegt und schon zu lächeln scheint, wenn er des Vaters vertrautes Gesicht über sich sieht.

Ach ja, das Leben wäre so schön auf diesem Hof, wenn nur der Riederer auch einmal einen Blick in die Wiege werfen würde. Aber er geht daran vorbei, als gäbe es sie gar nicht. Einmal hat die Lena gerade das Kind auf dem Arm, als er vorbeigeht, und er hört, wie die Lena sagt:

»Schau, Buberl, das ist dein Opa.«

Es reißt ihn geradezu herum.

»Das möcht ich überhört haben! Auf Germ gibt es keinen Opa! Merkt euch das gefälligst!«

»Lass ihn doch«, beschwichtigt die Riederermutter, weil Lena dem Alten etwas nachschreien will. »Der Mensch kennt ja keinen Frieden.«

Nein, es gibt auf Germ keinen Frieden, keinen Hausfrieden, keinen Frieden über den Äckern. Dieser Mann zerstört einfach alles. Und er müsste doch auch hören, wie beschwörend überall im Land das Wort Friede aus den Lautsprechern dröhnt. Dass sie den Frieden wollen und nichts als den Frieden, betonen sie immer wieder. Einen Traum vom ewigen Frieden beschwören sie, gleichzeitig aber rufen sie, dass man bedroht wäre, dass man ihren Frieden gefährden wolle und dass solcher Frevel nur mit Blut gesühnt werden könne. Und das rufen sie so lange und so laut, bis die Massen berauscht sind und es interessiert sie nicht, dass es viele gibt, die lieber das Rauschen der Pflugschar hören oder das feine Singen einer Sense, wenn sie durch ein goldfarbiges Weizenfeld geht.

Zu denen gehören auch der Förster Hepner, ein paar andere noch und vor allem der Wegmacher Stelzl. Bei ihm sitzt der Förster zuweilen auf der Hausbank, wenn er vom Berg zurückkommt und die Dämmerung alles in einen weichen Mantel hüllt. Da füllt dann der Wegmacher seine Pfeife aus dem ledernen Tabaksbeutel des Försters, und während der Rauch aus ihren Pfeifen steigt, führen sie ihre Gespräche über die großen Lügen, die ausgesät werden, so verbrämt gedrechselt, dass sie wie die reine Wahrheit aussehen. Sie wollen nicht besonders klug sein, die beiden, aber sie haben beide schon einmal einen Krieg erlebt und es passt doch nicht in die lauten Friedensschalmeien, wenn man so oft die Flugzeuggeschwader über die Berge hinbrummen hört.

»Hörst es wieder?«, fragt der Förster und schaut zum Himmel hinauf, wo die Sterne so ruhig stehen und nur die Positionslichter der Flugzeuge flimmern.

Sebastian Stelzl, der sowieso immer seine Gesichte hat, nickt und meint:

»Wir zwei wissen ja, wohin das führt. Aber so viele wissen es ned. Sie ahnen ned, in was sie hineingestürzt werden, nämlich in einen Feuerofen. Und es ist allweil ein beklemmendes Wagnis, wenn ein junger Mensch in etwas hineingetrieben wird und zu spät begreift, wofür das gut sein soll, wenn man ihm die Pflugsterzen aus der Hand reißt und ihm dafür ein Gewehr in die Hand drückt, damit er andere tötet, die ihm gar nichts getan haben. Bloß weil ein paar Großkopferte sich ned vertragen können. Sollen sich doch die gegenüberstehen und miteinander raufen und die andern in Frieden lassen bei ihrem Pflug, hinter ihrem Schreibtisch oder in der Werkstatt.«

Im Dunkel der Nacht, nur die Sterne am hohen Himmel als Zeugen, können sie so reden, ohne Angst haben zu müssen, jemand könnte es weitertragen.

Bevor aber eine von den Gesichtern des Wegmachers sich erfüllt, durchzuckt ein anderes schreckliches Ereignis wie ein Blitz das Tal und weit darüber hinaus und stürzt einige Menschen in eine dunkle Wirrnis.

Von diesem Tag, vielmehr von der Nacht vom 22. auf den 23. Juli 1939, wird noch lange geredet.

Früh um acht Uhr ist der Emmeran Riederer in seinem Wagen weggefahren in die Kreisstadt, wo alljährlich am 22. Juli der große Viehmarkt stattfindet. Am Vortrag sind bereits zwanzig Kühe abtransportiert worden, nachdem man schon mit der Jungbullenzucht begonnen hat.

Es ist ein Tag, so wolkenlos schön, als wäre der Himmel ein einziges, weit gespanntes Seidentuch. Auf den Feldern ist das Getreide reif geworden. Man hat bereits mit der Ernte begonnen.

Die Luft ist auch erfüllt vom Duft des Zweitgrases, das, am Morgen gemäht, sich jetzt von der hoch stehenden Sonne zu Grummet trocknen lässt.

Bis Mittag hat der Riederer seine Kühe verkauft und in der Aktentasche, die er bei sich hat, liegt das eingenommene Geld. An die zwanzigtausend Mark sind es, die er gleich zur Bank bringen will. Inzwischen aber läuten die Mittagsglocken von der Stadtpfarrkirche, die Bank schließt ihre Pforten und öffnet sie erst um drei Uhr. Also geht er in die Drei Mohren und es ergibt sich an diesem Tag so, dass er unter den Bauern ist, die im Gastzimmer sitzen. Die Aktentasche hält er fest in der Hand, und während des Essens zwickt er sie zwischen die Knie.

Erst danach, um zwei Uhr, begibt er sich ins Mohrenstüberl zum Kaffee und zur Barbara.

Barbara sieht an diesem Tag rassig aus. Sie trägt die in Gold gefassten Ohrringe mit den Hirschgrandln und dazu soll heute noch ein ebensolches Armband kommen. Nach dem Mittagstrubel sind sie allein im Stüberl und Barbara ist heute besonders anschmiegsam und zärtlich und gurrt wie ein Kätzchen, als er sie mit tastenden Fingern zärtlich streichelt.

»Du Schlimmer, du«, flüstert sie. »Wenn jemand hereinkommt!« Dabei schiebt sie ihm ihren Zimmerschlüssel zu. »Geh nach oben und leg dich ein bissel hin. Ich komm nach. Übrigens – ich hab mir für heute frei genommen von drei bis sechs Uhr. Wir könnten heute endlich wieder einmal ein bisschen rausfahren.«

»Wohin denn?«

»Ganz gleich. Nur raus aus dem Steinhaufen. Ich weiß ja schon bald nicht mehr, wie ein Wald aussieht oder eine Wiese im Sonnenglanz.«

Dieser Barbara kann man einfach nichts abschlagen. Selbst als er sagt, dass er aber zuerst noch auf die Bank müsse, redet sie ihm ein, dass man bis zum Schalterschluss längst zurück sei und die Tasche mit dem Geld könne er in ihrem Zimmer lassen. Den Schlüssel solle dann er einstecken.

Sie verlassen das Hotel durch die Hoftür. Der Riederer wendet den Wagen im Hof und die Barbara steigt erst abseits des Hauses ein. Mitten am Stadtplatz zupft sie ihn am Ärmel und erinnert ihn:

»Das Armband, Emmeran.«

»Hat das nicht bis später Zeit?«

»Möchtest es wieder rausschieben und dann vergessen?«

Sie betreten den Laden des Goldschmieds, und als der Riederer bezahlt, brummt er: »Schon fast eine halbe Kuh.«

Ach, wie das breite Armband mit den eingefassten Grandln an ihrem Handgelenk funkelt! Man sollte meinen, dass Barbara dieses Gefunkel gleich überall herzeigen möchte. Aber nein, in den Wald möchte sie, wo die Brombeeren schon reif sind, dann auf einer sonnigen Hangwiese liegen und danach in einer Waldschenke einen spritzigen Terlaner trinken. Es redet sich leichter dabei und Barbara kann so zwischenhinein auch einmal fragen, wie es denn nun mit dem Arsen sei. Der Riederer bekommt eine steile Falte zwischen den Augen und erklärt, dass er bereits mit kleinen Dosen begonnen habe, so eine Messerspitze voll in der Früh in die Kaffeetasse hinein, wenn sie am Herdrand steht. Und er ärgert sich, dass Barbara dies in Zweifel zieht. Er ärgert sich auch, mit Barbara jemals darüber gesprochen zu haben. Anscheinend vergisst sie solche Versprechungen nie und nährt ihre Hoffnungen damit.

Barbara hört auch gleich wieder auf mit diesem Thema, schaut wohl ein paarmal auf ihre Armbanduhr und schmeichelt ihm dann doch noch einen Schoppen ab. Als sie dann in die Kreisstadt zurückkommen, hat die Bank bereits wieder geschlossen.

»Kreuzsakrament!«, flucht der Bauer. »Das hab ich jetzt davon, dass ich auf dich gehört hab.«

»Aber Emmeran, wie kannst du so mit mir reden! Du bringst halt das Geld morgen hin, das ist doch nicht so schlimm und ich habe die Freude, dich morgen wiederzusehen.«

Im Mohrenstüberl sitzt bereits ein Dutzend Gäste. Es sind

meist Vertreter, die ihre Autos im Hof stehen haben und seit Jahren schon hier übernachten. Auch zwei fremde Gäste sind darunter. Ein großer Blonder mit Brille und ein kleinerer mit dunklem Schnurrbart. Beide sind elegant gekleidet und beugen sich über eine Landkarte, als suchten sie ihre Tour zum Weiterfahren. Als Barbara an ihren Tisch tritt, blickt der Blonde nur kurz auf und sie erwidert den Blick ebenso kurz und fragt:

»Bleiben die Herren über Nacht?«

Die beiden wechseln einen Blick miteinander. Der Blonde lächelt.

»Nein, wir müssen weiter. Aber bitte die Speisekarte.«

Am Stammtisch sitzt der Riederer im üblichen Kreis. Man unterhält sich über das schöne Wetter, über die Politik und dazwischen hinein erzählt einmal einer einen Witz. Man kennt sich ja seit Jahren und der hünenhafte Bauer aus Germ fühlt sich immer geschmeichelt, so im Mittelpunkt stehen zu können. Länger als bis neun Uhr sitzt dieser Stammtisch nie zusammen. Auch die Vertreter suchen nach und nach ihre Zimmer auf. Nur die beiden Fremden sitzen noch an ihrem Tisch.

Um zehn Uhr herum sagt der Riederer leise zur Barbara:

»Bring mir meine Aktentasche jetzt.«

Barbara nickt und wechselt einen kurzen Blick mit den beiden Fremden. Dann geht sie hinaus. Als sie mit der Tasche zurückkommt, hat der Riederer nichts Eiligeres zu tun, als nachzuzählen, ob sein Geld noch stimmt. Barbara sitzt dabei und schaut ihm zu.

Dann ruft der Schwarzbärtige:

»Fräulein, wir möchten zahlen.«

»Wart noch ein bissl«, flüstert Barbara dem Riederer zu. Dann geht sie an den Tisch der Fremden.

»Sie hatten geschnetzeltes Kalbfleisch mit Beilagen, dreimal zwei Bier und Brot?«

»Fünf Brot«, sagt der Blonde und betrachtet aufmerksam Barbaras Armband. »Ein schönes Stück«, sagt er und bezahlt die Rechnung für beide.

»Hat es geschmeckt?«, fragt Barbara noch.

Dem Blonden hat es so ausgezeichnet geschmeckt, dass er Barbara die Hand drückt, ganz schnell und so fest, dass sie beinahe aufgeschrien hätte vor Schmerz.

»Gute Fahrt«, wünscht sie noch, dann schließt sie hinter den beiden die Tür und lässt sich neben dem Riederer auf die Bank fallen, als sei sie erschöpft. Eine ausgestopfte Eule blickt misstrauisch auf die beiden herunter. Gegenüber hängen an der Wand zwei Bilder von früheren Wirten. Es ist ganz still, nur vom Gastzimmer herüber hört man noch ein paar Kartenspieler schreien.

»Ich werd's jetzt auch packen«, sagt der Riederer und gähnt.

Barbara lächelt spöttisch. Sie ist nicht gewohnt, dass ein Mann gähnt, wenn er neben ihr sitzt. Aber wenn ein Verhältnis einmal zu lange dauert, denkt sie, gähnt jeder.

»Der Tag war schön«, sagt sie. »Ich danke dir, Emmeran. Und jetzt trinken wir zum Abschluss noch zwei Nikolaschka.«

»Ich weiß ned, heut hab ich sowieso schon ein bissl viel getrunken.«

»Was kann denn einen Riesen wie dich schon umwerfen!« Sie schaut wieder auf die Uhr, dann schenkt sie zwei Gläser von diesem scharfen Getränk ein. »Auf dein ganz Spezielles, Emmeran! Sollst lange leben!«

Sie begleitet ihn wie immer hinaus, bleibt wie immer noch am Wagen stehen, bis er das Fenster heruntergedreht hat. Dann streckt sie wie immer den Kopf hinein und küsst ihn.

»Bis morgen dann! Und fahr nicht zu schnell!«

Der Wagen fährt aus dem Hof, Barbara geht zurück und stellt die Stühle auf die Tische.

Der Riederer ist bereits aus der Stadt, fährt in den Wald, der heute gar nicht so dunkel ist, weil durch die Lücken das Licht des fast vollen Mondes fällt.

Vielleicht hat er heute doch etwas mehr getrunken als sonst, jedenfalls tritt er ganz schön auf das Gaspedal und wird schon seine hundert Sachen draufhaben. Die Scheinwerfer leuchten so grell, dass er fast jeden Stein auf der Straße sieht. Das Drahtseil aber, das straff über die Straße gespannt ist, sieht er zu spät, der Wagen prallt gegen das Hindernis, überschlägt sich und kracht dann gegen einen Baum.

Den Riederer hat es zunächst mit der Brust an das Steuerrad gedrückt, und als jemand die Tür des Wagens aufreißt, fällt er heraus und schlägt mit dem Kopf auf die Straße. Aber das spürt er schon nicht mehr, er ist tot.

Geliebt hat ihn niemand, geachtet haben ihn wenige und im Grunde vielleicht nur deshalb, weil er ein fortschrittlicher Landwirt war, stets auf Neuerungen bedacht, die sie ihm dann alle nachmachten. In der Hauptsache aber wird es wohl die Neugierde sein, die so viele aus nah und fern zu dieser Beerdigung hertreibt. Die ganze Umgebung ist voll von Gerüchten. Ein Verbrechen ist geschehen, das steht fest. Aber man hat noch keine Spuren. Die Zeitung schreibt wenigstens, dass es sich eindeutig um ein Verbrechen, um einen Raubmord, handelt und druckt das Bild des Ermordeten ab. Es wird auch nach zwei Männern gefahndet und nach einem grauen Opel mit schwarzem Dach.

Es ist alles so rätselhaft, so geheimnisvoll und die Gerüchte kriechen wie Schlangen durch das Dorf, durch die offen stehenden Haustüren in die Stuben hinein. So soll auf dem Riedererhof niemand aufgeschrien haben, als man am Morgen den Toten ins Haus gebracht hat, der vom Chauffeur des Milchautos, das jeden Tag in die Kreisstadt fährt, aufgefunden worden ist.

Nein, niemand hat aufgeschrien und seht, auf der einen Kranzschleife steht nicht einmal: »Deine tieftrauernde Gattin«, sondern nur: »Letzter Gruß, die Gattin.«

Und schluchzt vielleicht jetzt jemand auf, als man den Sarg in die lehmige Erde senkt? Tobias Riederer steht stocksteif da und schaut über die Friedhofsmauer hinaus auf ein reifes Haferfeld. Die Lena schaut den Pfarrer an, der in seinem Gebetbuch etwas sucht. Nur die Riederermutter weint ein bissl und hängt sich an den Arm der Lena. Das alles wird

genau beobachtet, und als der Pfarrer sagt, dass mit dem Ermordeten ein tiefgläubiger, religiöser Christenmensch in die
himmlischen Heerscharen eingegangen sei, da wollen einige
sehen, die ganz nahe stehen, dass bei diesen Worten ein spöt-
tisches Lächeln um den Mund der Lena zuckt.

Während dann im Nebenzimmer beim Postwirt mit einem
kleinen Personenkreis der Leichenschmaus abgehalten wird,
geht die Lena mit der Schwiegermutter langsam den Berg
hinauf. Der Tag zeigt kein besonders freundliches Gesicht.
Tief hängende Wolken werden von einem heftigen Wind da-
hingetrieben, die Berge sind gänzlich verhüllt und man hört
den Regenvogel rufen. Die beiden Frauen reden nicht von
dem Begräbnis und nicht von dem Toten. Es ist, als sei er für
sie einfach ausgelöscht worden. Einmal bleiben sie verschnaufend stehen und die Riederermutter sagt:

»Heut ist es mit meinen Leibschmerzen besser. Aber die
letzten Tage hab ich grad gemeint, es zerreißt mir inwendig
was.«

In der Gaststube des Postwirts sitzen zwei Herren, die niemand kennt. Es sind dies der Kriminalrat Pfeifer und sein Assistent Krügl. Das weiß nur niemand, weder der Wirt noch
die Kellnerin. Sie ahnen nur allmählich, dass die beiden Herren von der Polizei sein könnten, weil sie viel fragen und sich
vieles notieren. Lobenswertes ist zwar über den Toten kaum
zu sagen. Aber man interessiert sich für alles. Der Postwirt ist
zurückhaltend. Man soll ja den Toten nichts Übles nach-
reden. Die Kellnerin Rosalia ist schon etwas mitteilsamer und
sprudelt heraus:

»Ein richtiger Rüpel war er. Ned dass Sie meinen, der hätt
einmal ein Trinkgeld hergegeben! Der hat sich auf den Pfennig genau herausgeben lassen. Und seine arme Frau hat er
behandelt wie ein Stück Vieh.«

»Woher wissen Sie denn das?«

»Das weiß doch jeder im Dorf. In den Drei Mohren soll er
aber recht spendabel gewesen sein.«

»Sie meinen dieses Fräulein Barbara?«

»Ich weiß nicht, wie sie heißt.«

Die Kriminalbeamten sind zufrieden. Faden für Faden spannen sie in ihr Netz. Als Erste hat sich nach dem Bild in der Zeitung sofort die Wirtin jener Waldwirtschaft gemeldet.

Ja, dieser Mann, ein wahrhaftiger Riese, sei vorgestern am Nachmittag bei ihr in der Wirtschaft gewesen mit der Kassiererin von den Drei Mohren.

Die Rädchen greifen allmählich ineinander. Vor allem was diese Barbara Leiminger ausgesagt hat, ist von größtem Interesse. Sie gibt genau die Zeit an, zu der der Riederer weggefahren sei. Sie sagt auch noch was von vielem Geld in der Aktentasche und gibt so versteckte Hinweise, die die beiden Beamten geradezu gezwungen haben, bei dieser Beerdigung aufzukreuzen. Und danach wird man dann zum Riedererhof fahren. Wie man denn am besten nach Germ komme.

Der Wirt beschreibt den Weg, meint aber, im Nebenzimmer säße der junge Riederer beim Leichenschmaus, ob er ihn holen solle.

»Nicht nötig«, sagt Kriminalrat Pfeifer und bestellt noch zwei Kaffee.

Gegen zwei Uhr fängt es an zu regnen. Tobias steht mit verdrossenem Gesicht in der Stube und schaut zum Fenster hinaus. Auf dem Hof bilden sich große Lachen, man hört auch das Wasser in der Dachrinne lärmen.

Drei Fuder Gerste hätte man heute noch heimzubringen gehabt. Und nun dieser Regen. Die Lena steht am Tisch und sprengt Wäsche ein. Die Mutter sitzt auf dem Kanapee und ist eingenickt. Sie hört auch nicht, als Tobias sagt:

»Da kommt ein Wagen. Wer wird denn das sein?«

Die Lena tritt zu ihm ans Fenster.

»Du, die zwei hab ich im Friedhof schon gesehen.«

Ein paar Minuten später wissen sie es. Kriminalrat Pfeifer stellt sich und seinen Begleiter vor. Sie sind recht freundlich und bedanken sich höflich, als Lena ihnen Platz anbietet.

»Danke vielmals, ja – und Sie sind wohl die Schwiegertochter des Ermordeten?«

»Ja. Und das ist mein Mann und dort die Mutter.«

Tobias hat sich nun auch auf die Bank gesetzt und fragt: »Von der Kriminalpolizei? Und was wollen Sie von uns?«

»Nur der Reihe nach«, meint Pfeifer und greift in die Jackentasche. »Ist erlaubt, dass ich rauche?« Er bläst die ersten kleinen Wölkchen Rauch aus und versucht dabei, mit gespitzten Lippen Ringlein aus dem Rauch zu zaubern. Dann ein ruckartiges Wenden des Kopfes.

»Sie sind der Sohn?«

»Ja, Tobias heißt er«, antwortet Lena.

»Tobias Riederer also. Wo sind Sie in der Nacht vom 22. auf den 23. Juli gewesen?«

»Ja, wo wird er denn gewesen sein«, sagt Lena. »Daheim im Bett halt.«

Langsam wendet Pfeifer ihr das Gesicht zu.

»Warum antworten denn Sie immer statt ihm? Warten Sie doch, Sie kommen schon noch dran. Also, wo waren Sie, Herr Riederer?«

»Ich war daheim.« Tobias wird ein wenig unruhig und schaut die Lena an. Von ihr geht eine wunderbare Ruhe aus.

»Sagen Sie mal, Herr Riederer, wie war das Verhältnis zwischen Ihnen und Ihrem Vater?«

»Ned besonders«, sagt die Lena und unterbricht sich. »Ja so, ich darf ja nix sagen. Aber sag's dem Herrn Kriminalrat ruhig, Tobias, dass er dich nie hat aufkommen lassen und dass er uns alle tyrannisiert hat.«

»Na ja, er war ein – wie soll ich denn sagen«, meint Tobias, »er war halt ein harter, eigensüchtiger Mensch.«

»Ein Zwielichtiger«, lässt sich jetzt die Riederermutter vom Kanapee her vernehmen.

»Ah, ausgeschlafen!«, sagt Pfeifer und schaut zur Riederin hin. »Wahrscheinlich die Frau des Ermordeten?«

»Ja, weiß man denn schon gewiss, dass es kein Unfall war?«

»Ein Unfall war es sicher nicht«, sagt Pfeifer. »Alles deutet auf einen Raubmord hin. Die Recherchen haben ergeben, dass er so an die zwanzigtausend Mark bei sich hatte.«

»Ja, weil er die Küh verkauft hat. Dass er aber das Geld ned gleich auf die Bank bracht hat?«

»Nein, hat er nicht. – Sie lebten also hier alle in einem recht gespannten Verhältnis miteinander?«

»Was heißt gespannt«, sagt jetzt Tobias. »Es hat halt kein anderer Wille gelten dürfen auf dem Hof als der seine. Aber dass es deswegen größere Streitereien gegeben hätt, wenn Sie das meinen, das war ned der Fall.«

Pfeifer sieht sich nach einem Aschenbecher um, und weil er keinen sieht, lässt er die Asche seiner Zigarre in die hohle Hand fallen. Aber schon stellt die Lena ihm einen Aschenbecher hin.

»Notieren Sie alles mit«, sagt Pfeifer zu seinem Assistenten und sieht dann den Tobias scharf an.

»Wie war dann das? Wollten Sie Ihren Vater nicht einmal ertränken?«

»Ach, woher denn! Ich habe ihm bloß den Kopf unters Wasser gesteckt, weil er auf mich hat losschlagen wollen. Und weil er die Mutter allweil geschlagen hat. Da hab ich mir gedacht, ich müsst ihm einmal einen Denkzettel versetzen. Aber woher wissen Sie denn des?«

»Das tut nichts zur Sache. Aber – kennen Sie eine gewisse Barbara Leiminger?«

Tobias schüttelt den Kopf. Die Lena aber sagt gleich:

»Ist das die Frau von den Drei Mohren?«

»Also, Frau Riederer, kennen Sie diese Leiminger?«

»Nein, aber man hört ja, dass er es mit ihr gehabt haben soll.«

Der Assistent notiert nun etwas ausführlicher. Von der Küche herein hört man jetzt den kleinen Urban schreien und die Lena sagt:

»Geh sei so gut, Mutter, und schau nach.«

Schwerfällig erhebt sich die Riederin und kaum ist sie draußen, wendet sich Pfeifer an die Lena.

»So, jetzt kommen Sie dran und ich erhoffe mir die Wahrheit von Ihnen. Wann haben Sie hier eingeheiratet?«

»Wann haben wir denn Hochzeit gehabt, Tobias? Am 25. Oktober voriges Jahr.«

»Und ein paar Monate darauf sind Sie schon mit einem Küchenmesser auf Ihren Schwiegervater losgegangen und haben gedroht, ihn zu erstechen.«

Die Lena wird totenblass und schaut hilflos auf Tobias. Sie schluckt ein paarmal, dann aber sagt sie ganz ruhig:

»Das war damals, als die Mutter so krank worden ist. Ich hab grad Fleisch geschnitten, hab also das Messer in der Hand gehabt. Wir sind zum Streiten gekommen, gestritten hat er ja wegen jeder Kleinigkeit. Und wie er dann drohend auf mich zugangen ist und hat mich schlagen wollen, da hab ich das Messer vor mich gehalten. Sie müssen wissen, Herr Kriminalrat, ich war damals hochschwanger und halt voller Angst und aufgeregt.«

»Ja, das verstehe ich. Aber besinnen Sie sich einmal ganz genau, haben Sie gesagt, dass sie ihn erstechen wollen?«

Lena schüttelt heftig den Kopf.

»Das hab ich ned gesagt. Er hat gesagt, ich glaub gleich gar, du möchtest mir das Messer reinrennen. Drauf hab ich gesagt: Wenn du mich anrührst, ja. Das ist die volle Wahrheit, Herr Kriminalrat. Ich lüg ned. Oder glauben Sie mir ned?«

»Doch, ich glaube ihnen«, antwortet Pfeifer und wendet sich dem Assistenten zu. »Die andere Version ist zwar gegenteilig, aber glaubwürdiger scheint mir schon diese.« Und sich wieder an die Riederers wendend: »Tja, das wäre zunächst einmal alles. Kann aber sein, dass wir noch mal kommen müssen.«

Der Assistent klappt das Büchl zu und Pfeifer zerdrückt seinen Zigarrenstummel im Aschenbecher, schlägt ein ganz anderes Thema an. Wie viel Tagwerk Grund bei dem Hof seien und wie das nun sei mit der Erbschaft. Er, der Sohn, sei ja nun wohl der rechtmäßige Bauer hier.

»Zunächst gehört der Hof noch der Mutter«, sagt Tobias. Und die Lena fügt hinzu:

»So hätt er auch ned zugrund gehen brauchen. Aber nach dem, was Sie uns jetzt alles gefragt haben, sind wir in den Verdacht geraten, dass wir vielleicht …«

»Verdacht ist noch kein Beweis. Sie müssen verstehen, junge Frau, wir müssen jeder Spur nachgehen. Bisher sind wir noch sehr im Dunkeln getappt, aber nun wird es schon ein bisschen heller.«

»Draußen ned. Schaun Sie nur raus, wie es schüttet!«

Lena hat bereits ihre Ruhe wiedergefunden, die man eben nur findet, wenn man ein gutes Gewissen hat. Das gute Gewissen lässt sie auch fragen, ob die Herren vielleicht einen Kaffee möchten oder einen Tee mit Rum.

»Warum eigentlich nicht? Wenn es Ihnen keine Umstände macht, dann Tee mit Rum bitte.«

Sie sitzen noch recht gemütlich beisammen. Die Mutter mit dem Kleinen sitzt jetzt auch dabei und ist beinahe glücklich, dass sie nun auch ein bissel mitreden darf, denn sonst hat es immer gleich geheißen: Du hältst dein Maul.

Es regnet immer noch und scheint sich zu einem Landregen entwickeln zu wollen. Der Tobias seufzt.

»Und wir hätten noch die Gerste draußen und den Hafer. Der Wetterbericht lügt auch wie gedruckt.«

Um fünf Uhr verabschieden sich die Herren. Sie sagen, dass sie nach München zurückfahren wollen. In Wirklichkeit fahren sie nur bis zur Kreisstadt und parken ihren Wagen, wie gestern schon, vor den Drei Mohren.

Zwei Stunden wird Barbara verhört. Und wie! Jeden Kniff wenden die beiden Beamten an, verwickeln Barbara in gefährliche Widersprüche, bis sie dann zusammenbricht und zugibt:

»Ja, der Karl Leiminger ist mein Bruder.«

»Und der andere?«

»Den kenn ich nicht. Sie saßen miteinander im Gefängnis Stadelheim.«

»Woher wussten die beiden, dass der Riederer an dicsem Tag viel Geld bei sich hatte?«

Barbara zuckt die Achseln.

»Sie haben an diesem Tag ein Gespräch mit München geführt.«

»Das ist nicht wahr!«

»Natürlich ist es wahr. Das kann die Bedienung im Gastzimmer bestätigen.«

»Dieses Biest!«, rutscht es der Barbara heraus.

Es langt noch nicht, Barbara zu verhaften wegen dringenden Verdachts der Mitwisserschaft. Es fehlt ihnen auch der Haftbefehl. Aber morgen würden sie wieder aufkreuzen.

In dieser Nacht verschwindet die Barbara jedoch aus den Drei Mohren.

Sie kann sich nicht lange ihrer Freiheit erfreuen, denn schon drei Tage später wird am Brenner ein grauer Opel mit schwarzem Dach kontrolliert. Am Steuer sitzt Barbaras Bruder Karl Leiminger und neben ihm seine Schwester Barbara. Der andere Komplize ist in München vorläufig untergetaucht mit der Hälfte des erbeuteten Geldes.

»Verdammt!«, zischt Barbara. Der Traum ist ausgeträumt. Mit wutverzerrtem Gesicht steigt sie in den Polizeiwagen. An ihrem Handgelenk blitzt das goldene Armband mit den eingefassten Hirschgrandln.

Nach diesem Ereignis dauert es doch noch ein paar Wochen, bis der Klatsch im Dorf sich wieder beruhigt hat.

Die Riederers sind jetzt über jeden Verdacht erhaben. Sie sind durch die rasche Aufklärung des Mordes reingewaschen wie die Erde nach jenem dreitägigen Regen. Immerhin sind sie unter einem schweren Verdacht gewesen und das hat doch schwer auf ihren Gemütern gelastet. Das vergisst man nicht von heute auf morgen, und Lena sagt im Metzgerladen, als grad recht viel Leute da sind, sie wisse schon, wer damals so zweideutig mit dem Daumen nach Germ hinaufgedeutet habe, und man werde sich das schon merken.

Seht, diese Lena! Früher hat man sie nie ernst genommen. Im Glanz ist immer nur ihre Schwester, die Judith, gestanden. Die Lena hat man mit einem einmaligen Hinschauen schon erfasst gehabt; ihr Gesicht mit den Sommersprossen, die derbe Figur, ihren etwas schwerfälligen Gang, und man hat Mitleid mit ihr gehabt, als sie diesen nichtssagenden Tobias geheiratet hat und nach Germ gegangen ist, wo sie nichts anderes hat sein dürfen als eine Magd. Jetzt aber schaut man schon zweimal und öfter hin, wenn sie vorbeigeht. Als habe sich eine Verhärtung in ihrem Nacken gelöst, so bewegt sich der Kopf jetzt über dem schlanken Nacken und es sind keine Sommersprossen mehr in ihrem von Wind und Sonne gebräunten Gesicht. Aus ihren Augen strahlt Selbstbewusstsein, das Glück einer jungen Mutter, die jetzt erst begonnen hat, richtig zu leben, weil alle Schatten von ihr genommen sind. Wahrhaftig, sie ist wie ein Baum, der lange im Schatten eines großen hat stehen müssen, bis man diesen gefällt hat. Jetzt fließt die ganze Flut der Sonne über den kleinen hin, Regen darf er in Fülle trinken und nun streckt er sich im Licht. Genau wie Lena, die junge Bergbäuerin, die sie nun auch wirklich ist, denn bereits vierzehn Tage nach dem gewaltsamen Tod des Alten ist die Riederermutter mit den beiden Jungen zum Notar gefahren und hat ihnen den Hof überschreiben lassen.

Man wagt wieder zu lachen auf Germ und man hat dabei keine Bitterkeit mehr im Mund, aber man ahnt nicht, dass das Schicksal schon wieder seine schwere Hand zu heben beginnt. Nur wenige erkennen es und fluchen den Händen, die dieses Schicksal selbst spinnen, nach außen hin noch etwas behutsam, in Wirklichkeit aber schon mit dröhnendem Schritt und nur noch darauf wartend, dass sie es mit der ganzen Schrecklichkeit enthüllen können.

Noch aber lebt man friedlich und sieht das Wetterleuchten nicht, das weit hinter den Bergen aufblitzt. Noch sind die stillen Tage, mit kleinen weißen Wolken. Die Ernte ist gut eingebracht, schwarz glänzen die Schollen schon wieder, bereit, neue Saat für das nächste Jahr aufzunehmen.

Im Maurerhof sitzt Elisabeth Büchner und zupft die schwarzen Holunderbeeren in eine Schüssel. Sie ist den ganzen Sommer schon da und gehört ganz zur Hausgemeinschaft. Und sie lächelt verständnisvoll, wenn der Maurer gewichtigen Schrittes daherkommt und nachsieht, ob eine Forelle an der Angelschnur hängt. Er braucht jetzt immer zwei, denn auch Elisabeth isst sie sehr gern.

Man denkt nichts Böses, wenn mancher Sommergast einen Einschreibbrief bekommt und sofort mit ernstem Gesicht abreist. Das Schicksal pocht noch nicht an die Haustür, aber als es dann beginnt, pocht es sehr schnell und schmerzlich. Einer der Ersten, der so einen Brief unterschreiben muss, ist der Kilian.

»Sie haben sich umgehend bei Ihrer Einheit zu melden …«

»Was heißt da umgehend?«, fragt der Maurer, dem es vor fünfundzwanzig Jahren genauso ergangen ist. »Übermorgen ist auch noch umgehend.«

Das will der Kilian aber nicht gelten lassen, spätestens morgen früh mit dem ersten Bus muss er fortfahren. Und nicht nur er. Der Postbote, ein Hilfspostbote, selbst der Gemeindediener müssen aushelfen, sie gehen den ganzen Nachmittag bis in die späte Nacht hinein von Hof zu Hof und pochen an die Türen.

»Sie haben sich umgehend …«

Und es sind mit einem Mal so viele schwere Herzen im Dorf und viele weinen. Der Pfarrer ruft für den späten Abend zu einer Andacht und segnet alle, die gehen müssen.

Der Kilian ist sehr nachdenklich geworden und meint, dass man alle noch mal zum Abschied zusammenrufen müsse in die Stube. Es kommen die Riederers herunter von ihrem Berg, die Agnes ist da, und nach der Abendandacht bewegt auch die Wegmacher Kordula ihren Rollstuhl mit großer Hast auf den Maurerhof zu.

»Musst du auch fort, Kilian?«

»Ja, Kordula. Komm rein in die Stube.«

Manfred Büchner kommt von der Jagdhütte herunter. Seine Mutter sieht ihm angstvoll in die Augen. Er schüttelt den Kopf.

»Nein, noch nicht, Mutter. Aber mein Stellungsbefehl kann morgen schon da sein.«

Die Judith hört das und wird aschfahl.

»Das bedeutet doch Krieg! Habt ihr mich deswegen von der Alm runtergeholt? Aber dich lass ich ned fort!« Sie stellt sich zwischen Manfred und seine Mutter. »Gell, Mama, wir lassen ihn ned fort!«

Dasselbe sagen in dieser Nacht Tausende von Müttern, Tausende von Bräuten und Ehefrauen und keine hat die Macht, das Schicksal, das nun ins Rollen gekommen ist, aufzuhalten. Und keiner der Gerufenen denkt daran, diesen Befehl zu verweigern. Sie gehorchen stumm, wie sie alle gehorchen in der ganzen Welt.

»Jede Kugel trifft ned«, sagt der Maurer und die Maurerin, die sonst so stille Frau und Mutter, klagt ihren Schmerz.

»Ich versteh das einfach ned! Da kommt so ein Fetzen daher, der Bub muss unterschreiben, und dann muss er fort und muss auf sich schießen lassen! Dass unser Herrgott das zulässt, das versteh ich ned!«

Es wird wirr durcheinander geredet in der Stube. Sie trinken Wein, aber es kommt keine Fröhlichkeit auf. Auf ihre Seelen hat sich eine Zentnerlast gelegt und selbst dem sonst immer munteren Kilian bleibt das Lachen in der Kehle stecken.

»Ich muss jetzt heim«, sagt Kordula. »Sonst kriegt der Vater Angst.«

Ihr Rollstuhl steht vor der Tür. Kilian hat sie hereingetragen und trägt sie wieder hinaus, bettet sie in ihren Rollstuhl und reicht ihr beide Hände. Kordula nestelt aus ihrem Kittelsack etwas hervor und drückt es in seine Hand. Es ist ein kleines Medaillon aus Altötting.

»Nimm es mit«, sagt sie mit dünner Stimme. »Es soll dich behüten, lieber Kilian.«

Dann schlingt sie die mageren Arme um seinen Hals, zieht seinen Kopf zu sich nieder, weint in sein Haar und flüstert:

»Ich werde beten für dich, lieber Kilian, dass du wiederkehrst, denn du warst und bist mir das Schönste im Leben.«

Kilian richtet sich auf, besinnt sich ein wenig und küsst sie auf beide Wangen.

»Tausendmal vergelt's Gott«, flüstert sie. Dann greifen ihre Hände in die Felgen der Räder und sie bewegt sich fort, erst langsam, dann immer schneller, dann wird das Quietschen der Räder immer leiser und verstummt schließlich ganz.

Kilian geht zurück in die Stube, wo sie gerade seinen Koffer packen.

»Tut ihm auch einen Rosenkranz hinein«, sagt die Maurerin mit belegter Stimme.

Der Maurer hat ein bisschen viel getrunken und will sich fröhlich und unbekümmert geben. »Als wir damals fort sind«, erzählt er, »da ham mir uns Blümerl an den Helm gesteckt und ham gesungen – was ham mir denn gleich gesungen? ›Die Wacht am Rhein‹ und ›Siegreich wolln wir Frankreich schlagen‹.«

»Damals habt ihr auch gesagt«, erinnert sich Frau Büchner, »dass ihr Weihnachten wieder daheim sein würdet. Dann hat es vier Jahre gedauert.«

Alle reden durcheinander. Nur der Riederer schweigt. Er sitzt mit umwölkter Stirn da, und als ihn dann der Maurer um seine Meinung fragt, sagt Tobias:

»Mich werden sie doch ned brauchen.«

»Ausgeschlossen!«, sagt die Lena. »Und wenn, für dich geh dann ich.«

Um zehn Uhr brechen alle auf. Manfred begleitet die Judith auf die Alm zurück. Kilian sitzt mit seiner Agnes noch unter der Holunderstaude, wo nebenan der Bach so vertraut plätschert und der Mond und die Sterne sich im Wasser spiegeln. Die Sterne, die so tröstend herunterschauen, als sei die Erde da unten noch ganz in Ordnung.

In Anbetracht dessen, was da über das Land hereinbricht, wird so manches verschwiegen, was unter anderen Umständen nicht unter den Tisch hätte fallen können. Manfred und Kilian sind sich nämlich am gestrigen Tag im Wald gegenübergestanden, jeder mit dem Gewehr in der Hand, der gewilderte Sechserbock zwischen ihnen am Boden.

»Hast du die Anzeige wirklich weggeschickt?«, fragt Judith.

»Ich hätte es tun müssen, Judith. Aber jetzt ist das überflüssig geworden.«

Aufschluchzend umschlingt Judith seinen Hals.

»Wenn sie nur dich ned holen, Manfred!«

Am nächsten Morgen erreicht auch Manfred der Stellungsbefehl. Es trifft alle. Im Wehrbezirkskommando schreiben sie sich in diesen Tagen die Finger wund, dass ja keiner vergessen wird.

Und am 1. September hören die Bauern, die von jeher zu den Frühaufstehern gehören, im Radio statt der neuesten Viehpreise:

»Seit vier Uhr dreißig wird zurückgeschossen.«

Ein paar Tage zuvor hat man schon die Pferde von den Höfen geholt, soweit sie tauglich sind. Und tauglich sind immer nur die besten. Beim Riederer zu Germ holen sie auch das Auto.

»Das ist gut«, sagt Tobias, »wenn sie es brauchen für ihren Krieg.«

Aber sie brauchen auch die beiden jungen Apfelschimmel. Tobias schluckt, als sie den Berg hinuntergeführt werden. Er steht neben dem Tennentor und schaut ihnen nach, bis sie im Hohlweg verschwinden. Dann dreht er sich plötzlich um, lehnt die Stirn ans Tennentor und schluchzt laut auf.

Ganz bitterlich weint er, der am Grab seines Vaters keine Träne vergossen hat. Plötzlich steht die Lena hinter ihm, erschüttert und fassungslos, denn sie hat nicht gewusst, dass auch Männer weinen können.

»Komm, Tobi«, tröstet sie. »Wir haben ja noch zwei Rösser und außerdem auch den Traktor. Die Hauptsach ist, dass sie dich ned brauchen für ihren Krieg.«

Sie sagt immer »ihren Krieg«, als ob er sie selbst gar nichts anginge. Aber weil sie ihren Mann hat weinen sehen, hat sie das Gefühl, dass doch sie die Stärkere sein muss, wenn die Zeiten düsterer werden sollten.

Und sie werden düsterer. Nicht nur für die unmittelbar Betroffenen, sondern für das ganze Dorf kommt es wie ein vernichtender Hagelschlag. Das Dorf hat den ersten Gefallenen. Und das ist der Maurer Kilian.

Kilian, der blonde, strahlende Bursch. Der Unwiderstehliche, der Hansdampf in allen Gassen, der Fahnenträger des Trachtenvereins, ein kleiner König des Waldes, wird seine Heimat nie wiedersehen.

In dem Brief des Kompanieführers vom 12. September 1939 steht als einzig Tröstliches für die Eltern, dass der Gefreite Kilian Maurer bei der Erstürmung einer feindlichen Stellung bei Kalisch durch Kopfschuss gefallen sei. Er sei einer der Tapfersten unter seinen Gebirgsjägern gewesen, allen ein leuchtendes Vorbild, im Kampf wie im Sterben. Es möge den Hinterbliebenen zum Trost gereichen, dass Kilian Maurer nicht zu leiden gehabt habe. Die Kompanie werde ihm ein ehrendes Gedenken bewahren, der in treuer Pflichterfüllung sein junges Leben für »den Führer« hingegeben habe.

Herrgott! Und noch vor zwei Tagen ist ein Brief vom Kilian gekommen: »Es geht mir gut, wir sind in zügigem Vormarsch.«

Die Judith bringt an diesem Tag gerade die Kühe von der Alm zurück und weiß sofort, dass etwas Schreckliches geschehen sein muss. Niemand erwartet sie. Nur die alte Gertraud lehnt an der Stallwand mit verweinten Augen, und als Judith auf sie zustürzt, bricht es aufschluchzend aus ihr heraus:

»Unser Kilian …«

Mehr braucht sie nicht zu sagen. Die Judith stürzt in die Stube, sieht die Mutter wie leblos auf dem Kanapee liegen und den Vater mit nassen Augen danebenstehen.

»Ist's wahr, Vater?«

Der Maurer nickt nur.

»Und die Mutter? Was ist mit der Mutter?«

»Der Doktor war grad da und hat ihr eine Spritze geben. 's Herz hat nimmer mitmachen wollen. Jetzt schläft sie.«

Die Judith lässt sich schwer auf die Ofenbank fallen und nimmt dem Vater den Brief aus den zitternden Händen.

»Dieser verfluchte Krieg!« Sie liest mit tränengefüllten Augen das Letzte noch einmal. »Was soll denn das heißen:

für den Führer! Umgebracht ham sie unsern Kilian!« Und nach einer Weile: »Hat man es der Agnes schon gesagt?«

Der Maurer überhört die Frage. In seinem Kopf drehen sich ganz andere Gedanken. Draußen bringen die Gertraud und der Florian die Kühe in den Stall, nehmen ihnen die Glocken ab und dieses Läuten hört sich an wie ein Totengeläut. Als die letzte Kuh im Stall ist, dreht sich der Maurer um.

»Was soll jetzt aus dem Hof werden?«

Er sieht dabei der Judith ganz fest und zwingend in die Augen. Und die versteht ihn und wirft aufschluchzend die Hände vors Gesicht.

Der Maurer schlüpft in seine schwarze Feiertagsjacke.

»Wohin gehst denn, Vater?«

»Wo ich hingehen muss. Zunächst zum Pfarrer wegen einem Seelenamt, dann zum Lehrer wegen einer Todesanzeige in der Zeitung. Und dann – ja, dann muss ich zur Agnes gehen. Oder willst mir du das abnehmen?«

»Ja, Vater.«

Als der Maurer so durch das Dorf geht, scheinen doch alle es zu wissen. Scheu weichen sie ihm aus, wenn es noch geht, und wer ihm nicht mehr ausweichen kann, begegnet ihm mit nassen Augen.

»Ja, ja«, sagt er dann nur und geht weiter und es sieht so aus, als sei er ein gebrochener Mann, seit diese Nachricht gekommen ist.

Nachdem er mit dem Pfarrer alles besprochen hat, geht er auf das Schulhaus zu, in dem der Lehrer Müggl wohnt, der nebenbei für die Kreiszeitung schreibt und bei dem man auch die Todesanzeigen aufgeben kann. Dieser Lehrer Müggl ist erst seit vier Jahren im Dorf und kommt aus der Stadt. Er reckt sich unwillkürlich in den Schultern, als er den Maurer auf das Haus zukommen sieht. Dann wendet er sich vom Fenster ab und öffnet die Tür seines Wohnzimmers.

Er ist Mitglied der Partei, die das Sagen hat, aber er ist kein Fanatiker und beschließt bei sich, dem Maurer nicht mit den üblichen Redensarten wie Heldentod und Opfer für eine große Sache zu kommen. Er gibt dem Maurer die Hand und sagt:

»Mein tief empfundenes Beileid, Herr Maurer.«

Der Maurer nickt nur und dreht den Hut in den Händen. Seine Augen sind geschwollen, der Mund nur ein schmaler, harter Strich.

»Aber setzen Sie sich doch, Maurer.«

»Ich bin so frei.« Der Maurer setzt sich und zerrt einen Zettel aus der Tasche. »Da hätten wir halt jetzt was aufgesetzt – ich meine, eine Todesanzeige. Sie nehmen das doch auf für die Zeitung?«

Der Lehrer liest den Zettel und schüttelt den Kopf.

»So geht es leider nicht. Sie schreiben da: Die Maurers haben ihren einzigen Sohn geopfert. Wofür ist denn der Kilian gefallen, meinen Sie?«

»Wahrscheinlich für die Katz«, schreit der Maurer auf.

Lehrer Müggl schüttelt den Kopf. Es ist ein schwerer Augenblick für ihn und er versucht es im Guten.

»Ich verstehe Ihren Schmerz, Maurer. Auch von mir sind zwei Söhne draußen, wie Sie wissen. Aber es gibt da bestimmte Vorlagen, nach denen es heißen soll: Für Führer, Volk und Reich.«

Grimmig schüttelt der Maurer den grauen Schädel.

»Das müssen Sie schreiben, weil Sie in der Partei sind. Aber ich ned. Ich lass mich höchstens noch zu dem Kompromiss herbei: Gefallen für seine Heimat. Aber weiter schon zu gar nix. Und drei Schuss ins kühle Grab für meinen Kilian.«

Der Lehrer windet sich. Es ist ihm peinlich, dem Bauern sagen zu müssen, dass seit Kriegsbeginn eine Verordnung da sei, wonach an den Gräbern nicht mehr geschossen werden soll, weil man durch die Schießerei die Leute nur noch mehr an den Krieg erinnere.

»Jetzt machen Sie aber einen Punkt!«, sagt der Maurer und es ist ein gefährliches Grollen in der Stimme. »Als ob man an den Krieg ned stündlich erinnert werden tät! Mein Kilian kriegt seine drei Schuss, und wenn ich sie selbst abfeuern müsst!«

Und so muss der Gemeindediener wohl oder übel die alte Salutkanone, mit der man auch zu Fronleichnam schießt, aus dem Feuerhaus ziehen und droben am Anger aufstellen.

Gekannt hat man den gefallenen Mauersohn weit und breit. Aber dass an die tausend Menschen zu diesem Seelengottesdienst zusammenströmen würden, damit hat man doch nicht gerechnet. Nach dem Gottesdienst versammelt man sich am Familiengrab der Maurers. In der Eile hat der Wegmacher ein Kreuz aus Birkenholz zusammengenagelt. Darauf hat man eine Jägermütze mit dem Edelweiß gestülpt. Und als der Pfarrer in bewegten Worten die Tugenden des Gefallenen gelobt hat, donnern auf dem Anger droben die drei Schüsse. Das Echo grollt gen Süden und rumpelt noch lange zwischen den Felswänden. Die Musik spielt das Lied vom guten Kameraden und die Fahne des Trachtenvereins senkt sich dreimal über dem Birkenkreuz.

Es wird viel geweint, leise und manchmal auch laut aufschluchzend. Nur der Maurer findet keine Tränen. Bei ihm ist der Zorn stärker als der Schmerz, er starrt zu den Bergen hinauf und seine Kiefer bewegen sich, als spräche er hinter den Zähnen das, was er nicht herausschreien darf.

Als der Friedhof sich geleert hat, fährt die Kordula mit flinken Griffen ihren Rollstuhl durch die schmalen Wege zwischen den Gräbern und legt drei weiße Rosen auf den Erdhügel. Das alles tut sie hinter einem Schleier von Tränen und steigert sich so in Gedanken hinein, als läge dieser geliebte Mensch wirklich unter diesem Hügel und nicht in einem fremden Land.

Die ersten Monate des Krieges scheinen nur den Maurer Kilian gefordert zu haben. Aber dann bohrt sich weit droben im Norden bei Narvik ein feindlicher Torpedo in den Leib eines deutschen Transporters, auf dem sich an die fünfhundert junge Gebirgsjäger befinden, die größtenteils in den eisigen Fluten ertrinken. Darunter sind auch zwei aus der Gemeinde Veilenstein, der Gruber Ignaz und der Gablmeier Benno.

Und kaum ist das vorüber, hebt sich im Westen der glühende Vorhang und lässt den Tod reiche Ernte halten. Kaum eine Woche vergeht, dass nicht in irgendein Haus im Dorf die dunkle Botschaft getragen wird, dass wieder einer nicht zurückkehren wird in seine Heimat, dass er nie mehr die blühenden Bäume sehen wird, nicht die reifenden Saaten und nicht den Firnschnee in den schattigen Schluchten der Berge, auf den das Abendrot fällt, dass es aussieht, als rinnten dünne Blutströme zwischen den Felsen nieder.

Der Holunder ist wieder einmal verblüht. Beim Maurer zieht die alte Gertraud auf die Alm, weil die Judith unten gebraucht wird. Judith, die durch Kilians frühen Soldatentod aus ihrem Märchentraum gerissen worden ist. Nun sitzt sie auf dem Traktor und gleitet wieder wie von selbst hinein in das bäuerliche Leben, dem sie doch hat entrinnen wollen. Sie betet, dass der Krieg zu Ende gehe, und verflucht ihn gleichzeitig, manchmal so laut und unbeherrscht, dass sie gewarnt werden muss. Es ist ihr nicht viel geholfen, wenn sie manchmal in der Dunkelheit hinausgeht zum Wegmacherhäusl. Der Wegmacher schließt dann die Augen, sieht dahinter aber nicht viel Tröstendes. In seinen Karten steht, dass sie Bäuerin auf dem Maurerhof bleiben wird.

Ja, ja, gut. Aber der Manfred kann doch nicht Bauer sein! Er ist Forstmann, erzogen und ausgebildet, die Wälder zu hegen und das Wild zu hüten.

»Wozu, meinst du«, erklärt der Wegmacher, »ist ein Mensch alles fähig, wenn ihn das Schicksal aus der Bahn wirft und zu anderem zwingt! Und merk dir, Judith, das Verlässlichste auf der Erde sind allweil noch der Acker und das Brot, das aus ihm kommt.«

»Ja, aber Manfred? Was sagen deine Karten? Es geht ihm doch gut?«

Sebastian Stelzl nickt nur. Ja, es ginge ihm gut. Aber das weiß Judith ja schon aus Manfreds Feldpostbriefen. Es geht ihm gut, ja, und er hofft auf Urlaub. Er schreibt viel von seiner Liebe zu ihr und wie schön ihr beider Leben einmal sein wird, wenn wieder Friede ist. Er ist Leutnant in einem Panzerregiment. Er hat seinen Urlaubsschein bereits in der Tasche, aber da wird das Panzerregiment plötzlich nach Griechenland geworfen und der Wegmacher sagt:

»Die siegen sich noch zu Tod.«

Der Holunder ist wieder einmal verblüht. Dafür beginnen dann Roggen und Weizen zu blühen, und wenn der Abendwind aufkommt, geht eine feine Staubwolke über die Felder hin.

Die Hände hinter dem Rücken verschränkt, geht Tobias Riederer neben den Rainen hin, mit bedächtigem Ernst und gerunzelter Stirn, denn er kann ja nicht wissen, ob nicht noch Hagel über die Felder kommt. Dann kann er sein Soll nicht erfüllen, kann nicht abliefern, was vorgeschrieben und befohlen ist.

Der junge Bauer von Germ grübelt. Sie werden mich für ihren Krieg nicht brauchen, denkt er, weil die Äcker mich brauchen, und er stellt lieber in der Ernährungsschlacht seinen Mann als in der anderen, in der die Feuer glühen, in denen der Tod die Sense schwingt, nicht nur alle Sekunden, wie der Tod in der Kirche zu Altötting es anzeigt, sondern hundertmal in der Sekunde.

Und Tobias hat bei seinem abendlichen Gang über die Felder auch an seine Lena zu denken, die wieder schwanger ist. Aber er weiß nicht, was die Lena bewegt, wenn sie nachts oft lange wach liegt, die Hände auf ihren Leib legt, um zu spüren, was sich unter der Wölbung schon so lebhaft regt. Und sie ist dann versucht, hinüberzulangen in das andere Bett, um auch die Hand des Mannes auf die Wölbung zu legen, damit auch er das Wunder des reifenden Lebens spüre.

Tobias geht es hauptsächlich darum, dass es wieder ein Bub wird, denn er hat so seine Pläne. Der Lena wäre ein Mädchen lieber. Mädchen seien nicht so wild wie Buben, meint sie, und außerdem zieht man die Buben bloß groß, damit sie später in einen Krieg ziehen müssen und erschossen werden.

Aber beiden wird es recht gemacht, sie bekommen ein Zwillingspaar, einen Buben und ein Mädchen. Der Bub wird auf den Namen Kilian getauft, das Mädchen soll Magdalena heißen.

Tobias benimmt sich in seiner Freude ganz sonderbar. Er steht vor Lenas Bett, sein Mund ist ganz weich. Lena hat noch Schweiß auf ihrer Stirn, aber ihre Augen strahlen vor Glück. In jedem Arm hält sie ein Kind. Sie schaut verklärt den Mann an und sagt mit noch matter Stimme:

»Die zwei ham's mir schon recht schwer gemacht diesmal.«

Aber nach einer Woche erhebt sich die Lena wieder und nimmt ihre Arbeit wieder auf. Das soll ihr einmal eine nachmachen! Sie hat wieder einmal ihre Schuldigkeit dem Hof gegenüber erfüllt und ist wie eine Blume, die sich wunderbar entfaltet, wie auch der Mann sich entfaltet hat. Ein Teil ihres starken Willens hat sich auf ihn übertragen. Er lacht jetzt gern und lässt sich oft zu Gefühlsäußerungen hinreißen, die ihm früher fremd waren.

»Ich mag dich allweil noch lieber«, kann er sagen. »Oder: »Du bist schon eine, wie sie unser Herrgott ned alle Tag wachsen lässt. Ich wüsst ned, was ich ohne dich tät.«

Solche Worte hätte man früher nie aus seinem Mund hören können. Aber es ist Lenas Liebe, die ihm so viel Mut gibt, sie leitet und lenkt ihn, ohne dass er es merkt, und sie könnte später einmal sagen:

Du hast mir mehr Mühe gemacht als all meine Kinder, denn die hab ich schon von klein auf gehabt, dich aber hab ich zu spät in meine Hände bekommen. Du warst gebeugt und ein geschlagener Mensch und es war mühsam genug, einen Teil meines Selbstbewusstseins auf dich zu übertragen.

Tobias weiß das nicht. Seine Wandlung hat sich still und ohne viel Aufhebens vollzogen. Aber die Leute im Dorf wissen es und bewundern die Lena, die das erreicht hat.

Ach ja, diese Lena! Sie wächst über sich selbst hinaus in dieser schweren Zeit. Sie befasst sich mit den Verordnungen und Vorschriften, in denen immer eine versteckte Drohung mitgeschrieben ist: Zuwiderhandlungen werden nach Paragraph soundso im Kriegsverordnungsgesetz vom 2. September 1939 geahndet.

Lena denkt weniger über die Verordnungen selbst nach, sondern vielmehr, wie man sie umgehen kann, ohne sich oder jemand anderem Schaden zuzufügen. Einmal kommt der Wachtmeister und sagt, jemand habe angezeigt, dass die beiden kriegsgefangenen Franzosen, die dem Hof für landwirtschaftliche Arbeit zugeteilt worden sind, mit ihnen gemeinsam an einem Tisch essen würden. Das sei streng verboten und sie möge hier unterschreiben, dass das in Zukunft nicht mehr vorkomme. Lena unterschreibt, zieht sich am anderen Morgen recht fesch an – für einen gewöhnlichen Werktag vielleicht zu fesch – und fährt in die Kreisstadt, in die Höhle des Löwen, zur Kreisbauernschaft. Dort steht sie dann vor dem Schreibtisch eines Mannes der Kreisbauernschaft, groß gewachsen und braun gebrannt von der Sonne steht sie vor ihm und sagt ohne jede Angst:

»Wie stellt ihr euch denn das vor? Wächst bei euch auf dem Schreibtisch der Roggen oder bei uns auf dem Acker? Ist denn das wahr, dass die Franzosen ned mit uns an einem Tisch essen dürfen?«

Der Mann versteht Lena durchaus. Aber er hat halt auch nach den Vorschriften zu handeln und darum muss er Lena erklären, dass dies nicht gestattet sei.

»Ah so, aha. Aber – wie ist dann das? Arbeiten dürfen sie schon mit uns?«

Lena kann so einfältig fragen und ist nicht zu durchschauen in ihrer Schlitzohrigkeit, die der eines niederbayrischen Viehhändlers gleichkommt. Wenn man einem ihrer Begehren nicht nachkommen will, so kann sie zwischen ihrem Gerede plötzlich fragen: »Is er selber ned da?« Damit meint sie den Kreisbauernführer. Dann beginnt man gewöhnlich einzulenken und es ist dann plötzlich ganz anders. Man kennt diese junge Bäuerin schon im ganzen Haus und ist ihr irgendwie zugetan, auch wenn sie immer mit »Grüß Gott« grüßt und nicht so, wie es in einer Dienststelle Brauch ist.

Auch heute redet ihr der Mann zu widersinnig. Er nimmt seine Aktentasche, zieht ein eingewickeltes Stück Brot heraus – und sofort sagt Lena: »Da gehört halt jetzt Butter drauf, gell? Übrigens, ich hätt Ihnen gern einen Korb Äpfel mitgebracht. Aber ich weiß ja ned – Sie nennen doch so was Bestechung, gell?«

Was soll der Mann sagen? Er kann höchstens erzählen, dass er in der Birkenstraße 6 wohnt, dass er eine Frau hat und drei heranwachsende Kinder und dass er manchmal nicht ganz satt vom Tisch aufsteht, damit wenigstens die Kinder genug bekommen.

»Die armen Kinder«, sagt die Lena und geht mit ihrem großen Handkorb, in dem sich ein Laib Bauernbrot befindet, ein Pfund Butter und ein Geselchtes, zuerst in die Birkenstraße 6 und dann erst in das Amt. Dort geht es dann ganz leicht, die beantragten Bezugsscheine für Kunstdünger und sonstige Sachen zu erhalten. Je länger dieser Krieg dauert, desto ungenierter beginnt eine Hand die andere zu waschen.

Ja, viel geschieht so rundherum und schwimmt den Strom der Zeit hinunter. Aber es ist eine andere Zeit geworden, eine bittere Zeit, die sich wie ein Ausschlag über das Land legt. Die Zeitung hat auch ihr gewöhnliches Erscheinungsbild verändert, denn die letzte Seite ist ganz ausgefüllt mit Todesanzeigen, die mit einem eisernen Kreuz gekennzeichnet sind. Die anderen Todesanzeigen fallen gar nicht mehr auf. Und doch wird im Bergdorf Veilenstein mitunter auch auf natürliche Weise gestorben. Der Förster Hepner stirbt an einem Schlaganfall mitten in seinem Wald. Und die Maurermutter liegt eines Morgens wie tief schlafend in ihrem Bett und ist tot.

Den Maurer trifft dieser unverhoffte Schlag so schmerzlich, dass er wie betäubt hinter dem Sarg hergeht, seine beiden Töchter müssen ihn in die Mitte nehmen und stützen. Es ist aus, denkt er. Das Leben hat keinen Sinn mehr und selbst der willensstarken Lena gelingt es nicht mehr, ihn aufzurichten. Geschweige denn der Judith, die von der Last der Hofarbeit fast erdrückt wird. Dazu kommt die schwere Sorge um Manfred, von dem sie lange Zeit nichts mehr gehört hat. Dann endlich kommt aus einem Lazarett in Griechenland ein Brief, in dem von einer Verwundung die Rede ist. Ihr Herz wird zerrissen von Qual und Angst, denn sie kann nur ahnen, dass es eine schwere Verwundung sein muss, denn der Brief ist von fremder Hand geschrieben und erst durch Manfreds Mutter erfährt sie, dass der Leutnant Manfred Büchner durch eine Schussverletzung erblindet ist.

Ist nun Judiths Leben völlig zerschlagen? Sie spürt das Mitleid von allen Seiten. Sie wird den Hof erben, ja, aber was will sie mit einem blinden Mann neben sich? Sie sehen nicht in Judiths Herz hinein. Es ist zwar im Augenblick wie mit Schwertern durchbohrt, aber ihre Liebe stirbt dadurch nicht. Sie wird mit ihren Augen für ihn sehen. Sie geht zu Lena hinauf, zu ihrer großen, starken Schwester. Die nimmt sie in die Arme, an ihrem Herzen kann sie sich ausweinen und dann auch lächeln, als die Lena die Frage aufwirft, die zugleich wie ein Befehl klingt:

»Du wirst ihn doch jetzt nicht im Stich lassen?«

Judith wischt mit dem Handrücken die Tränen fort.

»Dann hätt ich ihn doch nie richtig lieb gehabt.«

Die Lena findet so tapfere Worte des Trostes und ist doch selber von einer ahnungsvollen Angst durchweht, denn der Krieg ist ja jetzt erst zu dem größten, schaurigen Drama geworden, das je über die Erde gerollt ist.

Ja, alle kommen zu Lena, wenn die Herzen in Not geraten. Die Agnes ist auch zu ihr gekommen, als Kilian gefallen war. Und manch andere auch. Lena ist wie eine Säule, an die sich alle klammern. Aus ihrem Herzen fließt Trost für andere. Dabei hat sie selbst immer ein wenig Angst, nicht um sich, sondern viel mehr um den Mann, den Vater ihrer drei Kinder, von dem man immer gemeint hat, die Ereignisse wehten an ihm vorbei. Man hat ja immerzu gesiegt, aber nun heben sie wirklich die Fahnen in den Ostwind und der alte Wegmacher hat da wieder seine Gesichte und erinnert an einen anderen Welteroberer, dem auch Russland zum Grab geworden ist. Tobias hat das in einem alten Bauernkalender gelesen und dass damals dreißigtausend Bayern den Tod in Schnee und Eis gefunden haben.

Seitdem geht Tobias wieder mit tiefen Falten auf der Stirn

umher, die sich nur dann glätten, wenn er nach Feierabend auf der Hausbank sitzt und seine Kinder um sich hat. Auf jedem Knie sitzt eins von den Zwillingen und Urban zwischen den Knien auf dem Boden. Mit großen Augen schaut er zum Vater auf, wenn er ihnen eine kleine Geschichte erzählt von einem Kornfeld, in dem rote Mohnblumen blühen, von der Holunderblüh und von zwei Apfelschimmeln, die böse Männer in den Krieg geholt haben. Neue Märchen in einer dunklen Zeit. Alte Märchen kennt der Riederer nicht, weil seine Kindheit auch dunkel gewesen ist.

Noch erreicht ihn nichts Drohendes auf der Höhe von Germ. Vielleicht hat man ihn wirklich vergessen oder es sind die guten Beziehungen seiner nimmermüden Lena zu maßgebenden Stellen. Die Gesuche um Zurückstellung werden wohlwollend befürwortet. Wer so gewissenhaft abliefert und dessen Frau an der richtigen Stelle mit der linken Hand noch austeilt, was die rechte nicht zu wissen braucht, so einen Mann kann man nicht in den Krieg schicken.

Der Krieg aber zeigt ein immer raueres Gesicht und greift mit seiner Knochenhand allmählich auch in die Amtsstuben, hebt den einen oder anderen aus seinem Schreibtischsessel und schickt ihn in eine Kaserne. Die Verbindungen reißen wie vom Rost befallene Drähte. Zum Schluss muss Lena doch zum Kreisbauernführer selbst gehen. Der Kreisbauernführer aber mag sie nicht, denn die Lena soll einmal gesagt haben, der ganze Krieg sei ein Schwindel und man solle ihn schnellstens beenden. Sie hat dabei vergessen, dass er siegreich beendet werden soll. Und das nimmt man ihr übler als den »Schwindel«. Vielleicht ist sie auch für den hohen Herrn zu einfältig, denn Lena sagt auch noch, sie hätten sowieso schon zwei Pferde, ein Auto und zwei Knechte abgegeben und nun denke sie nicht daran, auch noch den Mann zu opfern, zumal es Leute gebe, die noch gar nichts geopfert hätten.

Bald darauf findet sich im Schulhaus zu Veilenbach wieder einmal eine Musterungskommission ein. Und da staunen die Herren, welch prächtiges Material da noch zu erfassen ist. Da kommen Jugendliche in den Turnsaal, die ihre Schuljahre noch gar nicht so lange hinter sich haben. Ein grauhaariger Stabsarzt, der wahrscheinlich lieber einer Bäuerin den Blinddarm oder den Kropf herausgeschnitten hätte, schreibt pflichteifrig sein »kv.« in den Wehrpass, damit man diese Jugendlichen in den Krieg schicken kann.

Es sind aber auch andere dabei, etwa der Bauer Tobias Riederer, dem seine Frau Lena zwei Pfund Butter und einen Brief an den »hochverehrten Herrn Stabsarzt« mitgegeben hat, in dem sie ihn höflichst ersucht, er möge ihren Mann als unabkömmlich bezeichnen, weil doch der große Hof da sei und die drei Kinder. Der Stabsarzt wäre vielleicht schon darauf eingegangen, weil er ein verständnisvoller Mensch ist und auch die Butter gerne gehabt hätte. Aber bei dieser Musterungskommission ist auch ein Oberst. Der betrachtet den langen Kerl mit Wohlgefallen und sagt:

»Man möchte es nicht glauben, was sich da noch für ein Material in der Heimat herumdrückt! Dieser Mann hat Gardemaß und hätte früher sicherlich im Leibregiment dienen müssen.«

Nein, es hilft nichts. Diesmal hat Lena den falschen Weg gewählt. Diese Maschine ist so kompliziert, da greifen so viele Räder ineinander, dass es für einen einfachen Menschen gefährlich sein kann, wenn er die Hand hineinbringt. Die Lena ist einfach nicht mächtig genug gegen die Willkür, die da im Schulsaal ausgespielt wird. Nur den Florian vom Maurerhof mit seinem Klumpfuß haben sie als untauglich befunden. Die anderen aber sollen nun durch das Stahlbad gehen, das Jungen und Männer zu Helden machen soll oder sie darin ertrinken lässt.

Schon acht Tage später erhält Tobias Riederer seinen Stellungsbefehl und muss ihm gehorchen wie Millionen andere auch.

»Ich bring dich schon wieder raus aus der Kaserne«, meint Lena hoffnungsvoll.

Diesmal aber findet sie kein Hintertürchen mehr und der Tobias wehrt sich überhaupt nicht, lässt alles wie ein Schicksal über sich ergehen und sieht geistesabwesend zu, als Lena seinen Koffer packt. Die alte Riederin, mit den Jahren schon recht hinfällig geworden, weint bitterlich, als Tobias in den Morgennebel hinausgeht. Sie hat das Gefühl, dass sie ihn niemals wiedersieht. Lena begleitet ihn mit den Kindern bis zum Kreuzweg hinunter. Dort umklammert sie ihn und schluckt:

»Ich schick dir schon fleißig Packl«, sagt sie. »Und tu dich ja ned nach vorn drängeln! Ned dass es dir auch so geht wie dem Kilian. Wir brauchen dich doch. Der Hof braucht dich, ich und die Kinder.«

Er schaut an ihrem Gesicht vorbei zum Hof hinauf. Dann beugt er sich nieder und streichelt die Kinder mit seinen rauen Händen. Eine lange Zeit liegt die Hand dann noch auf Lenas Haar.

»Wenn du um einen Schlachtschein für eine Sau eingibst, dann mach's wie bisher und schlacht eine zweite dazu. Aber sei vorsichtig.«

Das ist eigentlich sein letztes Wort. Dann reißt er die Lena nochmal jäh an sich und geht davon.

Die Gesichter der Menschen werden immer verschlossener. Bei den Alten legt sich eilig Schnee ins Haar, wie bei Wieseln im späten Herbst, wenn ihr Fell weiß wird. Bei den mittleren Jahrgängen zeichnen sich Sorgenfalten in die Frauengesichter, und bei den Mädchen nagt mit der Fortdauer des Krieges die Angst im Herzen, dass auch für ihre Buben die Sense schon gewetzt ist und sie dann als junge Bräute zurückbleiben ohne ihre Liebsten, so wie die Agnes und viele andere schon. Nur die Kinder sind unbeschwert, sie begreifen noch nicht, was Vernichtung und Sterben in der Ferne bedeuten. Die Riedererkinder zum Beispiel wachsen heran wie junge Fohlen in der Jährlingsweide. Sie haben alle drei das rasche, wilde Blut ihrer Mutter, toben herum und rennen hinter den beiden Franzosen René und Marcel her, als seien sie ihre großen Brüder.

Der Pfarrer aber kann schon bald keine neuen Worte mehr finden bei den Seelengottesdiensten für die Gefallenen der Gemeinde. Er ist auch alt geworden und sieht tiefer als früher in die Herzen seiner Pfarrkinder und leidet mit ihnen. So ein Soldatentod trifft ja nicht nur die einzelnen Angehörigen, sondern das ganze Dorf.

Das ganze Dorf erlebt auch mit tiefer Erschütterung die herbstliche Abendstunde, als die Frau Büchner aus dem Bus steigt und ihren blinden Sohn an der Hand durch das Dorf führt.

Die Maurer Judith trägt gerade die dampfende Schüssel mit der Abendsuppe in die Stube, stellt sie auf den Tisch und schaut wie zufällig noch mal zum Fenster hinaus. Tausendmal hat sie sich nach diesem Augenblick gesehnt und nun ist er da. Sie zittert, schluckt und ihre Augen werden dunkel. Sie kann es einfach nicht fassen. Manfred kommt! Er kommt blind zurück, aber er kommt, mit einer schwarzen Brille vor den Augen, an der Hand seiner Mutter.

»Vater«, schreit Judith auf. »Der Manfred!«

Nun bleiben die beiden Büchners auf dem Weg stehen und der Manfred legt weit den Kopf zurück.

»Die Berge«, flüstert er, »der Wald und der Bach. Ich sehe zwar nichts, aber ich höre und rieche alles.«

Dann gehen sie langsam auf den Maurerhof zu. Noch bevor sie am Gartenzaun sind, rennt die Judith hinaus.

»Manfred«, schreit sie, stürzt auf ihn zu und umarmt ihn wie eine Ertrinkende.

Er rührt sich nicht, steht wie ein Pfahl. Es ist, als wolle der Jammer seine Kehle abschnüren, bis er dann doch die Hand seiner Mutter loslässt und Judiths Namen herausschreien kann. Dann stehen sie eng umschlungen, in ihre beiden Hände legt Judith sein Gesicht und sagt mit Schluchzen in der Stimme:

»Ach, mein armer Manfred, was haben sie aus dir gemacht!«

Ein kühler Ostwind rauscht durch den Holunderstrauch. Dann fasst Judith nach seiner Hand und in ihrer Stimme ist wieder die alte Festigkeit.

»Nun kommt, gehen wir ins Haus. Nun bist du ja daheim, Manfred.«

Ganz kalt durchrieselt es ihn, er denkt ja nicht daran zu bleiben, seine Mutter hat ihm in langen Stunden eingeredet, dass er nur bei ihr daheim sein könne und sein weiteres Leben nur durch sie geleitet sein wird. Es ist ja schließlich einem Mädchen wie Judith nicht zuzumuten, an der Seite eines Blinden zu leben, noch dazu, wo sie jetzt Bäuerin zu sein hat. Aber da kennt sie die Judith schlecht! Sie ist in Zorn geraten, weil nicht Manfred von einer Zumutung spricht, sondern seine Mutter. Fest umschließen ihre Hände die seinen über den Tisch hinweg und sie schaut in die dunklen Gläser, als könnte sie dahinter in seine Augen sehen.

»Von dir allein will ich hören, Manfred, ob du es für eine Zumutung hältst. Schließlich muss ja ich wissen, wie ich mit dir zu leben hab. Du siehst mich nicht mehr, aber du weißt, wie ich ausschau, du musst doch mein Bild in dir haben. Ich werd für dich sehen und du wirst nie an einen Stein stoßen. Es sei denn, du liebst mich nimmer. Dann wär's was anderes. Aber dann musst du es gleich sagen und darfst ned sagen, wie deine Mutter, du müsstest dich erst prüfen. Ich brauch mich ned prüfen. Ich hab dich lieb gehabt so, wie du warst, und lieb dich so, wie du jetzt bist.«

»Ach, Judith«, stöhnt er. »Was bist du für ein wunderbarer Mensch!«

In dieser Nacht sitzen sie lange beieinander. Man hat sich ja so viel zu sagen und es ist so viel zu beschließen und zu ordnen für das neue Leben.

Wenn Tobias Riederer bisher niemals besonders aufgefallen ist, in der Kaserne fällt er überall auf. Es hat ihn aus der Bahn geschleudert, er eckt überall an und wird weiß bis in die Lippen hinein, als der junge Unteroffizier den Neueingezogenen sagt, dass er ihre eckigen Knochen schon weich schleifen werde.

Das ist einer jener Augenblicke, in denen Tobias meint, etwas sagen zu müssen. Aber er bringt kaum den Mund auf, als der andere schon schreit:

»Maul halten! Was fällt dir denn ein, du Bauernfünfer!«

Tobias spürt, wie es ihm kalt über den Rücken läuft, und er spürt, wie ihn die Scham überläuft. Aber der Unteroffizier ist noch sehr jung und er will sich einmal mit ihm unterhalten. Am Abend trifft er ihn zufällig auf dem Kasernenhof. Tobias tippt ihm leutselig auf die Schulter und sagt:

»Auf ein Wort, mein Sohn.«

Der andere wird krebsrot im Gesicht und zieht die Brauen hoch.

»Wie bitte?«

»Ich mein nur«, sagt Tobias gutmütig, »ich nehme es dir nicht übel, das mit dem Bauernfünfer. Aber ich hab einen großen Hof daheim und, weiß Gott, meine Felder sind in Ordnung. Ich meine, das mit dem Bauernfünfer dürfte ned ganz in Ordnung sein.«

Der junge Mann lächelt ein wenig, schaut auf seine Armbanduhr und zündet sich eine Zigarette an.

»Da ist also dem Herrn Großbauern der Ton nicht vornehm genug. Seien Sie bloß froh, dass ich heute guter Laune bin. Immerhin – ich werde es mir merken.«

Dann geht er davon. Vor dem Kasernentor wartet ein Mädchen auf ihn.

Von da an schweigt Tobias wieder. Er wird stiller denn je und es mag sein, dass die Scham ihn schweigen lässt, denn er muss nun jeden Tag die Stiefel des jungen Mannes auf Hochglanz bringen und es wird ihm gesagt, dass das sogar eine Ehre sei.

Das ändert sich aber nach der kurzen Ausbildung. Es kann gar nicht schnell genug gehen, dass man den Nachschub hinausbringt. Nicht einmal einen kurzen Heimaturlaub gibt es noch. Der Krieg brüllt ihn an, das Dröhnen der Schlachten. Jetzt braucht er keine Stiefel mehr zu putzen. Der junge Mann ist übrigens nicht dabei, als scharf geschossen wird.

Zuweilen schreibt Tobias einen Brief nach Hause, rührende Briefe mit vielen Fehlern, die aber beweisen, dass er der Bauer geblieben ist, der er immer war.

»Auf den Loiblacker musst du Gerste säen«, schreibt er.

Oder: »Die Kartoffeln müssen am Karfreitag in der Erde sein.«

Am meisten liegen ihm die Kinder am Herzen. »Der Urban soll in meinem Bett schlafen«, schreibt er. »Dann bist auch ned allein in der Nacht.«

Lena wartet immer fieberhaft auf seine Feldpostbriefe, obwohl für ihre eigene Erbauung nichts drinsteht, nichts von Liebe, nichts von Sehnsucht nach ihr. Aber mit der Liebe ist es bei Tobias schon immer eine eigene Sache gewesen. Zärtlichkeiten hat er kaum gekannt, Schmeicheleien sowieso nicht.

Und so geht die Lena ganz auf in den Pflichten für den Hof. Eine schwere Last liegt auf ihren Schultern und es ist nur gut, dass die Riederermutter noch da ist, die sich wenigstens um die Kinder kümmern kann.

Die Zeit rennt dahin. Den alten Wegmacher Stelzl findet man eines Morgens neben dem Bach, dicht bei seinem Häusl; er ist bewusstlos. Die Angelschnur hat er noch in der Hand. Der Doktor stellt einen Gehirnschlag fest und lässt ihn ins Krankenhaus bringen. Dort stirbt er nach drei Tagen und vor Lena steht ein neues Problem. Am Abend nach der Beerdigung geht sie zum Bürgermeister und fragt:

»Stimmt es, dass ihr die Kordula in ein Heim schaffen wollt?«

»Ja, was bleibt uns denn übrig? Sie weiß sich doch allein ned zu helfen.«

»Kommt nicht in Frage«, sagt die Lena. »Ich nehm sie zu mir auf den Hof.«

Der Bürgermeister ist froh über diese Lösung, denn das erspart der Gemeinde die Kosten für die Heimunterbringung.

»Ja, nimm sie nur«, sagt er. »Obwohl, du hast es ja sowieso schon so schwer da oben auf deinem Berg. Was schreibt übrigens der Tobias?«

»Er lebt noch und demnächst wird er Urlaub kriegen, schreibt er.«

Ja, die Kordula kommt auf den Riedererhof und kann sich dort sehr nützlich machen, obwohl sie im Rollstuhl sitzt. Besonders als die Riederermutter zu kränkeln anfängt.

Diesen Abend verbringt die Lena wieder einmal im Elternhaus und sagt auch dort, dass Tobias bald Urlaub bekomme. »Dann lass ich ihn aber nimmer naus«, sagt sie und weiß schon, wie und wo sie ihn verstecken wird.

Manfred sitzt mit dem Maurer auf der Ofenbank und lächelt.

»Das geht vielleicht«, meint er, »wenn man weiß, der Krieg dauert bloß mehr ein paar Tage. Aber noch schaut es nicht danach aus.«

Mit bewundernswerter Tapferkeit hat der Manfred sich in seine dunkle Welt hineingefunden. Aber er weiß auch, dass nur Judiths Liebe ihn aus seinem Elend herausgeführt hat, dass er dadurch sein Leben wieder lebenswert finden kann. Demnächst wollen sie heiraten. Das ist bereits um die Zeit, als die deutschen Städte bombardiert werden.

Tritt ein Mensch ins Leben, ist seine Welt noch klein zwischen den fünf Brettern seiner Wiege. Jedenfalls ist der erste Schrei da, sein Leben hat begonnen, und wenn er sich dann durch Jahre hindurch gekämpft hat, dann warten wieder Bretter auf ihn, aber dieses Mal sind es sechs. Bei den Reichen sind es Bretter aus einem Eichenstamm, bei den Armen solche aus Fichtenholz. Und der letzte Schrei eines Erdenbürgers ist dann doch nur das Echo auf den ersten.

Bevor er aber den letzten Seufzer ausstößt, bittet man auf den Bauernhöfen noch den Pfarrer zu kommen. Das sagt dann meistens der Doktor schon, wenn er sieht, dass er mit seiner Kunst am Ende ist.

Und so nimmt auch der alte Pfarrer von Veilenstein den Weg durch das Dorf und geht bergauf durch die blühenden Frühlingswiesen nach Germ. Das Dorf schläft noch, aber die Sterne erbleichen schon im steigenden Licht des Tages, die Vögel erwachen und üben ihre noch schlaftrunkenen Stimmen.

Zu Germ liegt die alte Riederermutter im Sterben. In der Stube haben sich alle versammelt. Die Tür zur Schlafkammer steht offen, neben dem Bett brennt eine Kerze, es ist die gleiche Kerze, die die Riederermutter damals bei der ersten heiligen Kommunion getragen hat.

Der Pfarrer betritt die Stube und hebt den Leuten segnend das heilige Brot entgegen und man bekreuzt sich, in die Knie gesunken. Nur die beiden Franzosen stehen aufrecht, aber auch sie schlagen das Kreuzzeichen über der Brust. Dann wird die Kammertür geschlossen und der Pfarrer ist mit der Sterbenden allein.

Ein paar Stunden später sagt die Riederermutter »Amen«, legt den Kopf zur Seite und schließt die Augen zum ewigen Schlaf.

Das ist für Lena wieder ein schwerer Schlag, denn sie hat die Mutter ihres Mannes aufrichtig geliebt und hat ihr einst gemartertes Leben noch verschönt, so gut es gegangen ist. Sie hat ja nun niemanden mehr, mit dem sie reden kann, sich aussprechen, um ihre wachsende Angst loszubringen. Denn seit dem Herbst hat der Tobias nicht mehr geschrieben. Und jetzt ist Frühling. Manfred, der sie zuweilen an Sonntagen mit Judith besucht, sagt ihr zwar als Trost, er wisse aus Erfahrung, wie viel Feldpost verloren geht und dass man oft auch nicht schreiben könne im Getümmel der Schlachten. Doch er weiß auch, was ein halbes Jahr Schweigen bedeutet. Es kommt aber auch keine amtliche Nachricht von seinem Tod. Erst im Sommer, als sie schon bei der Roggenernte sind, teilt man ihr mit, dass der Soldat Tobias Riederer von einem nächtlichen Unternehmen nicht zurückgekehrt sei. Er sei vermisst.

Wer sich auskennt mit solchen Meldungen, der weiß, dass Vermisstsein so viel wie Tod heißen kann. Aber daran will Lena nicht glauben. Sie sagt immer zu ihren Kindern, dass der Vater, wäre er tot, sich sicherlich angemeldet hätte. Vielleicht wäre dann sein Soldatenbild von der Wand gefallen oder die Uhr mitten im Schlag stehen geblieben. Jedenfalls lässt sie keinen Heldengottesdienst für Tobias lesen, wie man ihr anrät, sondern nur eine stille Messe für sein Wohlergehen. Eine Zeit lang ist sie zwar gebeugt, aber dann richtet sie sich wieder auf, denn wenn dieser Sommer auch üppig über der Landschaft blühen mag, so deutet doch manches darauf hin, dass der Krieg seinem Ende zugeht. Das wissen am besten die beiden Franzosen, René und Marcel, die zu bestimmten Zeiten an den Knöpfen des alten Radioapparates so lange herumdrehen, bis sie den richtigen Sender erwischen und ihrer Bäuerin dann sagen können:

»Krieg bald zu Ende, Frau.«

Sie sagen manchmal auch »Mutter« zu ihr, denn sie werden von ihr behandelt wie zwei erwachsene Söhne. Und sie werden schon Recht haben, wenn sie sagen, dass der Krieg bald zu Ende sei, und diese Hoffnung lebt langsam in allen auf, denn man sieht ja, dass ganze Geschwader silberner Vögel jetzt schon von Süden her über die Berge kommen, um Bomben über den südlichen Städten des Landes abzuwerfen. Manchmal erfüllt ein dumpfes Gepolter von weit her die Stille der Nächte. Manfreds Mutter bringt ihre Möbel aus der Stadt. Sie wohnt nun im Zuhäusl des Maurerhofes und weiß zu berichten von den Schrecken einer Bombennacht in München.

Dessenungeachtet reifen die Felder der Ernte entgegen. Die Lena sitzt dann selbst auf dem Traktor, an den der Dreischarpflug gehängt ist. Schwarz glänzen die Äcker wieder, aufnahmebereit für die neue Saat. Schwer lastet die Verantwortung auf der Bäuerin und todmüde sinkt sie am Abend ins Bett.

Aber erst einmal geht noch ein schwerer Winter über das Land, bevor man sich ausrechnen kann, zu welchem Zeitpunkt einmal keine Jagdbomber mehr über die jungen Saaten hinbrausen und sogar auf einzelne Bauernfuhrwerke ihre Geschosse niederprasseln lassen. Lena hat es erlebt, mitten auf dem Acker. Sie ist auf dem Traktor gesessen, den kleinen Urban neben sich, da ist so ein silberner Vogel aus den Wolken gestoßen. Ratatata, hat es getan, und dann ein harter, klingender Aufschlag im hinteren Schutzblech. Um Zentimeter ist sie dem Tod entgangen. Aber sie ist mehr erstaunt als erschrocken gewesen und hat nur gedacht: Was hab ich denn dem getan, dass er mir ans Leben will?

Ja, es ist bald danach zu spüren, dass es dem Ende zugeht. Eilig strömen Fahrzeugkolonnen durch die blühende Frühlingslandschaft, möglichst auf Seitenwegen, dem Gebirge zu. Einzelne Trupps von fünfzehn bis zwanzig Mann, die kümmerlichen Reste einer Kompanie, fallen in die abgelegenen Bauernhöfe ein, weil sie die geschlossenen Dörfer meiden, denn dort sitzt sicherlich noch irgendein Stab, der weiterkämpfen will. Die Versprengten aber wollen nichts anderes mehr als ihren Hunger stillen, eine Nacht unter einem Dach schlafen, um dann am Morgen ihre Uniformen gegen einfache Bauernkleidung einzutauschen und unterzutauchen.

Eines Abends, gegen Ende April, kommt so ein versprengter Trupp, den ein Feldwebel führt, auch nach Germ.

»Ist der Bauer da?«, fragt der junge Feldwebel das Mädchen im Rollstuhl. Die Kordula erschrickt bis ins Herz hinein, nicht weil sie Angst hätte vor den Soldaten mit den Maschinenpistolen, sondern weil dieser Feldwebel dem Kilian zum Verwechseln ähnlich sieht. Auf der linken Seite seiner Uniform glitzern einige Orden; das Deutsche Kreuz in Gold, ein eisernes Kreuz und eine silberne Nahkampfspange. Sie starrt eine lange Weile nur auf diese Zeichen der Tapferkeit, dann sieht sie den Feldwebel an und sagt:

»Der Bauer ist vermisst.«

»Und die Bäuerin?«, will der Feldwebel fragen, als in diesem Augenblick die Lena aus der Haustür tritt.

Es sind ein paar ganz eigenartige Sekunden. Lena glaubt im ersten Augenblick, es handele sich um eine Vision. Nach einer Weile lächelt der Feldwebel. Er lächelt anders, als der Kilian es tat, nicht so bubenhaft unbeschwert, sondern wie ein Mann, der das Lächeln schon verlernt hatte. Seine Brust dehnt sich, und es hört sich wie ein Seufzer an, bis er dann fragt:

»Können wir eine Nacht hier bleiben? Ihr habt doch sicher Stroh genug. Und – wenn wir vielleicht – wir haben seit gestern nichts mehr im Magen.«

»Natürlich«, sagt Lena und wendet sich um. »Kordula,

176

schneid gleich Knödelbrot her und stell Kraut auf.« Sie zählt die Gestalten ringsum. »Nimm den grossen Hafen. Ich bring gleich Geräuchertes.«

Nach einer Stunde liegen die Soldaten in der Tenne in tiefem Schlaf. Nur der Feldwebel ist noch in der Stube und studiert eine Landkarte. Endlich hebt er den Kopf und sieht Lena an.

»Ich werde morgen über den Rofan gehen«, sagt er. »Kannst du mir was zum Anziehen borgen?«

Lena nickt und denkt, ob ihm vielleicht Tobias' Hochzeitsanzug passt?

Der Feldwebel zündet sich eine Zigarette an und sucht mit den Augen nach einem Aschenbecher.

»Hinter dir auf dem Fensterbrett«, sagt Lena. Und dann: »Wie ist das eigentlich, wenn einer vermisst ist? Taucht so einer irgendwann wieder auf?«

»Dein Mann ist vermisst, ich weiß. Wie lange denn schon?«

»Über ein Jahr bereits.«

Der Feldwebel, so jung er auch noch sein mag, hat viel Schreckliches erlebt. Seine Seele ist verhärtet. Mitleid ist ihm fremd geworden, sonst hätte er vielleicht anders geantwortet. So aber sagt er ohne Rührung:

»Dann kannst ihn ruhig abschreiben. Aber für eine Witwe bist du noch zu jung und – auch viel zu schön, um allein zu bleiben.«

»Ich werd aber nie mehr heiraten.«

»Beschwör nichts, junge Bäuerin. Die Welt ist so durcheinandergewirbelt worden, dass man im Augenblick überhaupt nichts sagen kann. Es kommt aber im Leben oft ganz anders, als man denkt.«

Lena stützt den Kopf in die Hände und schaut ihn lange schweigend an. Seine Uniform steht am Hals weit offen. Eine Locke seines blonden Haares fällt in die Stirn. Über seinen Augenlidern hängt schon der Schlaf. Und auf einmal, sie weiß selbst nicht, woher der Impuls kommt, fragt sie:

»Magst ein Schöpperl Rotwein?«

»Rotwein? Auf der Krim hab ich den letzten Rotwein getrunken.«

Sie muss dazu in den Keller. Er sieht ihr nach, wie sie durch die Stube geht, mit weitem, schwerem Schritt, der den Rock um ihre schlanken Beine spielen lässt. Er drückt die Zigarette aus, lehnt den Kopf an die Wand und schließt die Augen, hört gar nicht, dass die Lena wieder in die Stube kommt.

»Bist müd?«, fragt sie.

Er öffnet die Augen und nickt.

»Wir sind heut sechzig Kilometer marschiert.«

Er lächelt und beugt sich weit über den Tisch. Lena schaut in seine Augen. Sie weiß selbst nicht, was das ist, kann nicht wegschauen, gerät wie in einen Bann hinein, der sie verwirrt, aber sie hört jedes Wort, das er spricht:

»Tausende von Kilometern bin ich schon marschiert, vorwärts und zurück, aber nur einmal ist mir im Kaukasus ein Mädchen begegnet, das war wie du, so schlank und groß, mit einer ganzen Menge Güte im Herzen und mit einem Mund, so schön geschwungen wie der deine. Tatjana hat sie geheißen. Und wie heißt du?«

»Lena«, sagt sie wie in einer leichten Betäubung. »Und du?«

»Leopold. Irgendwo daheim in Südtirol.«

»Wo ein Mädchen auf dich wartet?«

Er schüttelt den Kopf. »Nur meine Mutter.« Er fasst über den Tisch hinüber nach ihren Händen. »Wie deine Augen leuchten, junge Frau – ach, lach doch ein kleines bissel, Lena.«

Hat schon jemals ein Mann in solcher Weise zu ihr gesprochen? Die Lena möchte aufspringen und fortrennen, aber sie sitzt wie angenagelt, und als seine Hände jetzt ganz zart über ihre nackten Arme streicheln, zuckt sie zuerst zusammen, um sich dann doch ganz der Zärtlichkeit hinzugeben, mit der seine Fingerspitzen über ihren Mund streicheln und über ihre Augen. Wie eine Erstarrung kommt es über sie. Aber dann reißt sie den Kopf zurück.

»Mach die Weinflasche auf. Ich hol die Gläser.«

Die nimmt sie aus dem Wandschränkchen hinter ihm. Bei

dieser Gelegenheit fasst er sie an der Falte ihres Rockes und zieht sie zu sich her auf die Bank, legt den Arm um ihren Nacken und küsst sie.

Lena weiß nicht, wie ihr geschieht. Sie erlebt so etwas zum ersten Mal. Das ist kein Küssen mehr, das ist ein Aufruhr, ein Aufwecken aller Sinne. Erschrocken reißt sie sich los.

»Um Gottes willen! Was tu ich denn?«

»Ja, was tun wir denn?« Er ist selber wie benommen und schenkt in seiner Verlegenheit den Wein ein. Dann hebt er sein Glas und lässt es leise an das ihre klingen. »Auf unsere Jugend«, sagt er. »Oder auf meinen Tod.«

»Wie kannst du vom Tod reden? Ach – Poldi, es ist so traurig.«

»Weil so viel Leben in uns glüht, meinst du? Das kann alles morgen schon vorbei sein. Der Krieg ist noch nicht aus und – ich bin noch nicht daheim.«

»Aber du wirst heimkommen. Ich will es, dass du zu deiner Familie kommst.«

»Was du willst, das zählt nicht, Lena. Ach, lass mich hinaus! Es ist so heiß herinnen.«

Er macht sich los von ihr und geht hinaus. Ohne dass er sie dazu aufgefordert hätte, folgt sie ihm.

Sie findet ihn unter dem Holunderstrauch, auf dessen weiße Blütenteller das Mondlicht fällt. Er steht an den Stamm gelehnt und schaut zu den Sternen auf. Und als die Lena auf ihn zukommt, streckt er ihr seine Hände entgegen.

»Ich hab gewusst, Lena, dass du kommen wirst.«

»Wie hast du das wissen können?«

»Weil wir beide so arm sind, weil wir ausgehungert sind in allem. Es ist so schön bei dir.«

»Ach, Poldi, so darfst ned reden mit mir.«

»Und grad zu dir. Lena. Wissen wir, was morgen ist? Es wird vielleicht nie mehr eine Stunde kommen wie diese. Und wir werden ihr nachweinen, wenn sie ungenutzt bleibt.«

Jäh begreift Lena, was er damit meint. Aufschluchzend wirft sie die Arme um seinen Hals.

»Ach, Poldi, was bist du bloß für ein Mensch.«

»Einer, der den glühenden Wunsch hat dich wieder zu sehen. Und ich werde wiederkommen, Lena, denn – dich hab ich lieb, Lena. Warum bist du mir nachgegangen? Sei still, du brauchst mir nicht zu antworten.« Er nimmt ihr Gesicht in seine Hände, beugt ihren Kopf leicht zurück. Das Mondlicht fällt in ihre Augen, ihr Mund ist voll Zärtlichkeit.

»Ach, du Mann, du fremder Soldat, ich weiß ned, du bist mir so vertraut, als hätten wir uns schon früher gekannt.«

Mit einem Seufzer umarmt sie ihn stürmisch.

»Du lieber Gott«, stöhnt sie. »Was tu ich denn? Was bin ich bereit zu tun!«

Der Feldwebel erwidert ihre Zärtlichkeiten. Unter dem Holunderstrauch lassen sie sich nieder. Das Gras ist so warm und weich und es ist so still ringsum wie in einem Wald, durch dessen Baumkronen der Mond sein Licht verschenkt.

Am nächsten Morgen gibt es ein ziemliches Durcheinander, bis alle zu einem Kleidungsstück kommen, mit dem sie sich leichter verkrümeln können. Für einige reicht es nicht mehr, denn den Anzug muss Lena für den Feldwebel zurückhalten. Der wartet noch bis zum Mittag. Er bittet Lena um eine kleine Tüte. Dort hinein legt er seine Auszeichnungen.

»Bewahr sie mir auf«, sagt er, »ich hole sie mir später.«

Lena ist schweigsam und niedergeschlagen. Sie wagt nicht mehr an die vergangene Nacht zu denken, sie meint, jeder am Hof müsse ihr anmerken, was zwischen ihr und dem Feldwebel gewesen ist.

Dann ist es so weit. Und immer wieder schieben sie die Minute der Trennung hinaus. Sie sind nicht allein. Die beiden Franzosen sind da, die Kinder, die Kordula, die Magd und der alte Florian vom Maurerhof, der wieder einmal für eine Woche auf den Hof gekommen ist. Lena hat in einen Rucksack etwas zu essen eingepackt, eine Flasche Wein dazu. Die Wegzehrung ist gut bemessen und Leopold sagt, dass er damit auskommt, bis er daheim ist.

»Geh du voraus, ich komme nach«, kann Lena dem Feldwebel zuflüstern.

Und dann stehen sie weitab des Hofes im Wald, wo der Weg sich zweigt zu den Almen hin. Lena ist von einer schweren Traurigkeit bedrückt. Sie hebt den Blick in seine Augen.

»Gott segne dich«, sagt sie. »Und verzeih mir das von gestern Nacht.«

Er umfasst ihre Schultern. Es fällt ihm schwer, sich von dieser wunderbaren Frau zu trennen.

»Da gibt es doch nichts zu verzeihen, Lena. Du tust ja gerade, als hätten wir ein Verbrechen begangen.«

»Wenn du sagst, dass es von mir aus gesehn keins war, dann will ich's dir glauben.«

»Ich seh nirgends einen Engel mit dem Flammenschwert.«

»Ja, dann ist's gut, Poldi. Leb wohl jetzt, ja – und küss mich noch einmal.«

Es ist so still im Wald. Ein Baumspecht hämmert in der Nähe, und durch die Lücken der Zweige stechen die Sonnenstrahlen. Ganz fern hört man ein dumpfes Grollen, das letzte Murren des zu Ende gehenden Krieges.

Sie reicht ihm beide Hände und zittert so sehr, dass die Zähne aufeinanderschlagen. Dann reißt sie sich gewaltsam los, rennt durch den Wald hinunter und schaut sich nicht mehr nach ihm um.

Ohne dass sie es will, fängt sie an zu weinen, leise, verzweifelt, wie ein Kind, das sich im Wald verlaufen hat. Beim Wegkreuz bleibt sie stehen und schaut auf den Hof hinunter.

Die Lena weint nun nicht mehr, schneuzt nur noch ein paarmal und schiebt das Kinn wie im Trotz vor. Sie weiß auf einmal auch gar nicht mehr, warum sie geweint hat, um den jungen Menschen, der nun über das Gebirge klettern will, um in seine Heimat und zu seiner Mutter zu kommen, oder wegen der einen Stunde in einer Frühlingsnacht.

Aber Tobias ist nicht da, Tobias ist tot, und einem Toten kann man nicht untreu sein.

Sie schüttelt alle Bedenken ab, so wie man Schneeflocken von einem Mantel schüttelt, bevor man in ein Haus tritt. Sie hat ja nichts verloren, alle sind da, die Kinder, die Kordula in ihrem Rollstuhl, die Franzosen. Sie stehen im Hof und schauen nach Westen, dort, wo ihre Heimat liegt. Die Kinder hängen sich an ihren Rock und lachen sie an. Nur Kordula hat eine Ahnung im Blick, etwas Wissendes, aber sie lächelt dann auch, als gönne sie der Lena das Erlebte der vergangenen Nacht, das noch auf ihren gebräunten Wangen blüht. Und dieses Leuchtende ist auch fernerhin in Lenas Gesicht und kommt erst wieder zum Erblassen, als sie weiß, dass für den kommenden Spätherbst wieder die Wiege vom Dachboden heruntergeholt werden muss.

Aber merkwürdig. Lena lässt sich in dieser Lage nicht niederdrücken. Erhobenen Hauptes geht sie durch den Sommer. Noch ist nichts sichtbar an ihr, noch ist es ihr Geheimnis. Der Krieg ist längst zu Ende, die Franzosen sind heimgekehrt und haben vor ihrer Abreise dem amerikanischen Oberst in der Ortskommandatur zu Veilenstein noch viel Rühmenswertes über die Frau Lena auf dem Berghof berichtet, so dass dieser da oben ein Off-Limit-Schild anbringen lässt, damit diese Frau durch niemand belästigt werde. Nur eine Flüchtlingsfrau mit zwei Kindern hat Lena aufnehmen müssen. Die Frau wartet auf ihren Mann. Lena wartet auf nichts mehr. Tobias lebt nicht mehr. Das sagen alle und sie selbst redet es sich auch ein. Aber auch der Feldwebel kommt nicht mehr, wie er es versprochen hat. An ihn denkt sie oft, muss sie ja gezwungenermaßen, besonders wenn sie die Monate zählt.

Sie tut viel Gutes in dieser Zeit, nicht weil sie damit ihr Gewissen beruhigen möchte, sondern weil das Mitleid ihr Herz bewegt mit allen, die da kommen und denen der Hunger aus den Augen schreit. Ja, es ist viel Not im Land und die Städter kommen scharenweise, um ein paar Eier einzutauschen, ein bisschen Mehl oder Fett für oft sehr wertvolle Sachen. Lena braucht kein Klavier oder goldene Ringe. Sie gehört nicht zu jenen, die einen Perserteppich für ihre Bauernstube brauchen, in die er gar nicht passt. Was sie entbehren kann, gibt sie und manch Hilfesuchender singt ein Loblied auf die Bäuerin von Germ. Aber das sind Ortsfremde. Die Einheimischen beginnen zu tuscheln und mit dem Finger auf die Lena zu zeigen. Sie hat aufgehört, sonntags in die Kirche hinunterzugehen, denn was die Dorfleute betrifft, so halten sie mit ihrer Meinung nicht zurück. Die Lena wäre für den Pfarrer ein Exempel für eine scharfe Sonntagspredigt über die sinkende Moral.

In dieser schweren Zeit ist es Manfred Büchner, Judiths blinder Mann, der für Lena Partei ergreift. Als das Gewürm der üblen Nachrede auch über die Türschwelle des Maurerhofes kriecht, wird die Stirn unter dem weißen Haar des Vaters ganz dunkelrot.

»Wie kann sie uns das bloß antun!«, schreit er und ist schon wieder wie damals versucht, mit einem Stecken nach Germ hinaufzurennen. Auch die Judith, um diese Zeit ebenfalls hochschwanger, weiß sich den Fehltritt der Schwester nicht zu deuten.

»Was wollt ihr denn?«, fragt Manfred. »Auch Steine aufheben und nach ihr werfen, wie die andern es tun, von denen so manche vor der eigenen Türe kehren sollten? Lena hat es doch schwer genug gehabt da oben auf ihrem Berg. Zuerst schon mit dem Alten, dann mit Tobias. Vielleicht war es auch schwer mit ihm zu leben. Und da fliegt wie ein Funke etwas Glanz in ihr Leben, mein Gott, man muss die Wirrnisse jener Zeit beim Zusammenbruch bedenken. Muss sie denn nicht glauben, dass Tobias tot ist? Lasst sie doch in Ruhe! Damit muss sie ganz allein fertig werden. Aber wir müssen ihr dabei helfen und dürfen sie nicht auch verdammen. Ich werde morgen zu ihr gehn. Sie muss wissen, dass sie nicht allein steht.«

»Ja, wenn du meinst, Manfred«, sagt Judith.

Und so geht die Zeit dahin. Mitte Dezember beginnt es zu schneien und der Schnee bleibt auch gleich liegen. Die Feiertage gehen still vorüber, und im Januar bringt Lena ein gesundes Mädchen zur Welt.

»Du musst Tobias für tot erklären lassen«, sagt Manfred, nun selbst Vater eines Buben. »Ordnung muss ja schließlich sein. Und wahrscheinlich bekommst du dann auch eine Kriegsgefallenenrente.«

»Ich will kein Geld für seinen Tod«, sagt Lena stur. Will

sie doch noch warten? Ja, sie wartet ein weiteres Jahr und das Mädchen Maria geht nun schon mit flinken Beinen über den Hof und streut den Hühnern aus ihrer kleinen Hand Körner aufs Pflaster.

Urban fragt längst nicht mehr nach dem Vater und die Zwillinge haben ohnehin kaum noch eine Erinnerung an ihn. Aber sie alle lieben ihre kleine Schwester, die den Kopf voller blonder Schneckerln hat und so helle Augen.

Nein, Tobias kommt nicht mehr. Die Lena wird ihn nun doch für tot erklären lassen, damit es seine Ordnung hat. Manfred will zu diesem Zweck mit ihr in die Kreisstadt fahren. Er sieht zwar nichts, aber er kann reden, er kennt sich aus in den Dingen und hat auch die Paragraphen dafür im Kopf. Zuvor aber müht sich eines Tages eine ältere Frau in Tiroler Tracht über den Berg herauf und fragt nach ihrem Sohn Leopold. Kameraden hätten ihr gesagt, dass sie hier zuletzt noch beisammen gewesen seien. Er habe über die Berge zu ihr heimwollen, aber bis heute sei er noch nicht angekommen.

Lena erschrickt noch viel mehr als bei der Vermisstmeldung ihres Mannes.

Ja, Leopold sei hier gewesen und sei in Zivilkleidern und mit einem Rucksack fortgegangen. Das sei genau am 30. April gewesen. Über den Rofan habe er gewollt. Heim zu seiner Mutter.

»Ich bin die Mutter«, sagt die Frau, nimmt den angebotenen Platz dankend an und trinkt den Himbeersaft, den Lena ihr hinstellt, weil sie sagt, dass sie durstig sei von dem langen Weg. »Warum wissen Sie den Tag so genau?«

Lena nimmt das Kind auf ihren Schoß.

»Weil – weil ich den Tag nie in meinem Leben vergessen werd.«

Nein, Leopold ist nicht heimgekommen zu seiner Mutter. Hat ihn die Pranke des Krieges noch erschlagen oder ist er in den Wänden des Rofan abgestürzt? Das wird ein ewiges Rätsel bleiben, denn selbst wenn man jetzt nach Jahren noch in den Bergen irgendein Skelett fände, so weiß doch niemand, ob dies der Feldwebel Leopold Kiermayer ist, denn seine Erkennungsmarke – sie liegt in der Tüte mit den Ordenszeichen, die Lena aus der Schublade der Kommode hervorkramt und der fremden Frau übergibt.

Die Frau legt diese Orden vorsichtig in ihre große Handtasche. Aus ihren Augen fallen Tränen und ihre zitternden Hände streicheln über die Wangen des Kindes.

»Genauso hat mein Poldi als Kind ausgeschaut«, sagt sie.

Lena ist es, als schnüre jemand ihr Herz zusammen. Nach Luft ringend, will sie schreien und kann es doch nicht.

Sie bietet der Frau an ein paar Tage zu bleiben. Aber die Frau will nicht, sie will zurück. Sie hat ein Haus und ein Lederwarengeschäft, das ihr Sohn einmal hätte übernehmen sollen. Sie habe gehofft, dass sie ihn vielleicht hier noch finden könne. Aber nun bleibe ihr nichts mehr übrig, als ihn zu betrauern. Sie schaut bei allem, was sie spricht, nur immer die kleine Maria an.

Dann geht sie wieder. Lena schaut ihr nach, bis sie unten im Hohlweg verschwindet. Dann übergibt sie Kordula die Kleine, geht in ihre Kammer, wirft sich auf das Bett und weint so bitterlich wie noch nie zuvor.

Am nächsten Tag fährt sie mit ihrem Schwager Manfred in die Kreisstadt und lässt ihren Mann Tobias Riederer für tot erklären.

»Damit Ordnung ist«, sagt sie bitter, »und dass man seinen Namen auch auf dem Kriegerdenkmal einmeißeln kann.«

Ganz anders ist das Leben wieder, wenn nach einem langen Winter der Frühling heraufzieht, wenn alles blüht, die Kirschbäume, die Blumen im Garten und auf den Wiesen und auch der Holunder. Der Kuckuck schreit in den Tiefen des Waldes und die Schwalben sind wieder da. Die Saaten grünen und die Kartoffeln strecken schon ihre kleinen Triebe aus dem Boden. Manchmal in der Nacht fällt etwas Regen, damit alles so richtig wachsen und gedeihen kann und die Arbeit des Bauern sich lohnt.

Die Kirschblüten fallen bereits ab, und der Holunder setzt

schon kleine Perlen an. An so einem Abend, Ende Mai, sitzt Lena mit den Kindern und allen Leuten, die auf dem Hof sind, müde auf der Hausbank und bespricht mit den Männern die Arbeit für den kommenden Tag. Man will mit der Heumahd beginnen. Leute hat sie genug. Ein paar heimatlos gewordene Soldaten arbeiten auf dem Hof. Eine Magd ist da, Kordula, die Lena als ihre große Tochter betrachtet. Die Flüchtlingsfrau mit ihren zwei Kindern ist auch noch da und wartet auf ihren Mann. Sie weiß wenigstens durch seine spärlichen Briefe, dass er noch lebt und in Gefangenschaft ist. Aber Lena hat es ja nun schwarz auf weiß, dass der Tobias tot ist.

Es ist so still und beinahe feierlich ringsum. Das Abendrot ist ausgebrannt, Dämmerung zieht langsam vom Tal herauf und am Himmel steht die bleiche Sichel des wachsenden Mondes.

Kordula ist die Erste, die die Gestalt auf dem Weg heraufkommen sieht, und schiebt ihren Rollstuhl zur Lena hin.

»Da kommt noch jemand.«

Die Lena reckt den Hals, nimmt dann die kleine Maria von ihrem Schoß und gibt sie Kordula in den Rollstuhl. Dann steht sie auf und steht in lodernder Angst da, denn der da langsam den Berg heraufkommt – du lieber Gott, das darf ja nicht wahr sein! Aber niemand sonst hat einen solchen Schritt, niemand schlenkert beim Gehen den rechten Arm so wie Tobias.

Ja, es ist Tobias, der nun Jahre nach dem Krieg aus Sibirien heimkehrt. Die Lena kann ihm keinen Schritt entgegengehen. Ihre Füße sind bleischwer. Es sind die letzten Minuten, bevor sich schwere Schatten auf ihr Leben legen.

Nun steht er beim Gartenzaun, dicht neben der Holunderstaude. Man sieht trotz der Dämmerung, dass sich eine rote Narbe von der Stirn bis zu seiner Schläfe zieht. Langsam breitet er die Arme aus. Aber die Lena sinkt nicht hinein in diese Arme, sie möchte lieber in den Boden hinein versinken und ergreift nur seine Hände.

»Tobias«, stammelt sie. Ein Aufschluchzen und nochmals: »Tobias!«

Er atmet tief und seine Augen gehen bereits über Lena hinweg über den Hof hin, sie erfassen die vielen Menschen auf der Hausbank und er schüttelt den Kopf. So viele Kinder, denkt er, und sein Blick sucht die seinen heraus. Das schon so große Bürscherl, das muss der Urban sein. Dann der Kilian und die Magdalena. Urban springt auf ihn zu und befühlt die dicke, mit Watte ausgestopfte unförmige Jacke, die der Heimgekehrte trägt, und die merkwürdige Pelzkappe, die er weit aus der Stirn geschoben hat. Die andern zwei sehen ihn mehr ängstlich als bewundernd an. Tobias legt ganz kurz seine schwere Hand auf die Köpfe der Kinder, dann geht er an den übrigen Leuten vorbei in die Stube. Lena folgt ihm mit den Kindern.

»Nein, dass du kommst!«, sagt sie hilflos und weiß weiter nichts zu sagen.

Das mag aber auch an Tobias liegen, von dem sie erwartet hat, dass er sie stürmisch in seine Arme reißen würde. Aber das hat er früher schon nicht getan und kann es jetzt auch nicht. Er sieht sich in der Stube um, zieht die schwere Jacke aus und setzt sich auf die Ofenbank und fragt plötzlich:

»Und die Mutter? Wo ist die Mutter?«

»Die Großmutter ist gestorben«, sagt Urban an Lenas Stelle.

Lena fügt nur hinzu: »Und von dir haben sie auch alle gesagt, dass du gefallen bist.«

Er lächelt ganz dünn, wie Menschen, die keine Zähne mehr haben. »Ich leb aber, ja, und – jetzt bin ich da.«

»Und du wirst Hunger haben und Durst. Ich richte dir gleich was her.«

Tobias isst ganz langsam und nur kleine Brocken. Dazwischen nimmt er einen Schluck Bier. Auf einmal hält er inne und deutet mit dem Zeigefinger auf die Kinder.

»Du bist der Urban, du bist der Kilian und du die Magdalena.« Dann geht sein Blick zum Kanapee, wo die kleine Maria sitzt. »Und was ist das für eine?«

In Lenas Gesicht ist kein bisschen Farbe mehr und sie gerät bei jedem Wort ins Stottern.

»Das ist – auch unser Kind – Maria heißt sie – ein braves, liebes Dirndl. Du wirst sie schon auch mögen, Tobias.«

Er legt Messer und Gabel weg. Er stellt keine Frage, steht auf und betrachtet das Kind. Seine Brauen schieben sich schmerzhaft zusammen. So blond ist dieses Kind, so kraus und blond. Die andern drei sind dunkel. Er dreht den Kopf und sieht sie alle der Reihe nach musternd an. Dann sagt er:

»Mir ist viel durcheinandergekommen in der Zeitrechnung, aber von einem vierten Kind – nein, von einem vierten Kind weiß ich nix.«

»Ja – wie soll ich dir denn das erklären, Tobias«, stammelt Lena.

»Du brauchst mir gar nix erklären«, antwortet er und sieht sie mit einem sonderbaren Blick an. »Ich kenn mich schon aus.«

Dann geht er mit schwerem Schritt durch die Stube in die Kammer und haut den Riegel hinter sich zu, dass es wie ein Schuss durch die Stube dröhnt.

Die Lena ist ratlos, wirklich ganz und gar ratlos. In den schwierigsten Lagen ist sie nicht so hilflos gewesen wie jetzt. Sie bringt die Kinder ins Bett. Dann zieht sie ihre Oberkleider aus wie jeden Abend und will in die Kammer. Aber sie ist versperrt. Sie klopft an die Tür.

»Tobias, mach auf.«

Es rührt sich nichts und Lena denkt verzweifelt: Ich brauch doch diese Nacht für meine große Beichte. Du galtest für tot, wird sie sagen. Das ist amtlich niedergeschrieben. Aber ich hätte nie wieder geheiratet. Und das blonde Kind, Tobias, du musst das verstehen, ich war so allein, versteh es doch, Tobias.

Aber hinter der Tür bleibt es still. Sie schlägt mit den Fäusten daran, die Tür öffnet sich nicht. Es bleibt Lena nichts anderes übrig, als sich auf das Kanapee schlafen zu legen, sofern sie überhaupt wird schlafen können. Sie schläft auch wirklich erst ein wenig ein, als es vor den Fenstern bereits wieder graut und die Hähne zu krähen anfangen.

Dann geschieht etwas Seltsames. Kaum dass sich die Fenster der Stube im steigenden Taglicht ganz erhellen, tritt Tobias aus der Kammer, geht vor das Haus und weckt mit schrillem Pfiff alle noch Schlafenden.

Und dann müssen sie antreten, auch Kordula muss ihren Rollstuhl in die Reihe schieben. Mit heiserer Stimme schreit er die Kommandos. Er lässt ausrichten und stillstehen. Dann schreitet er die Reihe der auf dem Hof Stehenden ab. Die Lena steht wie eine Säule, die im Wind schwankt, und hält das Kleinste im Arm.

Erst als einer von den Männern in der Reihe fragt, was denn das zu bedeuten habe, reißt Tobias die Hacken zusammen und sagt drei- oder viermal hintereinander: »Zu Befehl, jawoll, zu Befehl.«

Da erkennen sie jäh, dass dieser Mann von einem schrecklichen Wahn besessen ist. Er streicht sich wie erwachend über die Stirn, über die nun dunkelrot leuchtende Narbe, lässt die Hände sinken, steht hilflos da und weint. Die Lena nimmt ihn voll grenzenlosen Mitleids an der Hand und führt ihn ins Haus.

Die Tage gehen dahin, zwei, drei Tage. Die Lena versucht, einen Weg in seine Verworrenheit zu finden, und streut dabei ganz vorsichtig Worte ein, wie verlassen sie die ganze Zeit gewesen sei, und er sehe ja, dass die Felder gut bestellt seien, im Stall sei auch alles in Ordnung, das alles könne doch ein bisschen was aufwiegen von dem, was er nicht verstehen könne. Tobias sagt überhaupt nichts, er ist wie ein Fisch und hat Lena seit seiner Heimkehr noch kein einziges Mal in die Arme genommen. Aber oftmals betrachtet er das fremde Kind.

Nein, Tobias ist nicht mehr der, der er früher war, sondern nur mehr ein armseliger Mensch, den der Krieg zermalmt hat. Ein Vater, über den seine Kinder lachen, einschließlich des jüngsten, das ihn nichts angeht. Die Kinder lachen, weil er so gerne Soldat spielt, weil er bei jedem Wort strammsteht und sogar um die Mittagszeit, wenn das Tischgebet gesprochen wird, die Hände an der Hosennaht hat und mit starrem Blick in den Herrgottswinkel starrt.

Natürlich spricht sich herum, dass Tobias Riederer völlig verstört aus dem Krieg heimgekehrt ist. Aber man muss doch etwas tun, man muss ihm doch helfen. Lena setzt viel in Bewegung. Der Arzt interessiert sich dafür, dann mehrere Ärzte in der Kreisstadt. Und eines Tages bringt man ihn in ein großes, am Rand der Hauptstadt gelegenes Gebäude. Man will ihn dort genau untersuchen. Es sind viele Ärzte da in weißen Mänteln, sie sind still und voller Geduld. Sie fragen behutsam und bieten ihm Zigaretten an. Und sie sagen ihm, dass er für eine Weile bei ihnen bleiben müsse. Sie sagen ihm, dass dies ein Sanatorium sei, und Tobias nickt zu allem und scheint zufrieden.

Nur als ein Pfleger ihn in ein Zimmer führt und er die vergitterten Fenster sieht, wehrt er sich und stößt den Pfleger gegen die Wand. Und dabei erfüllt sich sein Schicksal, als der Pfleger sich wehrt und mit dem Schlüsselbund die Narbe über der Schläfe trifft.

Einen Augenblick wankt der Riese von Germ, stiert den Mann an und bricht dann leblos und ohne einen Laut auf dem blank geputzten Parkettboden zusammen.

Rauschenden Flügelschlägen gleich gehen die Jahre dahin. Der Vorhang hebt sich, zeigt neue Dekorationen und schließt sich wieder. Aber es ist immer dieselbe Bühne, auf der sich alles abspielt. Nur die Darsteller wechseln. Es sind nicht mehr dieselben, die ihr Tagwerk beginnen. Die Menschen öffnen sich schnell dem neuen Zeitgeist, werden der Erde untreu und flirren davon wie Falter, strömen in die Städte, weil dort das Leben viel abwechslungsreicher, viel bequemer ist. Man braucht sich nicht sorgen dort, ob die Sonne das Korn reifen lässt, ob ein Landregen die Wiesen überschwemmt oder Hagel die Blüten zerstört.

Die aber, die bleiben und ihre Wurzeln nicht lösen können aus dem Boden der Heimat, die tragen alles geduldig und nehmen es hin, wie Gott es fügt. Wie dieser Blinde vom Maurerhof zum Beispiel. Es ist bewundernswert, mit welcher Tapferkeit er sein Schicksal trägt und wie er immerzu unterwegs ist und sich nützlich machen kann. Er sieht zwar nicht, wie seine beiden Kinder aussehen. Das muss ihm seine Mutter, die seit Kriegsende im Maurerhof das Zuhäusl bewohnt, oder die Judith sagen. Mit den Fingern tastet er die Gesichter seiner Kinder ab, die leichte Wölbung über den Augen, die kleinen Nasen, die Wangen und die Münder, dann weiß er, dass sie genau der Judith gleichsehen. Und er weiß, dass der Maurervater bereits auf die Achtzig zugeht, dass sich sein Rücken immer mehr krümmt, als wolle er mit jedem Tag mehr in die Erde hineinwachsen.

Regelmäßig, fast jede Woche einmal, geht er nach Germ hinauf. Er geht den kurvigen, steilen Weg, als wäre es eine ebene Straße, und wenn ein Hindernis kommt, dann knurrt sein Hund. Ja, nach Germ geht er gern, zu Lena, zu der Frau, die mit selbstvergessener Treue dem Hof dient und ihre Kinder so erzogen hat, dass sie nicht der Hektik dieser Zeit erliegen und alles, was von den Ahnen kommt, in ihren Herzen bewahren.

Der Urban geht nun schon hinter dem Pflug. Er ist schweigsam, wie es sein Vater gewesen ist, hat aber die rasche Auffassungsgabe und Entschlusskraft seiner Mutter geerbt. Kilian ist auf der Landwirtschaftsschule und Magdalena hilft der Mutter in Haus und Stall. Und was Maria betrifft, sie hat sich zu einer besonderen Schönheit entwickelt.

Ja, auch dieses Mädchen ist in die Jahre gekommen, wo es verständlich ist, wenn sie nach der Liebe fragt. Aber Kordula in ihrem Rollstuhl weiß nichts Genaues darüber zu sagen. Vielleicht wenn man für einen andern Menschen sterben möchte, meint sie. Oder wenn man, wie sie, jedes Mal, wenn sie ins Dorf kommt, ein paar Blumen auf einen Grabhügel legt, wo neben dem Marmorstein ein kleines Kreuz aus Birkenholz steht.

Aber das nennt man ja wohl Treue.

Ja, und so lebt nun die Lena ihre Jahre. Sie hätte wahrhaftig nicht allein leben müssen. Sie ist ja eine begehrenswerte Partie. Aber sie denkt nicht an eine neue Ehe. Es kommt kein Feldwebel über den Rofan zurück und auch der Kinder wegen will sie nie mehr heiraten.

Am liebsten sitzt Lena abends am Holunderstrauch, unter den weißen Blüten oder den schwarzen Perlen. Ihr Rücken lehnt am Stamm, die Hände sind im Schoß gefaltet, die Augen geschlossen, als träume sie ihrem Leben nach, Station um Station, die dunklen wie die hellen Jahre, bis dann die Sternblumen über den Bergen zu blühen beginnen und der Nachtwind sanft und geheimnisvoll in den Zweigen des Holunderbaumes zu rauschen beginnt.

Dann geht sie ins Haus, in dem alle Geborgenheit ihres einfachen und doch so erfüllten Lebens liegt.

Hans Ernst

Der
verlorene Hof

Roman

1

Als Severin Lienhart den Weg vom Bahnhof zum Dorf Bernbichl beschritt, läutete auf dem Sattelturm der Kirche die Elfuhrglocke. Es war ein warmer Tag, Mitte des Monats Juni. Die Sonne strahlte aus einem wolkenlosen Himmel und das schöne Wetter ließ vermuten, dass eine gute Heuernte eingebracht werden konnte.

Severin hatte seine Joppe abgenommen und über den Arm gehängt. Dennoch lief ihm der Schweiß übers Gesicht, obwohl der Weg vom Bahnhof bis zum Dorf kaum eine Viertelstunde ausmachte. Er war ein noch junger Mann, bestimmt noch keine dreißig Jahre alt, groß und schlank, aber erschreckend mager.

Auch in anderer Hinsicht wirkte er nicht gesund und glücklich: Die Augen lagen tief in den Höhlen, und um den schmalen Mund lag ein Zug von Bitterkeit.

Nun blieb der Wanderer stehen, nahm den Hut ab und fuhr sich mit dem Handrücken über die Stirn. Das blonde, wellige Haar war naß von Schweiß. ›Ich bin zu rasch gegangen‹, dachte er, und schämte sich seiner Kraftlosigkeit, denn schließlich war er ja früher nie schwächlich gewesen. Doch im Moment kam er sich vor wie ein armseliges Wrack. Wahrhaftig, er musste sich jetzt ein wenig hinsetzen, um am Rande des Weges auszuruhen.

Mädchen mit weißen Kopftüchern und braun gebrannten Gesichtern gingen an ihm vorüber und hielten ihn wohl für einen Landstreicher, denn er hatte keinerlei Gepäck bei sich. Und was für ein hochmütiger Landstreicher, denn er reagierte auf keinen der lachenden Blicke, sondern schaute nur mit müden, glanzlosen Augen hinter ihnen her und dachte: ›Das ist das Leben, das sprühende, brausende Leben, auf das noch kein Schatten gefallen ist.‹

Da kam ein halbwüchsiger Bub vorbei. Ihn fragte Severin nach dem Eggstätterhof. Die Antwort, die er erhielt, war ausführlich und genau: »Ja, da musst du jetzt geradeaus bis zur Kirche, dann beim Brandner rechts um die Ecke, links über die Bachbrücke, dann den Hügel hinauf und wieder ein kleines Stück nach rechts, und dann siehst du ihn schon rechter Hand liegen, den Eggstätterhof.«

»Danke«, sagte Severin und konnte sich eines Lächelns über den Eifer des Jungen nicht enthalten. So ausführlich hatte er die Wegbeschreibung nun auch wieder nicht gebraucht. Er stand auf, streifte ein paar Grashalme von seinem Ärmel und machte sich auf den Weg.

Er bog also gemäß der Beschreibung rechts bei der Kirche ab, überquerte die Brücke über den Bach, in deren Mitte ein steinerner Heiliger thronte, und dann sah er schon, kaum zweihundert Schritte vor sich auf einer Anhöhe den Eggstätterhof mit seinen weißen Mauern und dem dunklen Gebälk.

Im Hof machte sich gerade ein junger Bursche mit einem Werkzeugkasten neben sich an der Mähmaschine zu schaffen. Den fragte Severin, ob er hier richtig sei beim Eggstätter.

»Ja, ist schon richtig. Der Vater ist drinnen. Aber wir brauchen keinen Arbeiter«, sagte der Bursche.

»Ich habe auch gar nicht die Absicht, hier zu arbeiten«, antwortete Severin. »Sind Sie der Sohn?«

»Ja, der bin ich«, gab der Gefragte zu und schaute jetzt den Fremden ein wenig genauer an. Er konnte sich wohl keinen Reim darauf machen, wer dieser sein könnte, doch er schien nicht über die Maßen neugierig darauf zu sein, es zu erfahren, denn schließlich wandte er sich von dem Fremden ab und wieder der geöffneten Motorhaube des Mähdreschers zu.

Severin sah sich im Hof um. Wahrhaftig, ein schöner Besitz. Aus jedem Winkel schien die ruhige Behaglichkeit eines gesicherten Wohlstandes zu strömen. Über der Haustür war ein Wappen in die Mauer eingelassen, das sehr alt aussah und die Jahreszahl 1765 trug; darunter stand an die weiße Wand gemalt: »Renoviert im Jahre 1980 von Andreas und Magdalena Birkner.«

Ganz richtig, Birkner hieß der Bauer, zu dem Ralph Kirchhoff ihn geschickt hatte, Eggstätter war nur der Hofname.

Severin klopfte an die Tür, hinter der er Stimmen vernahm. Da niemand »Herein« sagte – vielleicht hatte man sein Klopfen auch gar nicht gehört – trat er ein. Die Leute des Hofes saßen um den großen viereckigen Tisch und warteten auf das Mittagessen.

»Verzeihung, wenn ich störe. Ich möchte den Eggstätter sprechen.« Ein Mann in der Mitte des Tisches, offenbar der Bauer, stand auf und richtete seine Augen auf den Fremden.

»Ich bin der Eggstätter. Was wünschen Sie?«

»Arbeiter brauchen wir im Moment nicht«, ließ sich schnippisch eine weibliche Stimme am Tisch vernehmen.

›Schon zweimal der gleiche Satz‹, dachte Severin. Der Bauer aber wandte langsam den Kopf.

»Halt den Mund, Barbara. Das sieht man doch, dass der Herr keine Arbeit sucht.«

Das Mädchen bekam einen roten Kopf, zumal sie den Blick des Fremden auf sich ruhen fühlte. ›Hübsch ist sie‹, dachte Severin.

»Was will der Herr?«, fragte der Bauer, und Severin wurde aus seinen Betrachtungen gerissen.

»Herr Kirchhoff verwies mich an Sie. Hier würde ich den Schlüssel zu seinem Jagdhaus ausgehändigt bekommen.«

Wieder hefteten sich die grauen Augen des Bauern auf ihn. Dann nickte er. »Das ist richtig. Aber nehmen Sie zuerst einmal Platz. Sie werden hungrig und müde sein.«

Im selben Augenblick trug die Bäuerin die dampfende Schüssel auf, und der Bursche, den er vorhin angesprochen hatte, folgte ihr auf dem Fuße.

»Richte für den Herrn dort auch was zum Essen her«, sagte der Bauer und deutete mit dem Daumen auf Severin, der an dem kleinen Tisch neben dem Kachelofen Platz genommen hatte. »Der Kirchhoff hat ihn geschickt.«

Die Eggstätterin mochte gut ihre zwei Zentner wiegen, während der Bauer schlank und hager war. Als sie hörte, dass der Fremde von Kirchhoff kam, fing sie sofort an, eine Menge Fragen zu stellen: Ob der Herr Kirchhoff auch noch kommen werde, wie es der Frau Kirchhoff gehe und ob der Sohn schon geheiratet habe, den sie schon gekannt habe, als er noch ein ganz kleiner Bub war.

Severin gab Antwort, soweit es in seinen Kräften stand, und er war bereit, ihr so lange Rede und Antwort zu stehen, bis sie zufrieden war, aber da sagte der Bauer: »Bring ihm was zu essen! Von deiner Fragerei wird er nicht satt.«

Nach dem Essen setzte sich der Bauer zu Severin an das kleine Tischchen. »Es wird am besten sein, wenn ich gleich selbst mit hinaufgehe. Ich habe sowieso etwas nachzuschauen droben in meinem Wald, und es ist kein großer Umweg zum Jagdhaus Ludwigsruh.«

Severin langte in seine Rocktasche und zog einen Brief hervor. »Diesen Brief hat mir der Herr Kirchhoff für seinen Jäger mitgegeben. Wie kann ich den Mann am besten erreichen?«

»Unter der Woche sehr schwer, weil er sich dann die meiste Zeit am Berg aufhält. Aber am Samstagabend kommt er normalerweise immer ins Dorf zu seiner Mutter. Lassen Sie den Brief einfach bei mir, ich sorge dafür, dass der Anderl ihn am Samstag bekommt.«

»Vielen Dank, Herr Eggstätter.« Severin lehnte sich zurück, zündete sich eine Zigarette an und schaute zum Fenster hin, wo soeben die Leute des Hofes vorübergingen. Große und starke Gestalten waren es.

Der Bauer sprach wieder. »Was ich noch fragen wollte, Gepäck haben Sie keins dabei?«

»Doch, doch, natürlich habe ich Gepäck. Es lagert noch drunten am Bahnhof. Könnten Sie es vielleicht abholen lassen?«

9

»Morgen früh muss der Lukas ohnehin ins Dorf«, meinte der Eggstätter. »Es hat doch Zeit bis morgen?«

»Ohne weiteres. Es eilt gar nicht«, antwortete Severin.

Kurze Zeit darauf wanderten beide bergwärts. Ein leichter Wind bewegte das grüne Wipfelmeer des Bergwaldes, zwischen dem sich zuweilen die helle Fläche eines Almfeldes abhob.

Der Bauer deutete mit ausgestreckten Hand in südwestlicher Richtung. »Sehen Sie den hellen Fleck dort oben? Das ist meine Alm. An die vierzig Stück Vieh habe ich da droben.«

»Und wer bewirtschaftet sie?«

»Die Johanna.«

Er erklärte nicht weiter, wer Johanna war, doch sie würde wohl eine seiner Mitarbeiterinnen sein. Severin sah keinen Grund, um eine nähere Erklärung zu bitten, und wollte statt dessen lieber die Namen der Berggipfel wissen. Der Bauer erklärte sie ihm, soweit sie sichtbar waren, kam aber dann bei der nächsten Gelegenheit sofort wieder auf seine Alm zu sprechen.

Dabei schritt er rasch aus, so dass Severin, der das Bergsteigen nicht gewohnt war, ihm kaum folgen konnte. Unwillkürlich blieb er stehen und presste die Hand gegen das Herz.

»Gehe ich Ihnen zu schnell?«, fragte der Eggstätter.

»Ja, entschuldigen Sie bitte, aber ich bin noch nicht ganz auf der Höhe und sollte ein bisschen langsamer gehen. Ich bin vorgestern erst aus dem Krankenhaus gekommen.«

»Ach so. Na, ich hatte mir schon gedacht, dass Sie krank gewesen sein müssen. Sie sehen überhaupt nicht gut aus. Na – die Luft und die Ruhe da droben im Jagdhaus, die werden Ihnen sicher gut tun.«

»Ja, Ruhe ist genau das, was ich im Moment am nötigsten brauche. Ich freue mich darauf, hier eine Weile bleiben zu können. Wie nennt sich die Graskuppe da drüben mit der Kapelle?«

»Das ist der Osterberg«, erklärte der Eggstätter. »Am Sankt-Georgs-Tag kommen die Leute von weither zur Wallfahrt auf den Osterberg.«

»Und der Hof links davon?«

»Das ist der Margaretenhof gewesen.«

»Wieso gewesen?«

»Ja, es haust schon seit ein paar Jahren niemand mehr dort, und allmählich fällt er ganz zusammen. Im letzten Winter hat es auf der einen Seite das Dach eingedrückt. Sein ursprünglicher Besitzer, der Kainz, hat den Hof verkauft und ist dann in die Stadt gezogen. Das hat ihm wohl kein Glück gebracht, er ist vor ein paar Jahren völlig mittellos gestorben. Seine einzige Tochter ist dann zurückgekommen und arbeitet jetzt bei mir, es ist die Johanna, von der ich vorhin erzählt habe, dass sie auf meiner Alm ist. Der Hof hat seit damals einige Male den Besitzer gewechselt, aber es war, als ob er das Unglück anziehe, keiner der Besitzer konnte sich länger als zwei oder drei Jahre dort halten. Jetzt ist er schon ein paar Jahre lang ganz unbewohnt, nur die Felder sind verpachtet.«

Severin schaute sich noch ein wenig um, dann gingen sie weiter und erreichten schon nach knapp zehn Minuten das Jagdhaus.

Wie ein kleines Märchenschloss lag dieses einstöckige Haus eingebettet in einen Ring großer Buchen mit weit ausladenden Ästen. Direkt an den Hang gebaut, hatte es nach vorne heraus eine große, sauber angelegte Terrasse, die mit Tuffsteinen belegt war. Ganz still war es ringsum. Die braunen Fensterläden waren geschlossen. Hinter dem Haus zog sich der Hochwald empor. Aus dem Wald wehte ein starker Harzgeruch herunter, und manchmal hörte man den Schrei eines Habichts.

Mittlerweile hatte der Eggstätter das Haus aufgeschlossen und die verschiedenen Türen des Untergeschosses geöffnet. Oben, sagte er, seien die Gästezimmer, aber es sei wohl nicht nötig, sie ebenfalls aufzuschließen, solange er nur allein hier wohnen wolle.

Die Küche und die anstoßende Wohnstube waren im Bauernstil gehalten. In der Küche führte eine steinerne Treppe in den Keller hinunter, in dem Konserven gelagert waren. Auf der anderen Seite des Ganges war ein Jagdzimmer, an dessen hellen Wänden Hirsch- und Rehgeweihe hingen. Daran anstoßend befand sich ein kleineres Schlafzimmer mit zwei Betten.

»Hier könnten Sie schlafen«, meinte der Eggstätter. »Ich kann Ihnen aber auch droben noch die Zimmer zeigen , falls es Ihnen dort vielleicht besser gefallen sollte.«

»Nein, bemühen Sie sich nicht, lieber Herr Eggstätter«, antwortete Severin abwesend. Er war wie benommen von dem Gedanken, dass er nun hier wohnen würde, fern von allem Lärm und Hader der Welt.

»Und wie wollen Sie es denn sonst halten?«

»Was meinen Sie?«

»Ich meine, mit dem Essen und so. Von dem, was da drunten im Keller lagert, können Sie ja allein auch nicht leben. Einmal am Tag wenigstens müssten Sie etwas Warmes haben.«

»Ach so, richtig, ja. Daran hatte ich noch gar nicht gedacht. Ich werde wohl mein eigener Küchenmeister sein müssen. Oder wie wird es denn sonst immer gehalten, wenn Herr Kirchhoff da ist?«

»Meistens ist die ganze Familie gekommen und hat sich dann selbst versorgt. Wenn der alte Herr allein da war, haben wir ihm das Mittagessen heraufgeschickt.«

»Wenn es möglich ist, möchte ich es natürlich auch gerne so halten. Aber ich möchte Ihnen keine Umstände bereiten. Ich kann notfalls ja auch ins Gasthaus hinuntergehen.«

Der Eggstätter überlegte kurz.

»Im Augenblick ist es zwar ein bisschen umständlich, weil wir mitten in der Heuernte sind. Aber es wird sich schon machen lassen.« Er griff nach seinem Hut und wandte sich zum Gehen. »Verstehen kann ich das aber nicht, was ein junger Mensch wie Sie hier so ganz alleine anfangen will.«

»Gerade das ist es, was ich im Moment brauche, Ruhe und Einsamkeit.«

»Na ja, mir kann es gleich sein. Mein Geschmack wäre es jedenfalls nicht.«

Severin begleitete den Bauern bis zum Weg hinaus, schloss das Gartentürchen und ging dann zwischen den hohen Bäumen durch das ganze Grundstück, das bis weit hinauf eingezäunt war, und sah

13

sich um. Schließlich setzte er sich zwischen die Wurzeln einer mächtigen Buche, lehnte den Kopf an den silbergrauen Stamm und verschränkte die Hände über der Brust. Er schloss die Augen und ließ die Bilder der letzten Wochen und Monate an sich vorüberziehen.

Venedig mit seinen herrlichen Bauten sah er im Geiste vor sich, und Rom mit den unsterblichen Denkmälern eines Michelangelo und vor allem den Zeugnissen der Antike, vor denen ihm sein eigenes Schaffen als Bildhauer nicht mehr als Dilettantismus zu sein schien. Und doch hatte auch er schon einen beachtlichen Namen, trotz seiner Jugend. Ein Brunnen, den er im Auftrag einer Stadt im Rheinland gestaltet hatte, war sehr gelobt worden und hatte ihm nicht nur eine Menge Selbstvertrauen, sondern auch die materielle Grundlage gegeben für die Reise nach dem Süden.

Zwar hatte er die berühmten Bildwerke alle schon aus Abbildungen gekannt, doch was für ein Unterschied, sie aus nächster Nähe zu sehen! Viele Stunden hatte er jeden Tag in den Museen vor diesen verbracht und die Schönheit und Genauigkeit der Ausführung bewundert. Das waren Vorbilder, denen nachzueifern sich lohnen würde!

Die Zeit verging wie im Flug, und schließlich musste er an die Heimreise denken. Eine einzige kleine Zeitungsnotiz hatte ihn dann jäh aus der Bahn geworfen. Es war ein reiner Zufall gewesen, dass er in Rom, bevor er seine Heimfahrt antrat, noch eine deutsche Zeitung gekauft hatte, um während der langen Fahrt eine Lektüre zu haben. Und wie es einem manchmal ergehen kann, sein Blick fiel sogleich auf die kleine Rubrik, die Familiennachrichten enthielt. Und da stand schwarz auf weiß, dass sich der bekannte Bankier Lienhart mit der Tochter des Industriellen Nabenburg, Silvia Nabenburg, verheiratet habe.

Silvia, die Frau, die er liebte, hatte seinen Bruder geheiratet! Severin konnte es nicht fassen. Er las die Notiz wieder und wieder, als müsse sich beim Wiederlesen irgendwann ergeben, dass etwas ganz anderes darin stand und das, was er zunächst gelesen hatte, nur ein Irrtum gewesen war. Schließlich musste er aber akzeptieren, dass es wohl wirklich so geschehen war.

Er verließ den Zug in Innsbruck. Was wollte er unter diesen Umständen zu Hause?

Mehrere Wochen war er anschließend in Innsbruck geblieben, ohne sich zu irgendeinem Entschluss oder einer Tätigkeit aufraffen zu können. Er trank zuviel und aß kaum etwas und kam durch seine Gleichgültigkeit gegen sich selbst rasch ziemlich herunter.

Mit einer doppelseitigen Lungenentzündung wurde er in Innsbruck schließlich ins Krankenhaus eingeliefert. Die Ärzte schüttelten die Köpfe. Die Lungenentzündung konnte man zwar behandeln, doch dieser junge Mann schien überhaupt keinen Lebenswillen mehr zu haben. Was mochte der Grund dafür sein? Eine Benachrichtigung seiner Familie über seinen Zustand hatte er sich aufs schärfste verbeten, also musste man annehmen, dass die Ursache in diesem Bereich zu suchen war.

Doch die sorgfältige Pflege siegte trotz allem über die Krankheit, und schließlich nahte der Tag,

15

an dem er aus dem Krankenhaus entlassen werden sollte.

Severin stellte sich die Frage, wie es nun mit ihm weitergehen sollte. Sterben würde er offensichtlich nicht. Aber seine früheren Zukunftspläne hatten sich in einen Scherbenhaufen verwandelt, denn Silvia hatte in diesen eine zentrale Rolle gespielt.

Wie sehr er auch sein Gedächtnis wieder und wieder nach Hinweisen durchforschte, die ihm Silvias Verrat hätten ankündigen müssen, er konnte keine erkennen. Bevor er seine Reise angetreten hatte, war nicht das kleinste Anzeichen dafür da gewesen, dass sie einen solchen Treuebruch plante. Allerdings, sie hatte ihn leichten Herzens nach Italien reisen lassen. Er hatte es als Zeichen ihres Vertrauens betrachtet. Vielleicht aber war es deshalb geschehen, weil ihr Verrat bereits eine abgemachte Sache gewesen war? War seine Abreise ihr sogar ganz gelegen gekommen?

Die Fahrt in seine Heimatstadt hatte ihn Überwindung gekostet. Mit zusammengebissenen Zähnen war er dann an dem väterlichen Bankhaus vorübergegangen, das nach dem Tode des Vaters sein Bruder übernommen hatte. Er dachte, dass vielleicht Silvia oben an einem Fenster des zweiten Stockwerkes stehen und ihn sehen würde. Oder war sie gar nicht in den Stadt, sondern draußen auf dem Landsitz, auf dem auch seine Mutter lebte?

Ja, ja, da konnten sie dann allabendlich im Familienkreis zusammensitzen und über ihn, den verlorenen Sohn, spötteln, der sich nicht in die starren Formen eines Berufslebens, in dem es nichts als Zahlen und wieder Zahlen gab, hineinzwängen lassen wollte, auch wenn das zum Bruch mit seiner Familie führen sollte.

Severin dachte an die letzte Unterredung, die sein Vater mit ihm geführt hatte. »Es ist dein Leben«, hatte er gesagt. »Du kannst es führen, wie du möchtest. Aber von nun an ohne mich. Deine Spielerei mit Gips und Ton hat mich bereits genug gekostet, nun sieh zu, wie du alleine durchkommst.«

Sein Kunststudium war damals schon einige Zeit lang abgeschlossen gewesen. Es traf natürlich zu, dass er der Familie lange auf der Tasche gelegen war und kaum Einnahmen vorzuweisen hatte. Doch konnte man erwarten, dass ein Künstler direkt nach dem Studium schon Geld verdiente?

Damals, vor drei Jahren, hatte er Silvia schon gekannt; ihre Familie gehörte zum Bekanntenkreis seiner Eltern. Dass sie einander liebten, das hatten nur wenige mitbekommen. Nach dem Bruch mit seinem Elternhaus verkehrte er in diesen Kreisen nicht mehr. Er zog in eine kleine Altbauwohnung und beteiligte sich an einer Ateliergemeinschaft einiger junger Künstler, die, so wie er selbst, nur wenig Geld zur Verfügung hatten, und ihre Ausgaben mehr durch Aushilfsarbeiten als durch den Verkauf ihrer Kunstwerke bestritten. Er selbst konnte immerhin gelegentlich mit heimlichen Zuwendungen seiner Mutter rechnen, so dass es ihm, insgesamt gesehen, nicht schlecht ging.

Silvia war er bei einer Ausstellungseröffnung wiederbegegnet, bei der auch zwei kleinere Werke von seiner Hand ausgestellt worden waren. Ja, allmählich konnte Severin erste Erfolge als Künstler vorweisen! In der Zeitung war sein Name erwähnt worden; der Rezensent hatte ihm beachtliches Talent bescheinigt und eine große Zukunft vorhergesagt. Der Auftrag, einen Brunnen zu gestalten, war sein bisher größter Erfolg gewesen.

Nur wenige hatten von ihm und Silvia gewusst; einer davon war Ralph Kirchhoff, der einzige Freund aus alten Tagen, der nach dem Bruch mit dem Elternhaus noch zu ihm gehalten hatte. Ob Silvia von Anfang an ein doppeltes Spiel mit ihm getrieben und deshalb so viel Wert auf Diskretion gelegt hatte?

Damals hatte er sich nichts dabei gedacht, denn ihre Eltern wären entsetzt darüber gewesen, dass sie sich mit einem mittellosen Künstler eingelassen hatte – auch wenn dieser ursprünglich aus denselben Kreisen stammte –, so wie seine eigenen Eltern entsetzt darüber gewesen waren, dass er sich mit so brotlosen Dingen befasste.

Verständlich, dass sie sich ihren Vorwürfen nicht aussetzen wollte! »Warten wir noch ein bisschen«, hatte sie kurz vor seiner Italienreise gemeint. »Nicht mehr lange, und niemand kann dich mehr als Hungerleider bezeichnen, ohne sich lächerlich zu machen.«

Rückblickend fragte er sich, ob er nicht zu naiv gewesen war.

Severin seufzte. Was für einen Sinn hatte es, jetzt noch an diese Dinge zu rühren? Er hatte sich wieder einigermaßen gefangen und war bereit, sein Leben neu zu ordnen. Wie und auf welche Art, das musste sich erst herausstellen. Vorerst war er einmal hier. Am Abend dieses Tages schrieb Severin noch einen Brief an seinen Freund.

»Mein lieber Ralph!

Wie soll ich deinem Vater danken für sein Einverständnis dafür, mich hier wohnen zu lassen? Hier müsste wahrlich ein Toter noch mal zum Leben erwachen können, bei dieser Luft, und in dieser schönen, friedlichen Landschaft. Mir ist, als spürte ich jetzt schon etwas von der urtümlichen Kraft dieses Waldes in mir selbst. Ja, ich fühle es, lieber Ralph; ich werde wieder gesund und stark werden.

Heute bin ich lange draußen auf der Terrasse gelegen und habe das Bild dieser Landschaft in mich aufgenommen. Himmel und Berge stoßen hier aneinander, als wären sie eins. Hier ist das Gegenwärtige so eindrucksvoll, dass alle Erinnerungen klein werden. Schon jetzt fühle ich, dass ich mich von dem zu lösen beginne, das mich so lange gequält hat, und ich denke nur mehr wie im Traum an meine Gefühle für Silvia.

Aber nun Schluss mit diesem Thema. Ich will nun wieder beginnen an das Leben zu glauben und – an mich selbst. Ja, ich fühle, dass ich hier wieder Kunstwerke schaffen könnte! Aber vorher will ich erst mal ein paar Wochen faulenzen. Im Übrigen hast du mir ja bei unserem letzten Gespräch versprochen, demnächst hierher nachzukommen. Komm recht bald, und lass uns die Schönheit teilen, die hier um mich ist. Bis dahin also recht herzliche Grüße, auch an deinen Vater, dein Severin.«

2

Als Severin am nächsten Tag um die Mittagsstunde von einem Spaziergang aus dem Wald zurückkam, befand sich die Tochter des Eggstätters, Barbara, im Jagdhaus Ludwigsruh.

Sie hantierte mit Besen und Scheuerlappen und bemerkte den Zurückkommenden erst, als er schon unter der Tür stand, wo er sie schon eine ganze Weile beobachtet haben mochte.

»Das Haus sollten Sie nicht abschließen, wenn Sie fortgehen«, sagte sie, fröhlich lachend. »Ich musste wie ein Einbrecher durch das Fenster einsteigen.«

Severin schmunzelte. Das Mädchen wusste sich offensichtlich zu helfen! »Ach ja, richtig. Man müsste den Schlüssel irgendwo hinterlegen, nicht wahr?«

»Alles ist voller Staub«, meinte sie, als wollte sie ihr Hiersein damit entschuldigen. »Ich habe Ihnen Milch mitgebracht; sie steht im Keller. Milch müssen Sie viel trinken, weil Sie so blass sind, meint meine Mutter.«

»Lassen Sie nur, Barbara«, sagte er belustigt. »Die Sonne wird mich schon braun machen, verlassen Sie sich darauf! Aber – Sie haben ja gleich einen ganzen Korb voller Essen mitgebracht, als ob ich hier gemästet werden sollte!«

»Ja, das muss aber auch drei Tage reichen. Wir haben Heuernte, da kann ich nicht jeden Tag etwas vorbeibringen. Im Herbst wird das wieder anders. Aber wer weiß, da sind Sie vielleicht schon längst wieder fort.«

»Wo sollte ich denn dann wohl sein?«

Barbara zuckte die Schultern und sah ihn bedeutungsvoll an. »Woher soll ich das wissen? Vielleicht daheim, bei Ihrer Braut.«

Damit wollte sie offensichtlich auf den Busch klopfen.

»Ich habe keine Braut«, gab Severin bereitwillig und amüsiert die gewünschte Auskunft.

Barbara lachte spöttisch. »Das kann ja jeder sagen!« Sie wischte üben die Bank und sah ihn dann aus zusammengekniffenen Augen an und blinzelte schalkhaft. »Euch Männern darf man ja nichts glauben. Da lügt einer besser als der andere.« Doch ihr Ton war eher kokett als abwehrend, dazu lachte sie wieder hell und ausgelassen.

Severin betrachtete sie belustigt. Er sagte: »Gestern haben Sie mich für einen Knecht gehalten, und heute stehen Sie an meinem Herd und kochen für mich.«

Später aßen sie dann zusammen. Sie wollte ihn zunächst nach dem Kochen alleine lassen, aber er versicherte ihr, dass das Essen ihm in ihrer Gesellschaft viel besser schmecken würde, und so ließ sie sich dann gerne dazu überreden, sich ebenfalls mit an den Tisch zu setzen. Es gab Geräuchertes mit Kraut und Knödeln. Sie sagte, dass er das, was übrigbliebe, am nächsten Tag nur aufzuwärmen brauche. Was das Sauerkraut betreffe, so schmecke es ohnehin am besten, wenn es ein paar Mal aufgewärmt worden sei.

21

Barbara war ein ausgesprochen hübsches Mädchen, stellte Severin fest. Unwillkürlich fragte er: »Wer ist denn eigentlich Ihr Schatz, Barbara?«

Sie machte das treuherzigste Gesicht der Welt. »Ich habe keinen!«

»Ja, wie ist denn das möglich?«

»Warum soll das nicht möglich sein?«

»Weil ich nicht glauben kann, Barbara, dass die Burschen hier blind an Ihnen vorüberlaufen.«

»Na, Sie sind aber einer«, sagte sie schelmisch und stand auf, um das Geschirr abzuräumen und zu spülen.

Später half sie ihm dabei, die beiden Koffer auszupacken, die am Morgen gebracht und vor die Tür gestellt worden waren. Severin hatte nichts davon mitbekommen. Er habe geschlafen wie ein Stein, erzählte er Barbara. Das sei er schon gar nicht mehr gewohnt, dass man eine ganze Nacht durchschlafen könne.

»Wozu brauchen Sie denn dies ganze Eisenzeug, all die vielen Messer und Hämmer?«, unterbrach ihn Barbara, die gerade den einen Koffer geöffnet hatte und etwas ratlos auf den Inhalt schaute, auf den sie nicht gefasst gewesen war.

»Für meine Arbeit. Ich bin Bildhauer, und wer weiß, Sie haben einen so reizvollen Kopf, dass ich vielleicht Lust bekomme, ihn zu modellieren!«

»Sie sind aber ein Schmeichler!«

»Nein, im Ernst, Barbara, vielleicht bitte ich Sie eines Tages, mir Modell zu stehen.«

»Da werden Sie nicht viel Freude haben, denn stillhalten, das liegt mir nicht, wenn ich ehrlich sein soll!«

22

›Ja, das glaube ich dir gerne‹, dachte er. An ihr sprudelte und sprühte alles vor lauter Lebenskraft. Aber vorerst hatte er ohnehin nicht die Absicht, sich an seiner Arbeit zu versuchen, denn er spürte den inneren Drang dazu noch nicht. Das musste erst wieder zu ihm zurückkommen, genauso wie das Vertrauen zu den Menschen.

Nun schickte Barbara sich zum Gehen an. Sie sagte, dass sie erst in ein paar Tagen wiederkommen werde. Bis dahin müsse er sich allein helfen. Ihr Blick ging durch den Raum, als suche sie noch nach einer Unordnung, die beseitigt werden müsse. Dann schaute sie ihn an, so ein wenig von unten herauf, als warte sie auf etwas Bestimmtes. Er gab ihr die Hand.

Das war nicht das, was sie heimlich gehofft hatte, aber es war immerhin ein Anfang, beschloss sie, als sie sich auf den Weg machte.

Er sah ihr nach, bis sie zwischen den Bäumen verschwunden war. Dann wandte er sich um und schüttelte über sich selbst den Kopf. »Severin, Severin, lass dich nun bloß nicht zu Dummheiten hinreißen!« War das nicht seltsam? Wie lange hatte er nun seiner verlorenen Liebe nachgetrauert, und da kam so ein hübsches junges Ding daher und brauchte ihm nur ein bisschen schöne Augen zu machen, und schon ließ er sich bereitwillig auf einen Flirt mit ihr ein.

Drei Tage später stand er gegen Mittag schon am Gartenzaun und sah nach Barbara aus. Als er sie kommen sah, ging er ihr lachend entgegen: »Gut, dass Sie kommen. Der ganze Vorrat ist schon aufgebraucht. Ich hätte nicht gedacht, dass ich jemals wieder einen solchen Appetit entwickeln könnte.«

Er nahm ihr den Korb ab und ging neben ihr her. Sie trug heute ein anderes Kleid, und er fand, dass sie darin noch vorteilhafter aussah. Wirklich, sie gefiel ihm von einem zum anderen Male besser. ›Zum Schluss verliebe ich mich womöglich noch in sie‹, dachte er.

Barbara spürte, dass Severin viel zugänglicher war als bei ihrem letzten Besuch. Aber sie tat so, als merke sie das nicht. Nach dem Essen gab sie vor, gleich wieder gehen zu wollen, und war sehr zufrieden, als er sie bat, noch ein wenig zu bleiben. Er sei jetzt drei Tage lang ganz alleine gewesen und würde sich freuen, wenn sie ihm noch ein bisschen Gesellschaft leisten könnte.

»Ich würde es gar nicht aushalten, drei Tage lang so ganz allein zu sein«, meinte sie. »Was tun Sie denn überhaupt den ganzen Tag?«

»Nun, eigentlich nicht viel. Baden, in der Sonne liegen, essen und wieder an die Sonne. Und – ein klein wenig denke ich auch an Sie ...«

»Aha!«, sagte sie. Hatte sie ihn wirklich so leicht dort hingebracht, wo sie ihn haben wollte? Tatsächlich, Severin zerdrückte die Zigarette im Aschenbecher, obwohl er sie erst halb geraucht hatte, und legte den Arm um ihre Schultern.

Barbara dachte gar nicht daran, es ihm zu verwehren, und auch gegen seinen Kuss wehrte sie sich nicht. Erst nach einer geraumen Weile schien es ihr angebracht zu sein, den Mann von sich zu drängen und so zu tun, als sei sie böse auf ihn. Mit einem Ruck stand sie auf.

»So etwas ist mir denn doch noch nie passiert! So eine Frechheit!«

Severin war nahe daran, sich zu entschuldigen. Doch dann lächelte Barbara auf einmal wieder und sagte im Verschwörerton: »Die Mutter! Wenn sie das wüsste, dürfte ich keinen Schritt mehr raufgehen zu Ihnen.«

»Na, dann ist es ja nur gut«, lachte er, »dass die Mutter es nicht gesehen hat! Und wir haben doch auch nicht die Absicht, es ihr zu erzählen, nicht wahr, Barbara?«

Die Barbara steckte eine herausgerutschte Haarnadel in die Zöpfe und brach den Bann vollends, indem sie sagte: »Auf gar keinen Fall! Der Mutter kann ich doch so etwas nicht sagen.« Sie hob drohend den Finger.

»Weißt du was, Barbara? Du gibst mir den Kuss zurück, und wir sind wieder quitt!«

»Ah, da schau her! Sie sind ein ganz Schlauer, wie mir scheint.« Sie schüttelte lachend den Kopf, so dass ihre Zöpfe nur so flogen. »Nein, nein, allzu viel auf einmal ist ungesund.«

»Schön, dann also auf Raten.«

Barbara raffte ihren Korb und das Geschirr zusammen. »Jetzt ist es aber allerhöchste Zeit! Daheim werden sie sich schon wundern, warum ich so lange fortgeblieben bin.«

»Wann kommst du wieder?«

»Erst in drei Tagen. Sie müssen ...«

»Einen Augenblick, Barbara. Jetzt müssen wir aber auch ›du‹ zueinander sagen.«

Sie tat ein wenig verschämt. »Wenn du meinst, dann sag ich halt ›du‹. Aber – was habe ich eigentlich sagen wollen? Ja, richtig: Du musst dir die Vorräte so einteilen, dass sie Ihnen drei Tage reichen.«

»Sagst du jetzt schon wieder Sie? ›Severin‹, heißt es und – ›du‹.«

»Daran muss ich mich halt erst gewöhnen, weißt du.«

Sie machte sich von seiner Hand los, kicherte und lief davon.

Jetzt, da er wieder allein war, fühlte Severin sich durchaus nicht tiefbeglückt und zufrieden. ›Was bin ich denn nur für ein wankelmütiger Kerl‹, sagte er sich. ›Vor einer Woche war ich noch mit aller Welt zerfallen, und heute lasse ich mich auf ein solches Spielchen ein.‹ Liebe? Nein, nein, Liebe konnte das beileibe nicht sein! Barbara war so fröhlich und lebensprühend, und das steckte ihn an. Er musste aufpassen, dass er sich nicht zu weitreichenderen Dingen hinreißen ließ.

Die Eggstätterin saß am Bett der Barbara und machte ein überaus neugieriges Gesicht. Das Mädchen schlief noch nicht. Kerzengerade ausgestreckt lag sie im Bett, hatte die Hände hinter dem Kopf verschlungen und die Augen zur Decke aufgeschlagen.

»Lass dir doch nicht jedes Wort abbetteln, Barbara! Deiner Mutter kannst du es doch sagen. Wie war es denn droben?«

Barbara schloss in Erinnerung an »droben« die Augen.

»Wo droben?«, fragte sie scheinheilig.

»Verstell dich doch nicht so! Du weißt ganz genau, was ich meine!«

»Ach ja«, machte Barbara und nahm die Hände hinter dem Kopf hervor, um mit ihren Haaren, die ihr aufgelöst über die Brust fielen, zu spielen. »Wie soll es schon gewesen sein? Was kann man da schon sagen? Ich war ja erst zweimal oben. Und überhaupt, dass du es weißt: Er ist ein anständigen Herr. Da lasse ich gar nichts auf ihn kommen!«

Rasch sagte die Bäuerin: »Ja, das habe ich gleich gemerkt, dass er ein anständiger Mensch ist. So einer wäre schon der Richtige für dich. Du kannst ja so nebenbei einmal durchblicken lassen, dass du die einzige Tochter bist und einmal ein schönes Heiratsgut zu erwarten hast. So was zieht bei Männern allemal! Lass dir nur vor deinem Vater nichts anmerken!«

»Wenn es nach dem Vater ginge, dürfte ich überhaupt keinen anderen anschauen als den Sixten-Martin. An dem hat er einen Narren gefressen.«

»Ja, der Vater, weißt du, der meint es ja gut mit dir, aber er denkt halt über einen Bauernhof nicht hinaus. Aber sag einmal, hast du ihn denn noch nicht gefragt, wo er her ist und so weiter?«

»Es hat sich noch keine Gelegenheit zu einer solchen Frage ergeben.«

»Ich hab nur gemeint, weil du gar so lange droben warst.«

»Ja, was glaubst denn du, Mutter, was ich Arbeit gehabt habe da oben?« Sie setzte sich im Bett auf und zählte voller Eifer an den Fingern die Menge an Aufgaben ab, die sie dort gehabt haben wollte. »Abstauben, aufwischen, essen, abspülen und so weiter. Und – rate einmal, was er von mir gesagt hat?«

»Was denn?«

»Dass ich einen reizvollen Kopf hätte! So was hat der Sixten-Martin noch nie zu mir gesagt!«

Die Mutter nickte lebhaft.

»Geh, was willst du denn mit dem Sixten-Martin! Der hat ja überhaupt keine Bildung.«

»Aber einen großen Hof hat er, und das ist beim Vater die Hauptsache.«

»Heiraten musst du, und nicht der Vater! Jedenfalls, mich hast du ganz auf deiner Seite. Mir war der Sixten-Martin noch nie recht.«

Hier hätte Barbara der Mutter zwar schon das Gegenteil beweisen können, aber sie verschwieg es lieber und war insgeheim froh, die Mutter auf ihrer Seite zu haben in allem, was nun kommen würde. Freilich, was tatsächlich kommen würde, darüber war sich Barbara selbst noch nicht klar. Dieser Severin war im Grunde genommen doch recht zurückhaltend, auch wenn sie ihn schon etwas aus der Reserve gelockt hatte. Sie würde so weitermachen, wie sie angefangen hatte, beschloss sie. Er sah nicht schlecht aus, dieser Severin ...

Sorgfältiger als sonst noch richtete sich Barbara zwei Tage später für ihren mittäglichen Gang zurecht. Sie steckte ein paar silberne Nadeln ins Haar, probierte ein Lächeln vor dem Spiegel und ließ die Augen blitzen und wieder melancholisch werden. Als sie mit dem großen Henkelkorb aus dem Hause ging, sagte die Mutter zu ihr: »Heute sind es lauter gute Schmankerl. Man darf nämlich nicht vergessen, bei einem Mann geht die Liebe durch den Magen. Da sind sie alle gleich, ob sie nun Eggstätter heißen oder Sixten-Martin, oder – wie heißt er?«

»Severin«, sagte Barbara, und sie sprach es recht langsam aus. Dann zog sie ihr seidenes Tüchlein am Hals zusammen und ging.

Auf dem Weg kamen ihr nun doch allerlei Gedanken. War es denn eigentlich nicht Unrecht, was sie tat? Wenn der Martin davon wüsste! Mit dem Martin war in dieser Beziehung nicht gut Kirschen essen.

Sei ehrlich, Barbara, mahnte sie eine innere Stimme. Hat dir der Gedanke, einmal als Bäuerin auf dem Sixtenhof einzuziehen, nicht vor kurzem noch geschmeichelt? War es dir nicht recht, dass der angesehenste und stärkste Bursche des Dorfes um dich warb? Du hast dich am Dreikönigstag öffentlich mit ihm auf dem Ball gezeigt, und am Osterberg drüben beim großen Georgsfest, da hat es alle Welt sehen können, dass du zu ihm gehörst und er zu dir.

Einen Augenblick pochte ihr Herz nun doch ein wenig bänglich. Aber dann schlug sie die mahnenden Stimmen in den Wind und schritt schneller aus, um möglichst schnell in den Schatten der Bäume zu gelangen.

Der Mann, zu dem sie ging, hatte inzwischen drei weitere Tage in Sonne und Licht verbracht und war nun schon ziemlich braun gebrannt. Barbara blieb stehen und sah ihn überrascht an. Wie sehr er sich verändert hatte! Nichts mehr von jener bleichen Krankenhausfarbe haftete an ihm. Er sah besser aus als je zuvor, plauderte lustig und lachte viel.

O ja, er sah wohl, wie hübsch Barbara sich gemacht hatte, und er hätte ein Esel sein müssen, wenn er nicht gemerkt hätte, dass dies für ihn geschah. Es eilte ihr heute absolut nicht mit dem Heimgehen, und als sie es dennoch tat, sagte sie, dass sie diesmal nur für zwei Tage das Essen gebracht habe. Als sie fort war, dachte Severin angestrengt über Barbara nach. Ihre frische Natürlichkeit tat ihm wohl. Es tat ihm gut, dass ein Mensch für ihn sorgte. Liebte er die Barbara vielleicht sogar? Er wurde sich selbst nicht recht klar darüber. Er freute sich, wenn sie kam, und spürte eine Leere, wenn sie nicht da war. Das war vorerst einmal alles.

Ins Haus tretend, merkte er, dass sie ihr seidenes Umschlagtüchlein hatte liegen lassen. Es war ein hauchdünnes, geblümtes Tüchlein. Er zog es langsam durch die Finger und hängte es dann über die Stuhllehne, damit sie es das nächste Mal nicht vergesse, obwohl ja dies auch nicht schlimm gewesen wäre.

Es schien aber doch schlimm genug zu sein, denn Barbara kam am selben Abend noch und fragte aufgeregt, ob sie etwa ihr Tüchlein hier vergessen hätte. Auf dem ganzen Weg hätte sie es schon gesucht. Es liege ihr sehr viel an dem Tüchlein, weil sie es von ihrer Taufpatin bekommen habe.

Die ganze Aufregung war so übertrieben gespielt, dass sogar Severin die Komödie durchschaute. »Du solltest eigentlich immer bei mir sein, Barbara«, sagte er. »Zumindest solltest du öfter hierher zu mir kommen.«

»Das kann ich aber vorher nie so genau sagen.«

»Ich möchte es aber wissen, es könnte sonst einmal vorkommen, dass ich gar nicht daheim bin. Diese Woche kommt nämlich der Jäger und holt mich ab zur Jagd.«

Barbara erschrak und hatte dann nachdenkliche Falten auf der Stirn.

»Was denkst du denn jetzt?«

»Ach, nichts. Ich meine bloß, du wirst auch nicht viel anders sein wie andere Männer auch. Wenn du einmal droben warst zur Jagd, dann wirst du dich kaum mehr hier aufhalten.«

Er lachte sie aus. »So ein gewaltiger Nimrod bin ich gerade nicht. Und dann«, er zwinkerte ihr zu, »ich muss doch wieder runterkommen, wenn ich dich sehen will.«

»Da droben auf den Almen gibt es genügend hübsche Sennerinnen. Vielleicht denkst du dann gar nicht mehr an mich!«, schmollte Barbara.

»Schlag dir das aus dem Kopf«, antwortete er entschieden. »Ich bin nicht wetterwendisch, heute so und morgen so. Und wenn du willst, dann verspreche ich dir gerne, überhaupt in keiner Almhütte zuzukehren.«

»Versprich mir's«, sagte sie in einer eigentümlichen Hast. »Es wird sich zwar nicht ganz umgehen lassen, aber auf unserer Alm, das versprich mir, Severin, von unserer Alm bleib weg.«

»Gut, wenn du es haben willst, mir liegt schließlich gar nichts daran. Aber nun einmal allen Ernstes, Barbara. Du bist doch frei? Ich meine, du bist doch an niemanden gebunden?«

»Warum willst du das wissen, Severin?«

»Weil mir das sehr wichtig ist. Einem anderen das Mädchen wegnehmen ist eine Schuftigkeit. Ich habe es selbst schon erlebt, und ich würde so etwas nicht tun wollen.«

Barbara hatte plötzlich einen schmalen Mund bekommen und spürte Gewissensbisse. Einen Augenblick dachte sie sogar darüber nach, ihm offen alles mitzuteilen, aber sie fand nicht den Mut dazu. Sie hätte ihn auch gerne gefragt, wie es sich denn verhalte, wenn man einem zugesprochen sei, den man zwar ganz gerne habe, aber doch einsehen müsse, dass es nicht richtige Liebe sei, die einen an ihn binde. Aber auch das blieb unausgesprochen.

Severin begleitete sie durch den Wald bis zu den Wiesen hinunter, denn es war schon dunkel geworden.

Als hätte sich das Schweigen der Natur den beiden Menschen mitgeteilt, standen sie eine lange Weile in der mondbeschienenen Wiese, in wortlosem Einverständnis miteinander.

Der Abend dämmerte gerade, da kam der Sixten-Martin auf den Eggstätterhof. Er war ein wahrer Hüne von Gestalt. Seine Hände waren fast doppelt so groß wie die eines normalen Menschen, und es war sicher keine angenehme Vorstellung, jemanden wie ihn zum Feind zu haben. Doch Feinde hatte der Sixten-Martin gar nicht, denn er war ein verträglicher Charakter.

Der Martin also war gekommen, und weil er im Hof niemanden traf, ging er in die Küche, wo die Bäuerin gerade das Wochenblatt las.

»Eggstättermutter, guten Abend! Wo ist denn die Barbara?«

Die Bäuerin hatte es plötzlich sehr eilig. Sie räumte die Milchschüsseln fort, tat dies und jenes und war voller Geschäftigkeit, bis der Martin zum zweiten Male fragte: »Wo die Barbara ist, möchte ich gerne wissen.«

»Was weiß denn ich?«, fuhr es ihr unfreundlich heraus. »Die Barbara kann doch nicht dauernd an meinem Kittel hängen oder parat sitzen, wenn der Sixt kommt.«

Der Martin schob den Hut aus den Stirn und ließ sich durch diese Unfreundlichkeit nicht aus den Fassung bringen. »Heute bist du aber schlecht aufgelegt, Bäuerin, was?«

»Man kann nicht immer gut aufgelegt sein.«

»Immer freilich nicht, aber heute bist du schon arg grantig, wie mir scheinen will.«

Die Ruhe des Burschen reizte die Eggstätterin. Sie fuhr herum, und ihr Doppelkinn schwabbelte förmlich vor Gereiztheit. »Dir kann es ja gleich sein, wie ich aufgelegt bin!«

»Eigentlich ist mir das nicht ganz gleich«, lächelte der Martin. »Eine lustige Schwiegermutter ist mir auf alle Fälle lieber als eine grantige.«

»Ich bin aber noch nicht deine Schwiegermutter! Noch lange nicht, dass du es weißt!«

»Aber es wird bald soweit sein«, meinte der Martin mit unerschütterlicher Ruhe. So konnte nur einer sprechen, der sein Glück fest und sicher in den Händen hielt. »Und zwar weil mir das Alleinsein gar nicht mehr passen will.«

»Die Barbara ist noch jung, bei der ist es noch nicht eilig. Aber wenn es dir gar so mit dem Heiraten eilt – ja, dann musst du dich nach einer anderen umschauen!«

»Ich will aber keine andere«, sagte der Martin, überrascht über diese neue Wendung, die das Gespräch genommen hatte. »Und überhaupt, es ist doch schon lang ausgemacht, dass im Herbst die Hochzeit sein soll.«

»Wer soll das ausgemacht haben?«

Der Martin schaute die Bäuerin ein wenig schärfer an.

»Was ist denn überhaupt los? Bist es nicht du selbst gewesen, die mir immer wieder zugeredet hat wie einem kranken Gaul, ich dürfe die Barbara nicht länger warten lassen? Warst du nicht auch dabei, als wir in der Stube vorne darüber gesprochen haben, dass im Herbst die Hochzeit sein soll? Und jetzt kommst du mir so daher!« Sein Blick wurde misstrauisch. »Du, Eggstätterin, das sag ich dir: Wenn ich merke, dass da ein anderer dahintersteckt, dann gibt es ein Unglück. Ich lasse mich nicht zum Narren halten.«

Die Eggstätterin erschrak. »Vielleicht ist Barbara zur Schneiderin gegangen«, meinte sie plötzlich ganz kleinlaut. »Ich glaube, ich erinnere mich jetzt wieder: Sie hat gesagt, sie wolle ins Dorf zur Schneiderin gehen und eines ihrer Dirndl richten lassen. Sie hatte sich die Borte am Rocksaum abgerissen.«

»So? Das hättest mir auch gleich sagen können. Wenn das so ist, dann hole ich sie ab«, sagte der Martin und war, bevor die Bäuerin etwas sagen konnte, aus der Küche.

Es gab in Bernbichl nur eine Schneiderin, und zu dieser ging Martin nun. Er fiel aber nicht gleich mit der Türe ins Haus, sondern sagte zunächst nur, dass man sie auf dem Sixtenhof demnächst brauche, ob sie vorbeikommen könne.

Nachdem der Tag bestimmt und sonstiges Belangloses besprochen war, sagte der Martin so nebenbei: »Dass ich es nicht vergesse: Die Eggstätter-Barbara ist mir gerade begegnet und hat mir gesagt, ich solle fragen, ob sie nicht ihre Handtasche bei dir liegen gelassen hat.«

34

»Handtasche?« Die Näherin schüttelte den Kopf. »Wie kommt sie denn darauf? Die Barbara ist doch schon seit Weihnachten nicht mehr bei mir gewesen.«

»Dann wird sie die Handtasche wohl woanders liegen gelassen haben. So, so! Die Barbara war heute also gar nicht bei dir?«

»Wenn ich dir doch sage! Seit Weihnachten hab ich sie nicht mehr gesehen.«

»Dann habe ich sie wohl falsch verstanden. Oder es wird ein Irrtum von ihr sein.«

Er lachte etwas verlegen. Dann ging er. Als er die Türe hinter sich geschlossen hatte, blieb er auf der Stiege stehen und schüttelte den Kopf. »Da stimmt doch etwas nicht«, murmelte er vor sich hin. Jeden Samstag war die Barbara bisher noch daheim gewesen und hatte auf ihn gewartet. Wo war sie heute? Warum war die Eggstätterin so kurz angebunden, ja sogar grob zu ihm gewesen?

Es war offensichtlich, dass da irgend etwas nicht in Ordnung war. Eine Weile überlegte er, was er nun tun solle. Schließlich ging er zum Schwanenbräu, wo er den Eggstätter am Stammtisch wusste.

Der Sixten-Martin war sonst kein Wirtshausgänger, darum wunderte sich der Eggstätter über den ungewohnten Besucher, rückte aber sogleich bereitwillig auf der Bank ein Stückchen weiter, damit der Martin neben ihm Platz nehmen konnte.

»Wenn du nachher heimgehst, dann gehe ich mit«, sagte der Martin.

»Ist schon recht. Du musst aber noch warten, bis wir mit unserem Kartenspiel fertig sind.«

»Macht nichts, ich kann schon warten.«

Martin bestellte sich ein Bier und wartete geduldig, bis die Kartenspieler schließlich ihre Partie beendet hatten und der Eggstätter aufbrach.

Auf dem Heimweg nun druckste der Martin eine lange Weile herum, weil er nicht wusste, wie er das heikle Thema ansprechen sollte. Der Eggstätter musste ihn erst dazu ermutigen: »Also dann, raus mit der Sprache, Martin! Was hast du denn auf dem Herzen?«

Der Martin blieb stehen und schaute zu den Sternen hinauf. Endlich sagte er: »Es ist doch eine ausgemachte Sache zwischen uns, Eggstätter, dass ich im Herbst die Barbara heirate?«

»Ja, das ist richtig. Warum, hast du es dir vielleicht anders überlegt?«

»Ich nicht, aber ich habe den Eindruck, die Barbara.«

»Davon ist mir nichts bekannt.«

»Es muss aber doch so sein. Die Eggstätterin war vorhin, als ich, wie immer am Samstag, bei euch vorbeigeschaut habe, so kurz angebunden mit mir und hätte mich am liebsten hinausgeworfen. Die Barbara war nicht daheim, und da, wo sie angeblich hingegangen sein sollte, ist sie seit Monaten nicht mehr gewesen. Du kannst sagen, was du willst, irgendetwas stimmt da nicht.«

Der Eggstätter zog an seiner erloschenen Zigarre. »Hast du ein Streichholz, Martin? – Also, ich weiß jedenfalls von nichts. Aber ich gebe dir Recht, das hört sich sehr merkwürdig an. Ich werde der Sache einmal nachgehen. Mach dir nur keine Sorgen, Martin, mit Barbara wird es sich bestimmt wieder einrenken.«

»Werd aber bitte nicht grob mit der Barbara, egal was dahintersteckt. Was das betrifft, das mache ich schon alleine mit ihr ab.«

»Keine Sorge!« Der Eggstätter lachte. »Ich habe es mir doch gleich gedacht, als ich dich in der Wirtsstube gesehen habe, dass du mit mir über irgendein Problem mit der Barbara reden willst. Jedenfalls, mein Wort hast du, dass ich die Sache wieder einrenken werde.«

Er streckte dem Martin die Hand hin, wie zur Bekräftigung seiner Worte.

Beim Wegkreuz trennten sie sich, weil Martin nach rechts über den Berg hinauf musste. Seine Schritte verloren sich nach einer Weile im groben Feldweg.

Auf dem Eggstätterhof schlug der Hund an, bis er den Schritt des Herrn erkannte, dann kroch er wieder in seine Hütte. Dunkel und verschwiegen lag der Hof unter flimmernden Sternen. Nur das Wasser plätscherte im Brunnentrog. Das kleine Fenster im Gang war nur angelehnt. Dahinter lag der Haustürschlüssel.

Der Bauer legte seine Zigarre auf den Ofensims und zog die schweren Schuhe von den Füßen. Dann ging er strumpfsockig die Stiege hinauf und trat in Barbaras Kammer, denn er wollte sie gleich fragen, was da los sei. Aber das Bett der Barbara war leer.

»Na, da schau her! Das Fräulein ist noch gar nicht daheim.«

Er ging wieder hinunter, setzte sich auf das Sofa und wartete. Die Kuckucksuhr schlug die elfte Stunde, und kaum war der kleine Vogel nach dem letzten Schrei in sein Häuschen geschlüpft, hörte man draußen einen schnellen Schritt. ›Aha‹, dachte der Eggstätter. ›Jetzt kommt sie ja endlich!‹

Ja, es war die Barbara. Als sie aber den Vater in der Stube sitzen sah, dachte sie, dass er sie gar nicht zu sehen brauche. Sie wollte lieber durch den Stall schleichen, um ungesehen in ihre Kammer zu kommen. Aber der Stall war verschlossen, und so probierte sie es durch die Tenne.

Doch als sie durch die eiserne Tennentüre auf den oberen Söller trat, wurde unten im Gang das Licht angeknipst, und der Vater stand auf dem untersten Treppenabsatz.

»Was ist denn da oben los?«

»Ich bin's bloß«, piepste Barbara erschrocken mit dünner Stimme.

Der Bauer kam nun die Treppe herauf. »Ach, du bist es! Was sind denn das für neue Moden, von hinten ins Haus zu schleichen wie ein Dieb? Wo kommst du denn überhaupt her, um diese Zeit?«

»Ich? Ja, weißt du, Vater – mit dem Martin bin ich ein bisschen spazieren gegangen, weil die Nacht gar so schön ist.«

»Aha, mit dem Martin! Soso! Ja, dann ist es schon recht.«

Der Eggstätter drehte sich wieder um und ging hinunter, ohne ihr die Lüge auf den Kopf zuzusagen. Auf diese Weise würde er sich wahrscheinlich nur durch ein Netz von Widersprüchen und Lügen durcharbeiten müssen, um schließlich auf die richtige Spur kommen, überlegte er sich. Das musste er schon schlauer anpacken. Er beschloss, sein Glück bei der Bäuerin zu versuchen, denn wegen Martins Schilderung ihres seltsamen Verhaltens dem künftigen Schwiegersohn gegenüber war er sicher, dass sie über alles bestens Bescheid wusste.

Die Bäuerin schlief schon fest, als er die Kammer betrat. Und als er sich knarrend auf die Bettstelle setzte, um seine Strümpfe auszuziehen, schlief sie ruhig weiter.

»Heut hab ich den Lehrer doch einmal rupfen können beim Kartenspielen«, sagte er und tat so, als ob ihn dies recht freue. »Vierzig Mark hab ich ihm abgeknöpft.«

Keine Antwort. Er schneuzte sich heftig und sagte dann: »Du, Magdalena! Schläfst du schon?«

Sie knurrte ungeduldig.

»Ich wollte dich bloß etwas fragen wegen der Barbara und dem Sixten-Martin.«

Oh, wie flink sie sich auf einmal umdrehte, die Eggstätterin. »Warum, was ist mit ihnen?«

»Eigentlich nichts Besonderes. Ich hab bloß über sie nachgedacht. Stimmt zwischen den beiden irgendetwas nicht mehr?«

»Ich weiß nicht. Kann schon sein. Wie kommst du denn auf einmal darauf?«

»Weil ich auch Augen im Kopf habe, und weil ich mir selber auch schon manchmal Gedanken darüber gemacht hab, ob die Barbara überhaupt zum Martin passt.«

Jetzt war die Eggstätterin auf einmal hellwach. Sie stützte sich auf den Ellbogen und wurde sehr gesprächig.

Ihre Worte sprudelten wie bei einem Rechtsanwalt, der einen Angeklagten freibekommen will. Sie malte es in den düstersten Farben aus, welch ein Leben es für die Barbara wäre auf dem Sixtenhof, neben einem Menschen, der nichts kenne als seinen Hof und seine Felder.

Der Eggstätter grinste heimlich in sich hinein. Daher wehte also der Wind! Die Bäuerin meinte, ihr Töchterlein sei zu Höherem berufen! Und als sie endlich fertig war, meinte er vorsichtig: »Da könntest du vielleicht schon Recht haben, Magdalena. Aber der Barbara wird ja schließlich nichts übrigbleiben, als einen Bauern zu nehmen. Beamte sind bei uns keine zu bekommen.«

»Es müsste kein Bauer sein und kein Beamter«, versicherte die Bäuerin eifrig. »Die Barbara hat etwas ganz anderes im Auge.«

»So, so! Und was wäre das denn?«

Zuerst druckste die Eggstätterin eine Zeit lang herum und meinte dann: »Du gehst sicher gleich in die Luft, wenn ich es dir sage.«

»Wenn es etwas Vernünftiges ist, dann habe ich keinen Grund dazu.«

»Der wäre freilich der Richtige. Die Barbara mag ihn, das sieht sogar ein Blinder. Und er mag sie auch.«

»Ja – Kreuzbirnbaum und Hollerstauden! Jetzt spuck's doch endlich aus. Wer ist denn dieser Richtige?«

»Der Herr droben in der Jagdhütte.«

»Der?« Der Eggstätter pfiff leise durch die Zähne. »Da schau her, mit dem hätte ich nun gar nicht gerechnet.«

Mehr sagte er nicht. Er war nicht einmal zornig, nur überrascht. Mit allem möglichen hatte er gerechnet, nur mit dem nicht. Jetzt kam es ihm vor, als hätte der Fremde sein Vertrauen missbraucht.

»Warum sagst du jetzt gar nichts mehr?«, fragte die Frau.

»Weil ich nachdenken muss.«

»Ja, aber das musst du doch selbst einsehen, dass so jemand für unsere Barbara der Richtige ist. Sie ist überhaupt für die Bauernarbeit ein bisschen zu schwach. Er ist ein Künstler, weißt du?«

»So, so, ein Künstler ist er. Na ja, warum nicht? Aber jetzt schlafen wir. Gute Nacht!«

3

Dort, wo der Bach sich ums Eck wand und dichtes Haselnussgebüsch das Ufer säumte, wartete Martin am Sonntag nach dem Hochamt auf Barbara. Er hatte eine unruhige Nacht hinter sich, in der er immer wieder durch lebhafte Träume aus dem Schlaf gerissen wurde, die alle davon handelten, wie Barbara ihm weggenommen wurde. Und nun, da er hinter den Haselnussbüschen saß, überlegte er, was es für ihn bedeuten würde, wenn er Barbara tatsächlich verlieren würde.

Natürlich hätte er keine Probleme gehabt, eine andere zu finden. Doch Martin mochte zwar schwerfällig und bedächtig wirken, so dass man ihm so heftige Gefühlsregungen gar nicht zutraute, aber er war dennoch in seine hübsche Verlobte bis über beide Ohren und wie ein Schuljunge verliebt. Es schien ihm undenkbar, sie kampflos aufzugeben, falls sie ihn auf einmal nicht mehr haben wollte.

Nun kam sie daher, raschen Schrittes, die schwere Seidentracht schillerte im Licht der Sonne. Dem Martin klopfte das Herz bis in den Hals hinein, und es schien ihm, dass Barbara noch nie so schön gewesen sei wie jetzt, da er Grund zur Sorge hatte, sie zu verlieren. Jetzt ging sie über den kleinen hölzernen Steg.

Das war der Augenblick, in dem Martin die Haselnussbüsche auseinanderschlug und ihr in den Weg trat. Barbara erschrak ein wenig, aber man merkte es kaum, nur ihre Brauen zog sie ein wenig hoch.

»Das ist ja eine ganz neue Mode«, sagte sie, und ein leichter Spott schien in ihrer Stimme mitzuschwingen. »Seit wann lauert man denn einem Mädchen auf wie ein Wegelagerer?«

»Seit man dich daheim nicht mehr treffen kann«, erwiderte der Martin störrisch.

»Weil ich gestern zufällig einmal nicht da war.« Sie zeigte die blanken Zähne. »Ich kann doch nicht immer auf dem Stühlchen sitzen, wenn du kommst.«

»Weil du zur Schneiderin gegangen bist, oder?«

»Ja, da bin ich auch gewesen.«

Da packte er mit raschem Griff ihr Handgelenk. »Jetzt hab ich dich erwischt bei der Lüge. Du bist ja gar nicht bei der Schneiderin gewesen. Du – merk dir das eine: Zum Narren halten lass ich mich nicht von dir! Da musst du dir einen Dümmeren suchen!«

Barbara gab ihre überlegene Art auf. Unwillkürlich bekam sie ein wenig Angst vor seinem finsteren Blick. Sie wollte ihr Handgelenk befreien, aber seine Finger hielten wie Schrauben.

»Sei doch vernünftig, Martin«, versuchte sie einzulenken. »Du tust gerade so, als wenn ich wer weiß was verbrochen hätte!«

»Das kann ich ja nicht wissen, ob du etwas verbrochen hast. Also, wo warst du gestern? Sag es!«

Trotzig erwiderte sie: »Ich sag's aber nicht!«

»Dann wird es schon so sein, dass du einen anderen im Kopf hast.«

Barbara fing eines der Schürzenbänder ein, mit denen der Wind spielte, drehte es ein paar Mal um den Finger und hob dann plötzlich die Augen.

43

»Und wenn es so wäre, Martin?«, fragte sie ihn.

Er ließ sie los, so sehr erschrak er über ihre Worte. »Barbara, das gäbe ein großes Unglück! Der Kerl dürfte mir nicht in die Finger kommen!«

›Ich darf kein Wort mehr davon sagen‹, dachte Barbara. Sie wusste ganz genau, dass dies keine leere Drohung war. Er durfte nichts davon erfahren, wie es um sie stand. Sie hatte ihn bisher ja ganz gern gemocht, und er konnte nichts dafür, dass ihr das nun nicht mehr ausreichend erschien. Sie musste einen Weg finden, sich ganz vorsichtig von ihm zu lösen, so dass er nicht mehr an Rache denken würde, wenn es dann endgültig wäre. Und so hielt sie es für das Allerbeste, vorerst sein Misstrauen zu besänftigen.

»Du bist aber ein eifersüchtiger Patron«, meinte sie. »Weil ich jetzt ein einziges Mal nicht daheim gewesen bin, als du gekommen bist, denkst du gleich wer weiß was.«

»Nein, Barbara, das ist es nicht. Aber du hast mich angelogen, und das ist verdächtig.«

Er schaute sie fest an dabei, und sie fühlte sich plötzlich beklommen unter seinem Blick, so dass sie die Augen senken musste. In den Haselnussbüschen pfiff hell ein Vogel, und vom Kirchturm herauf hörte man zwei dröhnende Schläge.

Da sagte der Martin mit einer Stimme, die sie noch nie bei ihm vernommen hatte: »Schau, Barbara, ich hab es dir noch nie gesagt, aber ich hab dich schon gern gehabt, als du noch in die Schule gegangen bist. Als mich dann der Vater für zwei Jahre nach Hermannshagen zum Praktizieren geschickt hat, da habe ich dir oft schreiben wollen, dass du auf mich warten sollst. Aber unsereinem sind die richtigen Worte nicht dazu gegeben. Meine Hand ist zum Schreiben viel zu schwer. Aber ich habe so oft an dich gedacht, Barbara, und ich habe den Tag kaum erwarten können, bis ich dich wiedersehen würde. Ich dachte, zwischen uns sei alles klar, doch jetzt auf einmal willst du auskneifen. Frag dich einmal gewissenhaft, Barbara, ob das richtig gehandelt ist an mir. Du weißt, ich bin ganz allein, Vater und Mutter sind mir weggestorben, ich hab niemand mehr auf der Welt als dich. So, Barbara – das hab ich dir jetzt sagen müssen.«

Er streckte ihr die Hand hin, ließ sie plötzlich stehen und ging rasch davon.

Barbara wusste nicht recht, was sie denken sollte. Von dieser Seite hatte sie Martin noch gar nicht gekannt. Ja, Barbara geriet in einen Zwiespalt wie noch nie zuvor. Zu ihren Füßen schoss der silberhelle Bach dahin. Sie sah ihr Bild in dem klaren Wasser und dachte erschrocken: ›So schaut also eine aus, die treulos ist, eine, die ein Spiel treibt nach zwei Seiten hin.‹ Ein Gefühl der Scham kroch in ihr hoch, und die Lippen pressten sich zusammen. Am liebsten hätte sie geweint, und auf dem ganzen Heimweg war ihr bitterschwer ums Herz.

Severin hatte in den letzten Tagen zu arbeiten begonnen. Wie ein Fieber hatte es ihn erfasst, und der mächtige Tonkloben, den er sich besorgt hatte, begann unter seinen Händen Form zu gewinnen. Noch wusste er eigentlich selber nicht, was es werden sollte. Gleichviel, er fühlte, dass er die richtige Idee noch bekommen würde, denn er spürte eine unbändige Lust zum Schaffen.

Da hörte er einen festen Schritt auf dem Gartenweg und schaute zum Fenster hinaus. Der Eggstätter
war es, der auf das Haus zukam. Severin legte das
Werkzeug fort, wischte sich die Hände ab und ging
dem Bauern entgegen.

»Guten Morgen, Eggstätter. Na, das freut mich,
dass Sie mich einmal aufsuchen.«

Er streckte ihm die Hand hin, aber der Bauer
nahm in diesem Augenblick seinen Hut ab und
wischte sich den Schweiß von der Stirn. Dann sagte
er bärbeißig: »Die Freude muss schon bei Ihnen allein bleiben. Mir wäre es lieber, wenn ich mir den
Weg hätte sparen können. Aber zunächst etwas anderes.« Er langte in seine Joppentasche und zog zwei
Briefe heraus. »Die sind heute früh angekommen,
und der Postbote hat sie bei uns abgegeben.«

»Danke, danke«, sagte Severin zerstreut, schob
die Briefe in die Tasche seines weißen Mantels und
wusste auf einmal, dass dieser Mann wegen Barbara
hier stand. Auf Dauer konnten ihre häufigen Besuche bei ihm einfach nicht geheim bleiben. ›Nun gut‹,
dachte er, ›ich will mich nicht drücken.‹ »Bitte, wollen Sie nicht hereinkommen?«

»Nein! Was ich zu sagen hab, das lässt sich auch
hier besprechen.«

»Ich vermute, dass es sich um Barbara handelt?«

Der Eggstätter nickte. »Ganz richtig, die Barbara.
Gestern war sie das letzte Mal hier oben. Darauf
können Sie Gift nehmen!«

Severin zog die Brauen zusammen. »Ach so ...?«

»Ich weiß im Moment nur so viel, dass Sie dem
Mädel wahrscheinlich Flausen in den Kopf gesetzt
haben«, unterbrach ihn der Eggstätter. »Doch das

muss ein Ende haben! Die Barbara soll die Frau eines Bauern werden!«

»Wenn sie will«, sagte Severin. »Soweit meine Erfahrung reicht, müssen es zum Heiraten immer zwei sein.«

Der Eggstätter trat zornig einen Schritt vor. »Ob die Barbara einen Bauern heiraten will? Bis Sie hier aufgetaucht sind, hatte sie jedenfalls nichts dagegen. Seit Jahr und Tag ist die Barbara mit dem Sixten-Martin verlobt. Und jetzt kommen Sie daher – kein Mensch weiß, woher Sie überhaupt kommen – und machen einem anständigen jungen Mann die Braut abspenstig? Finden Sie das richtig? Das hätte ich nicht von Ihnen gedacht.«

Severin war betroffen. »Das habe ich nicht gewusst, Eggstätter. Ich versichere Ihnen im Übrigen, dass zwischen Barbara und mir nichts wirklich Ernsthaftes vorgefallen ist. Und wenn ich geahnt hätte, dass Barbara bereits gebunden ist, hätte ich es auch so weit nicht kommen lassen. Ich gebe Ihnen mein Ehrenwort, dass ich mich ab sofort von ihr fernhalten werde.«

Der Eggstätter war sofort wieder besänftigt. »Dann sieht die Geschichte freilich ein wenig anders aus. Ich habe auch nicht streiten wollen mit Ihnen. Freilich, ich weiß schon, die Barbara ist ein bisschen leichtsinnig. Darum ist es auch gut, wenn sie bald mit Martin verheiratet ist. Ich kann nicht immer hinter ihr her sein, und die Mutter« – der Eggstätter machte eine müde Bewegung mit der Hand und lächelte dazu –, »die Mutter unterstützt das Mädel auch noch bei solchen Dummheiten. Sie hat auch einen Narren gefressen an Ihnen.«

»Sehr schmeichelhaft«, sagte Severin leicht ironisch, wurde aber gleich wieder ernst. »Es wäre mir sehr unangenehm gewesen, Eggstätter, wenn es zu einem ernsthaften Zerwürfnis zwischen uns gekommen wäre. Ich bin froh, dass Sie so schnell zu mir gekommen sind, um die Sache zu bereinigen. Und sie ist nun bereinigt, darauf gebe ich Ihnen die Hand.«

Jetzt schlug der Eggstätter sofort ein. Er atmete auf. »Ja, ich glaube Ihnen. Nichts für ungut, dass ich zuerst so barsch war. Jetzt ist mir ein Stein vom Herzen gefallen!«

Erst als Severin wieder allein war, konnte er über alles so richtig nachdenken.

Warum nur hatte Barbara ihm kein Wort davon gesagt, dass sie verlobt war? Er hatte sie doch sogar noch gefragt, ob sie anderweitig gebunden sei! ›Genau wie Silvia‹, dachte er. ›Waren denn alle Frauen gleich?‹

Plötzlich erinnerte er sich an die beiden Briefe, die der Eggstätter mitgebracht hatte. Der eine war von seiner Mutter. Sie schrieb, sie freue sich, dass sie ihn wieder in der Heimat wisse, und dass er sich in den Bergen erhole, aber sie könne es nicht verstehen, weshalb er zu Hause vorbeigefahren sei, ohne auch nur auf eine Stunde einzukehren. Ob ihm denn jemand etwas zuleide getan hätte?

»Nein, nein«, lachte er grimmig vor sich hin. »Kein Mensch hat mir etwas zuleide getan. Ein Mädchen namens Silvia hat meinen Bruder geheiratet. Aus, Schluss!«

Der andere Brief war von seinem Freund Ralph Kirchhoff. Es war die Antwort auf den seinen. Severin zündete sich eine Zigarette an und machte es sich bequem. Er wollte diesen langen Brief mit Genuss lesen. Plötzlich, als er schon fast fertig war, zogen sich seine Brauen zusammen.

»Dass ich es nicht vergesse«, schrieb Kirchhoff noch so nebenbei. »Da gibt es ein Mädchen namens Barbara. Sie ist die Tochter unseres alten Freundes Eggstätter. Nimm dich ein wenig in Acht vor ihr. Sie ist ein hübsches Ding, und sie wird auch dir schöne Augen machen. Lass dich auf nichts ein, denn das führt nur zu Unannehmlichkeiten. Sie ist ohnehin schon längst einem dortigen Bauernburschen versprochen. Also, Vorsicht, falls es etwa nötig sein sollte ...«

Severin musste lachen. Hatte Ralph etwa dieselbe Erfahrung mit Barbara gemacht? Dabei hatte sie immer so getan, als hätte ihr noch nie ein Mann nahe gestanden. Er konnte ihr nicht einmal mehr richtig böse sein in dem Augenblick. Nur, diesen Brief hätte er etwas früher erhalten sollen, dann wäre ihm der unangenehme Auftritt des Eggstätters erspart geblieben.

An diesem Abend kam der Jäger Anderl, der Jagdheger des Herrn Kirchhoff, vorbei und fragte, ob er noch immer nicht Lust verspüre auf einen schönen Gamsbock oder Hirsch.

Doch, wirklich, Severin hatte jetzt Lust. Er lud den Jäger zu sich ins Haus. Sie tranken Zwetschgenschnaps und unterhielten sich über die Jagd, wobei Severin feststellte, dass der Mann sein Handwerk gründlich verstand.

Am nächsten Morgen, nein, da ginge es leider noch nicht, denn der Jäger hatte in der Stadt einen

Termin, eine Gerichtsverhandlung, bei der er als Zeuge aussagen musste. Aber am Tag darauf, um drei Uhr früh, würde er kommen und ihn abholen. Das, was es zu besorgen gab, schrieb er säuberlich in sein Notizbuch. Eine kurze Lederhose also, eine grüne Jagdjoppe und sonstiges, was Severin bei der Jagd brauchen würde.

Am nächsten Mittag brachte eine junge Arbeiterin vom Eggstätterhof Severin das Essen. Barbara ließ sich, wie von ihrem Vater angekündigt, von Stund an nicht mehr bei Severin blicken.

Severin und Anderl wanderten hinaus in die Nacht, die windstill war. Über den grauen Wänden funkelten am Himmel unzählige Sterne. Dann betraten sie den Wald, und man sah nichts mehr. Als er sich wieder lichtete und der Weg in ein Latschenfeld einbog, waren fast zwei Stunden vergangen.

Für einen Augenblick verhielten die beiden rastend. Zu ihren Füßen sahen sie die grauen Umrisse einiger Almhütten. Kühe mit leise bimmelnden Glocken tauchten für Augenblicke wie Schemen aus den feinen Morgennebeln heraus und verschwanden wieder darin. Lautlos kletterten die beiden Jäger zwischen den Latschen hinauf, bis sie einen Buckel erreicht hatten.

»Hier bleiben wir jetzt«, bestimmte Anderl. »Der Hirsch muss hier vorbeikommen, wenn er es sich nicht ausgerechnet heute anders überlegt hat.«

Severin war müde geworden von dem ungewohnten Steigen. Schwer atmend ließ er sich auf den Rasen nieder. »Wenn Sie vielleicht ein Stückchen weiter hereinrücken würden in die Latschen«, mahnte der Jäger. »Sonst blendet es den Hirsch, wenn er kommt.«

»Ach so«, lachte Severin und stellte einen Vergleich an zwischen der abgewetzten Buxe des Jägers und seiner eigenen neuen Lederhose, an der die Seidenstickereien hell glänzten.

»Da müssen Sie gelegentlich ein Bier drüberschütten oder Schweinefett drüberschmieren, damit sie zur Jagd taugt, die Lederhose. Überhaupt – wenn es erlaubt ist zu fragen: Haben Sie schon einmal auf dem Anstand gesessen?«

»Ich hab doch gestern schon gesagt, Anderl, dass wir zu Hause auch eine Jagd hatten.«

»Mein lieber Herr, eine Jagd im Flachland ist etwas ganz anderes.«

Severin schmunzelte. »Jedenfalls will ich mir Mühe geben, Ihnen möglichst keine Schande zu machen.«

Plötzlich reckte der Jäger den Hals und zupfte Severin aufgeregt am Ärmel. Ganz nahe an seinem Ohr zischte er: »Da, sehen Sie! Jetzt kommt er!«

Severin hob das Glas an die Augen und konnte nur mit Mühe einen Ruf des Staunens unterdrücken. Hoch aufgerichtet zwängte sich ein riesiger Hirsch mit einem ungemein ausladenden Geweih durch das gegenüberliegende Latschenfeld. Jetzt trat er heraus in die kleine Lichtung, verharrte, riss den Schädel empor und spitzte die Luser.

Die beiden Männer hielten den Atem an. Lautlos hob Severin das Gewehr. Das Tier schien die Gefahr nicht zu merken, in der es sich befand, der Hirsch senkte gerade den Kopf mit dem herrlichen Geweih, da krachte der Schuss ...

Ein Aufbäumen des Körpers, dann ein Sprung, und der Hirsch wandte sich zur Flucht. Über die grünen Latschenbüschel hinweg zuckten die braunen Griffe seines Geweihes.

Der Jäger sprang auf, krebsrot im Gesicht.

»Ich hab's doch gleich befürchtet, dass Sie den Hirsch verfehlen werden! Gibt es denn so was auch! Er ist doch ganz ruhig dagestanden! Wie kann man denn so ein Ziel nicht treffen?«

»Du täuschst dich, Anderl«, antwortete Severin. »Der Hirsch ist getroffen, und zwar gut getroffen.«

»Da bin ich wirklich neugierig!« Mit großen Sprüngen setzte der Jäger über die Graskuppe und verschwand in den Latschen.

Severin blieb zurück und sah um sich. Groß und schweigend dehnte sich ringsum das starrende Gewänd. Über allen Graten lag goldleuchtend das Licht der Morgensonne hingebreitet wie ein köstliches Diadem. Die feinen Nebel zerrissen überall, und auch die Tiefe lag nun völlig nebelfrei. Weit zerstreut lagen die Almhütten, oft wirkten sie wie an den Hang hingeklebt einem Schwalbennest gleich. Ihm schräg gegenüber, wo sich hinter einer breit auslaufenden Graskuppe eine Reihe verzerrter Wetterföhren gegen den immer heller werdenden Morgenhimmel abhoben, lag eine Almhütte, auf die in diesem Augenblick das ganze Licht der soeben aufgehenden Sonne niederzufallen schien. Die kleinen Fenster funkelten, als wären sie aus Gold.

Severin hob das Fernglas an die Augen und sah, wie sich drüben die Tür der Hütte öffnete. Ein Mädchen trat heraus, hob, wie von der Sonne geblendet, die Hand vor die Augen und ging dann zum Brunnen hin. Sie wusch sich Gesicht und Arme und lief dann, ohne sich abzutrocknen, wieder in die Hütte zurück.

Da drang plötzlich ein Ruf von seitwärts herüber. Severin wollte der Stimme nachgehen, da kam ihm aber der Jäger schon strahlend entgegengelaufen.

»Gratuliere, Herr Lienhart, zum ersten Hirsch in unserem Revier! So einen Schuss hab ich noch selten erlebt von einem Städter wie Ihnen!«

Zwischen Almrosenbüschen lag der Hirsch in einer kleinen Mulde. Severin besah sich den Einschuss. Wie hingezirkelt aufs Blatt. Erstaunlich, dass der Hirsch überhaupt noch so weit gekommen war mit dieser tödlichen Kugel im Leib. Ehrliche Jägerfreude leuchtete aus seinen Augen, und er fühlte sich in eine Stimmung hineingehoben, wie er sie schon lange nicht mehr gespürt hatte.

»Los jetzt, Anderl! Ich helfe Ihnen, den Hirsch aufzubrechen!«

Auch das hatte der Anderl bisher noch nicht erlebt. Die städtischen Jagdherren wollten außer ihrem guten oder schlechten Schuss für gewöhnlich nichts sehen, vor allem aber kein Blut. Der da war ganz anders. Kein Sonntagsjäger wie die meisten.

Dann aber riss Anderl die Joppe herunter, zog das Messer aus der Scheide und krempelte die Ärmel hoch. Severin tat dasselbe, und es dauerte gar nicht lange, da hatte seine nagelneue Lederhose schon nicht mehr den schönen Glanz, den Anderl bemängelt hatte.

Die Sonne war mittlerweile höher gestiegen, und es war schon fast Mittag, als die beiden, am ganzen Körper schwitzend, die Jagdhütte erreichten. Es handelte sich um einen fest gefügten Bau aus Baumstämmen, eingeteilt in drei Räume. Natürlich fehlte im Vergleich zum Jagdhaus Ludwigsruh jeder Komfort, aber dennoch war es gemütlich dort. Der Anderl machte gleich ein Feuer an, um die Hirschleber zuzubereiten. Und hatte Severin zunächst der Kochkunst des Jägers nicht ganz getraut, so aß er hernach doch wie ein Scheunendrescher und konnte sich nicht erinnern, dass ihm jemals im Leben ein Mahl so geschmeckt hatte wie dieses hier in der Jagdhütte mitten im Wald.

Danach legte sich Severin vor der Hütte in die Sonne, verschränkte die Arme hinter dem Kopf und blinzelte dösend in das Stückchen blauen Himmel hinauf, das durch die Lücken der Bäume zu sehen war. Nach einer Weile kam auch der Anderl, setzte sich auf die Bank vor der Hütte und begann die Gewehre zu reinigen. Severin bekam Lust zu einer Unterhaltung.

»Sind Sie eigentlich verheiratet, Anderl?«

Der Anderl lachte. »Ich habe noch keine Zeit dazu gefunden.«

»Keine Zeit – oder kein Mädchen?«

Severin zündete sich eine Zigarette an und warf dem Jäger das Etui zu, dass er sich ebenfalls eine herausnähme.

»Bin so frei.«

Anderl nahm eine Zigarette heraus, löste das Papier ab und stopfte den Tabak in seine kurze Pfeife. Das sei ihm lieber und bekömmlicher für ihn, meinte er und fügte dann hinzu: »Ja, mit den Mädchen, das ist so eine Sache. Unsereiner ist ja nicht gerade auf Rosen gebettet. Und dann bin ich den ganzen

Sommer fast immer hier oben am Berg. Wenn man ein Mädel hat, sollte man aber immer in ihrer Nähe sein können, sonst vergessen sie einen manchmal schnell wieder. Mir ist es schon einmal so gegangen, und seitdem lasse ich mir Zeit damit, eine andere zu finden.«

»Da sind Sie nicht der einzige, Anderl. Was ich fragen wollte: Die Eggstätter-Barbara kennen Sie doch auch?«

»Die Eggstätter-Barbara?« Der Anderl grinste ein wenig. »Die wäre nichts für mich, das heißt, ich wäre nichts für sie, schon aus dem Grund ...«, er machte mit Daumen und Zeigefinger die Geste des Geldzählens. »Überhaupt ist die Barbara schon längst mit einem anderen verlobt.«

»Das ist Ihnen also bekannt?«

»Das weiß doch das ganze Dorf, dass die Barbara Sixtenbäuerin wird!« Der Anderl fuhr mit seinem Wischstock durch den Lauf, kniff dann ein Auge zu und sah durch. »Ja, ja, nur Sie haben es wohl nicht gewusst.«

Severin fuhr mit dem Gesicht herum.

»Nein, das hab ich nicht gewusst, sonst ...« Er schwieg plötzlich und stand auf. »Sie haben die Barbara vielleicht einige Male bei mir gesehen, nehme ich an. Aber ich halte Sie für einen Kerl, der den Mund halten kann.«

»Ich sehe viel, was andere nicht sehen. Aber geredet habe ich noch nie darüber.«

»Verstehen Sie mich nicht falsch, Anderl. Es ist nicht meinetwegen. Ich möchte bloß nicht, dass dieser Sixten-Martin, oder wie er heißt, etwas davon erfährt.«

Der Jäger pfiff durch die Zähne. »Der Martin, ja, mit dem sollten Sie sich besser nicht anlegen. Wo der hintritt, da wächst kein Gras mehr. Es ist ein Glück, dass er nichts davon gemerkt hat, dass die Barbara mit Ihnen angebandelt hat.«

»Dann kann ich den Mann nicht verstehen, Anderl. Er hätte es doch merken müssen. Aber ich glaube dennoch, dass er etwas vermutet hat und dass er es war, der sich dann hinter den Eggstätter gesteckt hat. Der ist nämlich zu mir gekommen, um die Sache wieder in das richtige Geleise zu bringen. Ja, so war das. Aber das ist vorbei. Gestern noch habe ich mich geärgert, dass ich mich in eine so unangenehme Patsche habe bringen lassen, aber mein Jagdglück von heute und die ganze schöne Welt hier oben haben mich wieder mit allem versöhnt. Ich ärgere mich jetzt nur, dass ich nicht schon früher heraufgekommen bin, ich begreife es selber nicht, warum. Die Barbara hat es immer wieder verstanden, mich davon abzuhalten.«

Der Anderl grinste wieder. »Sie wird Angst gehabt haben, Sie könnten sich vielleicht in irgendeine Sennerin verlieben.«

»Dabei ist mir bis jetzt noch kein weibliches Wesen begegnet hier heroben.«

»Sie sind ja auch noch nirgends hingekommen«, erwiderte Anderl.

»Tu mir den Gefallen, Anderl, und sag du zu mir. Ich heiße Severin.«

»Ja, daran müsste ich mich erst gewöhnen.«

»Warum? Fällt denn das so schwer?«

»Es ist eben etwas ungewohnt für mich. Aber bei Ihnen ... bei dir werde ich mich sicher daran gewöhnen. Manchmal hat er mir schon Jagdgäste herausgeschickt, mein Dienstherr, dass einem die Haare zu Berge hätten stehen können. Ich erinnere mich an einen, dem hätte ich jeden Tag zweimal frisches Quellwasser rauftragen sollen« – er deutete mit der Hand in den Wald hinunter – »von der Quelle da unten. Ja, zweimal im Tag, weil er sich kalt hat baden wollen. Dabei war er ein so miserabler Jäger, dass es einem ganz anders hat werden können, aber ein Mundwerk ... Andreas, bringen Sie mir sofort – aber fix, fix! Nichts anderes hat man den ganzen Tag von ihm gehört. Mit dem hab ich aber schnell Schluss gemacht.«

Severin lachte. »Wie denn?«

»Ganz einfach. Ich bin auf Pirsch fortgegangen und drei Tage nicht mehr heimgekommen. Wie ich dann heimkam, war er verschwunden und hat mir eine Nachricht hinterlassen. ›Ich werde Ihr unkorrektes Verhalten Herrn Kirchhoff melden –‹ Gemeldet hat er es auch, aber der Herr Kirchhoff hat mir keinen Vorwurf gemacht. Der kennt seine Pappenheimer schon.«

»Ja, das glaube ich auch. Nun, Anderl, ich glaube, dass wir zwei aber ganz gut miteinander auskommen. Übrigens, was sind das für Almhütten, die man von hier aus sieht?«

Der Anderl nannte sie der Reihe nach. Er wusste auch genau, wo es sich einzukehren lohnte, und wo man am besten vorbeiging.

»Heute morgen, Anderl, als du dem Hirschen nachgestiegen bist, da hab ich rechts von unserm Standplatz aus, fast schräg gegenüber, eine Almhütte gesehen ...«

»Richtig, das ist dem Eggstätter seine. Da ist die Johanna droben.«

»War sie nicht früher in der Stadt, diese Johanna? Ich glaube, der Eggstätter hat einmal so etwas gesagt.«

»Ja, das hat schon seine Richtigkeit. Sie ist erst seit zwei Jahren wieder hier.« Anderl schaute auf die Uhr. »Hoppla, jetzt wird es Zeit, dass ich mich auf die Abendpirsch mache. Willst du vielleicht mitkommen?«

»Nein, für heute reicht es mir. Vielleicht, dass ich mich in der näheren Umgebung noch ein wenig umsehe.«

»Ja, geh doch zur Eichmoosalm rüber. Die Leni soll dir einen guten Schmarrn kochen. Sag einfach, dass ich dich geschickt habe.«

Severin hatte aber nicht das Bedürfnis nach Essen. Es wären notfalls ja auch noch Reserven im Hüttenkeller gewesen. Aber er nahm sich nur eine Flasche Bier heraus.

Danach wanderte er auf einsamen Wegen hügelauf, hügelab, stieg über Almzäune und zog jedesmal gewissenhaft das Gatter hinter sich zu.

Später saß er dann lange Zeit auf dem hölzernen Steg, der über eine Klamm führte, in dessen Tiefe ein wildes Gebirgswasser donnerte. Ein kühler Hauch wehte aus der Tiefe herauf, das stürzende Wasser sprühte eine feine Dampfwolke auf und erfüllte mit seinem dumpfen Rauschen den engen Talkessel.

Severin wunderte sich, dass man über diese gefährliche Stelle nur einen solch schmalen Steg gebaut hatte. Freilich, er war aus festen Balken zusammengefügt mit einem Geländer auf der einen Seite. Aber

58

die andere Seite war nicht abgesichert, und in der Dunkelheit hatte ein Fehltritt wohl den sicheren Tod zur Folge. Für gewöhnlich wurde dieser Weg wohl auch nicht benützt, Touristen und andere Berggänger hielten sich grundsätzlich an die markierte Route. Und doch zeigten am Rand der Schlucht ein paar einfache Holzkreuze, dass an dieser Stelle schon mehr als einmal jemand abgestürzt war. Severin schauderte unwillkürlich bei dem Gedanken und blickte in die Tiefe.

Ringsum war schon alles Licht nahezu erloschen. Die hohen Bäume standen schweigend und schwarz um ihn herum. Severin sehnte sich plötzlich nach Helligkeit und Licht und stieg schnell aufwärts, bis der Wald sich lichtete und sich ein Almfeld vor ihm ausbreitete. Auf den Bergspitzen tanzte noch das Feuerspiel der niedergehenden Sonne, doch alle Hänge waren schon von blauen Schatten bedeckt. Er dachte, dass der Jäger vielleicht schon zurück sein könnte, und schlug den Weg zur Jagdhütte ein.

Da hörte er plötzlich Schritte. Die Steinrinne herab kam ein Mädchen.

Severin blickte auf, sagte »Guten Abend«, und sie neigte kaum merklich den Kopf. Für Sekunden waren sich ihre Augen begegnet, dann war sie an ihm vorüber. Unwillkürlich schaute er sich nach ihr um. In diesem Augenblick tat sie dasselbe. Aber sie blieb nicht stehen wie er, sondern ging gleich weiter. Ihr Haar war blond und locker. Sie trug es, ganz im Gegensatz zur üblichen Haartracht des Tales, in einem Nackenknoten verschlungen. Fest und ruhig war ihr Schritt, und auch jetzt, da sie den gegenüberliegenden Hang emporstieg, verlangsamte er sich nicht.

Ganz langsam ging Severin weiter. Von der Eichmoosalm klang Lachen und Zitherspiel herüber. Einen Augenblick besann sich Severin, aber dann ging er weiter. In diesem Augenblick war ihm gar nicht danach zumute, unter fröhlichen Menschen zu sein. Daran war vielleicht gar nicht diese Begegnung schuld, nein, das Alleinsein an diesem Abend hatte ihn berührt wie eine Zauberhand. Er spürte in seinem Inneren eine Veränderung. ›Schaffen!‹, schrie es in ihm. ›Arbeiten! Formen! Gestalten!‹ Und mit einem Male erkannte Severin, dass er im Begriff war, wieder zurückzufinden zu seinem eigentlichen Ich, erkannte, dass er wie ein fremder Mensch durch seine Tage gegangen war, und dass sein Leben unausgeglichen war, weil dieser Drang zum Gestalten ihm so lange gefehlt hatte.

Drunten im Jagdhaus Ludwigsruh stand der Tonklotz unberührt, ein halbfertiges Modell mit grauem Tuch verdeckt, und er stand nun hier in der Nacht, mit leeren Händen, aber glücklich und voller Erwartung auf das, was er daraus erschaffen würde. ›Nun bekommt mein Leben wieder Sinn und Bedeutung‹, dachte er. ›Ade, du frisch-fröhliches Jägerleben! Ade, du treulose Barbara! Leb wohl, du schönes fremdes Mädchen!‹ Severin Lienhart hatte sich wiedergefunden.

4

Am nächsten Morgen blieb Severin unter der Tür der Jagdhütte stehen wie von einem Zauber berührt. Der Jäger Anderl stand mit bloßem Oberkörper unter dem eiskalten Brunnenstrahl und ließ das Wasser über seinen Rücken plätschern. Dann hielt der Jäger ganz still, streckte die Arme hoch und ließ das Wasser an sich abrinnen.

Severin war es, als sehe er dieses Bild, das er gerade sah, in Marmor neben denen stehen, die er auf seiner Italienreise gesehen hatte. Das war es, merkte er auf einmal, was er erschaffen wollte: Ein Werk, das neben diesen Meisterwerken bestehen konnte, eines, das der Betrachter ganz automatisch einem antiken Künstler zuordnen würde und dann ganz erstaunt darüber wäre, dass es in heutiger Zeit entstanden war!

»Einen Augenblick! Bleib so stehen, Menschenskind, rühr dich nicht vom Fleck!« Severin machte ein paar Schritte vor und kniff die Augen zusammen, legte den Kopf zur Seite, er atmete kaum.

Dem Jäger kam diese Situation wohl ziemlich albern vor, doch er blieb gehorsam so stehen, wie er war. Doch dann musste er lachen. Da zerbrach das innere Bild, der Bann war gebrochen und Severin kehrte wieder auf den Boden der Tatsachen zurück. Der Jäger trocknete sich ab und schlüpfte in seine Kleider, die neben ihm am Boden lagen.

»Du musst mir unbedingt Modell stehen, Anderl!«

Der Anderl fuhr sich mit gespreizten Fingern durch die nassen Haare. »Bist du denn ein Maler?«

»Nein, Bildhauer. Anderl, du musst mir helfen, das Material heraufzuschaffen, ich möchte dich modellieren.«

Anderl wusste nicht recht, ob er sich nun geschmeichelt fühlen oder verlegen werden sollen. »Aber warum mich?«, fragte er schließlich. »Ich bin doch auch nicht anders gewachsen als andere Männer?«

»Ich sehe bereits klar und deutlich vor mir, wie ich es machen will, und du musst mithelfen, Anderl«, schwärmte Severin, ohne darauf einzugehen. Seine Augen leuchteten vor Begeisterung über das, was da vor seinem inneren Auge entstand. »Zwei oder drei Stunden am Tag musst du dir freinehmen und mir Modell stehen. Deine Rehböcke laufen dir deshalb nicht davon. Na ja, jedenfalls werden sie wiederkommen ...«, fügte er hinzu, da er das Komische an der Vorstellung bemerkte, die Rehböcke würden von nun an geduldig stehen bleiben und auf Anderl warten, während dieser ihm Modell stand.

»An mir soll es nicht liegen, wenn du meinst ...«, sagte Anderl zögernd, aber doch ein bisschen geschmeichelt von der Vorstellung, als Vorbild für ein Kunstwerk zu dienen.

Und so geschah es dann auch. Täglich arbeitete Severin nun in den frühen Morgenstunden, und Anderl stand ihm Modell. Geduldig verharrte der Jäger vor ihm in der unbequemen Pose eines Mannes, der sich mit einer Schöpfkelle Wasser über den Kopf gießt: den rechten Arm mit der Kelle über den Kopf erhoben. Severin wollte ihn so abbilden, dazu die Augen geschlossen und das Gesicht leicht verzogen, wie man es unwillkürlich macht, wenn das kalte Wasser einem vom Kopf über den Rücken zu laufen beginnt. Damit Severin den richtigen Gesichtsausdruck festhalten konnte, musste Anderl sich unzählige Male mit Wasser übergießen, während Severin eifrig bemüht war, den Gesichtsausdruck so zu skizzieren, wie er ihn sich für das fertige Werk vorstellte.

Er schrieb an seinen Freund Ralph Kirchhoff, der ihm den passenden weißen Marmor verschaffen sollte, voller Enthusiasmus über seine neu erwachte Schaffensfreude, und bat diesen eindringlich, sich so schnell wie möglich darum zu kümmern.

Eines Abends kam Severin dann, ohne dies wissentlich geplant zu haben, an der Eggstätteralmhütte vorbei. An den kleinen Fenstern blühten blutrote Fuchsien, deren Blüten sich leicht im Winde bewegten. Vier Stufen führten hinauf zur Hüttentüre, die nur angelehnt war. Auf der ersten Stufe stand ein Paar Holzpantoffeln, und auf der letzten lagen ein paar Fichtenzweige. Auf einer Stange unter dem weitvorspringenden Dach hingen ein paar Milchtücher und ein rotkarierter Kittel, und auf der Bank war das blitzblank gescheuerte Milchgeschirr zum Trocknen aufgestellt.

Alles machte schon von außen einen Eindruck von Behaglichkeit, und Severin spürte nicht wenig Lust, einzutreten. Aber es war schon sehr spät, und er hatte ohnehin noch ein gutes Stück zu gehen. Schon wollte er weitergehen, als er in der Hütte eine singende Stimme vernahm, ganz dunkel und verträumt. Er verhielt den Schritt. Im selben Augenblick wurde die Tür ganz geöffnet. Ahnungslos trat ein Mädchen heraus und verstummte, als es den fremden Mann sah, der um diese späte Stunde so regungslos vor ihrer Hütte stand.

Da erkannte Severin das Mädchen, das ihm eine Woche zuvor auf dem Steinweg begegnet war. ›Das also ist Johanna‹, dachte er, und er begriff in diesem Augenblick, dass er dies damals schon geahnt hatte. Er besann sich auf seine Manieren, wünschte ihr einen guten Abend, und sie lächelte ihn nun an. Auch sie hatte ihn wohl wiedererkannt.

›Ist dieses Mädchen schön‹, dachte er ergriffen. Ihr Gesicht war ebenmäßig, fast ein wenig streng in den Linien. Nun stieg sie die Stufen herab. Sie standen voreinander, und beide ahnten in dieser Sekunde, dass das Schicksal sie zueinander geführt hatte.

Der Fahrer des Lieferwagens fluchte und schimpfte über diesen verrückten Menschen, der sich einen solchen riesigen Steinblock schicken ließ. Wie konnte man denn bloß so vernagelt sein? Lagen nicht genug Felsbrocken in der Gegend herum? Nein, weiß musste er sein, und so schwer, dass man ihn kaum den Berg hinaufbekam!

Severin hatte das Einfahrtstor schon weit geöffnet und erwartete die kostbare Fracht, die der Fahrer so wenig zu würdigen wusste. Nun war er da, der Stein, dem er Leben einhauchen wollte. Liebkosend glitten seine Augen über den weißen Marmor hin.

Es war noch ein schweres Stück Arbeit, ihn so auf die Terrasse zu bringen, dass er gleich richtig stand. Ins Innere des Hauses konnte man mit diesem Koloss auf keinen Fall. Severin hatte sich schon alles genau überlegt. Die Terrasse war überdacht, es war eine Kleinigkeit, an der Seite noch Glas anbringen zu lassen, und schon hatte er ein Atelier, um das ihn die Größten seiner Gilde beneiden könnten. Nun hielt ihn nichts mehr. Am ersten September wurde die große Kunstausstellung in der Stadt eröffnet, bis dahin könnte er sein Werk vollendet haben. Unverzüglich begann er mit der Arbeit.

Severin und Johanna wussten sich an jenem ersten Abend kaum etwas zu sagen, und doch spürten beide, dass diese Begegnung ihr Leben verändern würde. Severin hatte kein Wort davon gesprochen, dass er wiederkommen wollte, aber Johanna wusste, dass es so sein würde.

Und so war es auch. Mitten im rastlosen Schaffen fiel Severin immer wieder unvermittelt Johanna ein. Dann stand er da und ließ seine Gedanken über den Berg hinaufwandern. Nun begriff er auch, warum Barbara so darauf bedacht gewesen war, dass er keine Besuche auf den Almen machen solle. Sie hatte geahnt, dass Johanna ihr eine ernst zu nehmende Konkurrenz sein würde.

Wenn das Fieber des Schaffens Severin zu verlassen begann, brach er seine Arbeit ab und ging den Berg hinauf zu Johanna. Als er das erste Mal kam, sagte er wie zur Entschuldigung: »Da bin ich also wieder. Ich hoffe, dass ich nicht störe.«

»Ich wusste, dass Sie kommen würden«, antwortete Johanna so ruhig und selbstverständlich, dass er nur darüber staunen konnte.

Und er kam immer wieder. Sie sagten bald ›du‹ zueinander, ohne dass es dazu eines besonderen Anlasses bedurft hätte. Sie mussten es einfach tun, weil jede Höflichkeitsformel fremd gewirkt hätte.

Als er zum ersten Mal ihre Hand nahm, zierte sie sich nicht, sondern umschloss ganz fest auch die seine. Wie ein stummes Gelöbnis war es, und niemand sah es als der Abendstern, der einsam über den Bergen blinzelte.

Wenn er von seiner Arbeit sprach, konnte sie sich zwar nichts darunter vorstellen. Für sie war Arbeit das, was sie aus dem Alltag kannte: das Säen, das Ernten in der Gluthitze des hohen Sommers. Hierin sah und erkannte sie den Sinn der Arbeit und Pflichterfüllung.

Dennoch fand sie es schön, Severin von seiner Arbeit sprechen zu hören. Er tat es mit einer solchen Leidenschaft, dass sie nicht umhin konnte, dieser Arbeit Bewunderung zu zollen.

Als ihn einmal an einem Abend sein Werk nicht losließ und er nicht wie gewohnt zu ihr kam, krampfte sich ihr Herz in Angst zusammen. Am nächsten Abend aber kam er wieder, wie sonst auch. Viel schneller als sonst war sie da mit ihrer Arbeit fertig und setzte sich zu ihm.

Da geschah etwas ganz Unerwartetes. Aus freien Stücken umschloss sie mit beiden Händen seine Hand und sah ihm in die Augen. »Ich hab schon Angst gehabt, es sei alles wieder zu Ende.«

»Aber was denn, Johanna? Schau, ich konnte einfach nicht aufhören gestern, es ließ mich nicht los, dieses Stück Marmor! Ich kann und darf dann nicht einfach aufhören. Hast du mich so sehr vermisst?«

Hätte sie es noch zugeben müssen? Genügte nicht schon das, was sie gesagt hatte? So sagte sie ganz leise: »Alles ist gut und schön, Severin, wenn du da bist.« Nach einer kurzen Pause fragte sie: »Lebt deine Mutter denn noch, Severin?«

Er schaute sie verwundert an. »Ja, Johanna, wie kommst du darauf?«

Sie nahm ihre Hände wieder zurück und faltete sie im Schoß. »Eine gute Frau muss sie sein, Severin, deine Mutter, weil du auch so gut bist.«

Das hatte ihm bisher noch niemand gesagt, aber er dachte: ›Wenn man einen Menschen recht lieb hat, dann ist Gutsein nicht schwer.‹ »Aber das kannst du ja gar nicht wissen, Johanna.«

»O doch, das fühlt man.«

Dann schwiegen sie wieder. Aus dem Almgrund herauf läuteten leise die Glocken der Rinder. Drüben aus dem Wald traten scheu ein paar Rehe. Sie hoben die Köpfe und schauten herüber zur Hütte. Der Abendstern aber stand wieder schräg über der Hütte, als wollte er fragen: ›Seid denn ihr zwei da unten immer noch nicht weitergekommen?‹

Nein, sie waren über Händehalten und freundliche Worte noch nicht hinausgekommen.

Als der Wind seinen Atem kälter in die Dunkelheit zu blasen begann, stand Johanna auf, streifte die Schürze glatt und sagte wie gewöhnlich: »Schlafenszeit für mich, Severin. Komm gut heim.«

»Ja, Johanna.« Er reichte ihr die Hand. »Schlaf gut.«

»Du auch, Severin. Gute Nacht!«

»Sag, Johanna, freust du dich, wenn ich morgen wiederkomme?«

Sie stand jetzt dicht vor ihm. Er spürte ihren warmen Atem um seine Schläfe.

»Fühlst du es denn nicht, wie es mich freut?«

»Doch, doch«, sagte er und wandte sich zum Gehen.

»Severin«, rief sie dann doch noch leise. »Komm her, ich habe etwas vergessen.«

Er wandte sich noch einmal um, und sie legte beide Hände um sein Gesicht und küsste ihn auf den Mund. Dann machte sie sich los von ihm, trat in die Hütte und schob den hölzernen Querbalken vor.

Severin stand kurze Zeit starr und stumm in der Nacht. Dann wandte er sich langsam um und ging. Alles, was zuvor gewesen war, erschien ihm plötzlich klein und unbedeutend. Auch die Wunde, die Silvia ihm geschlagen hatte, brannte nicht mehr, und es schien unbegreiflich, dass er sich jemals ihretwegen so gequält haben sollte.

Er hätte die ganze Welt umarmen können. Er lief mehr, als er ging, erst als er in die Nähe der Schlucht kam, verlangsamte sich sein Schritt.

Das Wasser donnerte in der Tiefe noch lauter als am Tage. Rabenschwarze Nacht umhüllte ihn, und er setzte nur langsam Fuß vor Fuß und streckte tastend die Hände aus, um den Steg nicht zu verfehlen. Jetzt noch drei Schritte. Seine Hand fasste das Geländer. Es war ein unheimliches Gefühl, in der Dunkelheit über diese Schlucht zu gehen. Mit einer Hand hielt er sich krampfhaft am Geländer fest, die Füße tasteten zögernd jeden Schritt ab. Nach einer Zeit, die ihm endlos erschien, war er schließlich heil und unversehrt drüben angekommen und schritt erleichtert wieder rasch aus.

Das Licht brannte danach die ganze Nacht auf der Terrasse. Severin hatte sich ein paar starke Scheinwerfer besorgen lassen, damit er auch nachts ungehindert arbeiten konnte. Hell klang das Eisen in der Stille. Erst als das erste Grau des aufdämmernden Tages zaghaft durch die Baumwipfel kroch, legte er erschöpft Hammer und Meißel weg und legte sich schlafen.

Auf der Alm hingegen erhob sich hinter dem Zaun ein Schatten, kaum dass Severin in der Dunkelheit verschwunden war, und ging auf die Hüttentüre zu. Dieser Mensch musste sich hier auskennen, denn er ging direkt auf das kleine Fenster auf der Ostseite zu und klopfte daran.

»Mach auf, Johanna!«

Hinter dem Fenster blieb es ruhig, aber der Mann pochte mit dem Knöchel noch einmal so nachdrücklich an die Scheiben, dass sie klirrten. Es dauerte auch danach noch eine Weile, doch dann wurde die Tür geöffnet. Der Mann trat ein und zog die Tür hinter sich zu. »Ich habe schon gedacht, du machst nicht auf.«

Johanna stand mit steinernem Gesicht neben dem Herd. »Du bist der Sohn meines Dienstherrn, dem darf ich den Eintritt nicht verwehren.«

Der Eggstätter-Lukas lachte trocken auf.

»Wie sich das anhört! Der Sohn von meinem Dienstherrn! Kannst denn du mit mir überhaupt nicht anders reden?«

»Nein!«

»Aber mit dem anderen da, da kannst es gut. Freilich, er ist ja auch was Besseres als unsereins.«

69

Johanna wich einen Schritt zurück ins schützende Dunkel, weil Lukas plötzlich so nahe herangekommen war.

Ganz im Hintergrund der Stube führte eine Stufe in eine kleine Kammer, in der ihr Bett und ein paar andere Einrichtungsgegenstände waren. Dort war ihr Reich, und sie würde sich mit allen Kräften wehren, wenn Lukas etwa vorhatte, in diesen Raum vordringen zu wollen.

»Im Kasten ist Brot, Milch steht im Keller. Das Licht lasse ich dir hier, und wenn du übernachten willst, im Heu droben ist Platz. Du weißt ja Bescheid«, sagte sie mit steinerner Ruhe.

Seine Augen funkelten plötzlich voller Zorn. »Johanna, lass das dumme Geschwätz! Du weißt ganz gut, warum ich komme! Es ist nicht das erste Mal und ...«

»Wird auch nicht das letzte Mal sein«, unterbrach sie ihn mit scharfer Stimme. »Ich weiß es. Und ich frage dich, was du damit eigentlich bezwecken willst? Ich hab dir schon oft genug gesagt, dass mir an dir nichts liegt.«

Lukas ließ sich auf der Herdmauer nieder. Das war ja lächerlich! War er nicht hier der Herr oder wenigstens der kommende Herr? Brot und Milch bot sie ihm an und zum Schlafen ein Lager im Heu. Sie, die Magd, die froh sein müsste, wenn er überhaupt zu ihr kam! Ihr Hochmut war wahrhaftig grenzenlos.

Doch er wusste, dass er bei ihr mit Grobheit nichts zu gewinnen hatte. Darum versuchte er es auch diesmal wieder mit Freundlichkeit und guten Worten.

»Johanna, merkst du es denn immer noch nicht, dass ich dich gern habe? Warum, glaubst du, mache ich denn sonst den weiten Weg?«

»Du kannst dir den Weg sparen, Lukas«, erwiderte sie schroff. »Es ist schade um jedes Wort, das wir miteinander reden. Ich will mich jetzt endlich schlafen legen.«

Jäh sprang er auf und stand dicht vor ihr.

»Ich sag dir's im Guten, Johanna! Behandle mich nicht wie einen hergelaufenen Handwerksburschen! Bin ich dir denn gar nichts?«

»Doch«, sagte sie immer noch ruhig. »Du bist für mich der Sohn meines Bauern, der Eggstätter-Lukas. Nicht mehr und nicht weniger. Das solltest du dir endlich einmal merken. Seit ich bei euch bin, rennst du mir heimlich nach und sagst mir, dass du mich gern hättest. Aber du hast dich geschämt, auf der Kirchweih offen und ehrlich mit mir zu tanzen. Was soll denn das für eine Liebe sein? Dein Vater darf nichts merken, niemand soll es wissen, alles soll heimlich sein und im Dunkeln geschehen. Aber dafür bin ich nicht zu haben, Lukas Birkner, merk dir das ein für allemal!«

»Aber für den hergelaufenen Kerl bist du für alles zu haben!«, schrie er, heiser vor Wut und Eifersucht. »Da hast du Freundlichkeit und Liebe! Da kannst du stundenlang bei ihm sitzen, und er braucht bloß etwas zu sagen, dann kannst schon lachen! Ja, glaubst denn du vielleicht, dass der dich heiratet? Sei nur nicht gar so hoch droben, sonst fällst du so weit runter wie dein Herr Vater! Hochmut kommt vor dem Fall, das ist ein altes Sprichwort. Sei gescheit, Johanna, und lass dir sagen ...«

»Ich will nichts mehr hören von dir! Geh, sag ich! Geh auf der Stelle!«

»Nein, jetzt bleibe ich erst recht!« Er fasste sie bei den Händen. »Das wäre ja lachhaft, wenn so einer mich ausstechen könnt. Dem leuchte ich demnächst einmal heim, dass ihm Hören und Sehen vergeht! Darauf kannst du Gift nehmen.«

»Lass mich los!«

Er sah die Angst in ihren Augen, er fühlte ihre Abwehr. Aber das stachelte ihn erst recht auf. Mit einem heftigen Ruck riss er sie an sich. Herrisch suchte sein Mund den ihren. Aber weit bog sie den Kopf zurück. Angst und Ekel schnürten ihr die Kehle zusammen, und sie bemühte sich, ihn von sich zu stoßen.

Sie rangen miteinander, und Johanna erkannte mit Entsetzen, dass ihre Kraft gegen die entfesselte Leidenschaft des Burschen bald erlahmen musste. Mit letzter Kraft riss sie den eisernen Kerzenleuchter an sich, hob den Arm und drosch den schweren Leuchter mitsamt der darin flackernden Kerze mitten in Lukas' Gesicht.

Das Licht erlosch, der Mann ließ sie los und taumelte fluchend zurück. In der Dunkelheit sprang sie die Stufe hinauf in ihre Kammer, schlug die Tür zu und schob den Riegel vor. Mit fliegendem Atem stand sie mit dem Rücken gegen die Tür gelehnt, und plötzlich warf sie die Arme vor das Gesicht und begann zu weinen.

Keuchend taumelte draußen der Lukas durch die Dunkelheit des Hüttenraumes. Er spürte einen brennenden Schmerz über dem linken Auge und fühlte, wie das Blut ihm warm den Hals hinablief.

Er tappte ins Freie hinaus und versuchte am Brunnen das Blut zu stillen. Erst nach einer langen Zeit hörte Johanna ihn davongehen. Seine Nagelschuhe klapperten auf dem steinigen Weg wie Hammerschläge. ›Vielleicht‹ – dachte sie – ›vielleicht hab ich jetzt endlich Ruhe vor ihm.‹

Der Jäger Anderl war nicht so begeistert von Severins Wandlung. Er sprach einmal bei Johanna vor und meinte: »Da hat mir der Herr Kirchhoff endlich einmal einen raufgeschickt, der tatsächlich auch ein guter Jäger ist. Und was macht der jetzt? Er sitzt den ganzen Tag im Jagdhaus drunten und schlägt an einem Stein herum, als hinge seine ganze Seligkeit davon ab. Und Jagd lässt er einfach Jagd sein. Also, so etwas verstehe ich nicht.«

Johanna hatte ihm aufmerksam zugehört. Ein leises Lächeln spielte um ihren Mund.

»Mir scheint, er gefällt dir, der Severin?«

»Der ist schon in Ordnung, Johanna. Wenn ich dran denke, was sie mir schon manchmal für Exemplare raufgeschickt haben. Weißt du noch, wie der kleine Dicke im vorigen Jahr euren rotscheckigen Pinzgauer Stier für eine Kälberkuh gehalten hat? Da ist der Severin schon ganz ein anderer Kerl. Bloß dass er die Jagd ganz vergisst, das kann ich nicht begreifen. Aber morgen muss er mit mir rauf. Den schönen Sechserbock darf er sich nicht auskommen lassen. Ich meine, das ist mehr wert als so ein toter Stein.«

»Ich glaube, Anderl, das verstehen wir beide nicht, das mit dem Stein. Es ist eine andere Welt, in der er lebt.«

Der Jäger schaute sie aufmerksam an. Bis sie ihn fragte: »Warum schaust du mich denn so an, Anderl?«

»Ich weiß es selber nicht, Johanna, aber du kommst mir anders vor als sonst immer. Hab ich früher keine Augen im Kopf gehabt, oder hast du dich wirklich verändert?«

»Wie denn verändert?«

»Ja, wenn ich das so sagen könnte! Ich meine, deine Augen, die sind viel heller jetzt, und dann, früher hast du so selten gelacht!«

Sie stand auf und lachte herzhaft, so wie er es an ihr noch nie erlebt hatte. »Das bildest du dir nur ein«, sagte sie und dachte dabei: ›Ja, ich fühle es selber, wie ich mich verändert habe, seit ich diesen Mann getroffen habe.‹ Ihr erster Gedanke beim Erwachen war Severin, und sie schlief nicht ein, ohne dass ihre Lippen noch einmal seinen Namen flüsterten. Es war wie ein Rausch, der alles übertönte, auch diese hässliche Stunde mit dem Eggstätter-Lukas in der vergangenen Nacht.

5

Dem Jäger Anderl war es tatsächlich gelungen, Severin von seiner Arbeit wegzulocken. Er hatte ihm den Sechserbock so schmackhaft gemacht, dass Severin nicht mehr widerstehen konnte, so glaubte er. Im Grunde genommen war es aber eher so, dass dieser dem gutmütigen Anderl die Freude nicht verderben wollte und sich ihm zuliebe gewaltsam von der Arbeit losriss.

Gleich nach Mittag machten sie sich auf den Weg. Die Luft war drückend schwül, und der Jäger sprach die Befürchtung aus, dass noch ein Gewitter kommen könnte. Aber bis zum Abend mochte es vielleicht schon wieder vorbei sein.

Sie kürzten den Weg ab und gingen über die Schlucht. Der Jäger überquerte den schmalen Steg, als ginge er auf ebener Straße, während Severin wie immer das Geländer in Anspruch nahm. Mitten auf dem Steg blieb der Jäger stehen und sah in die Tiefe. Dabei deutete er auf eines der beiden Holzkreuze am Schluchtrand.

»Den einen hab ich gut gekannt, der da hintergestürzt ist«, sagte er.

»Man müsste den Steg entschieden breiter machen«, meinte Severin. »Wenn da einer nicht schwindelfrei ist, braucht es einen gar nicht zu wundern ...«

»Nein, der hat in der Dunkelheit den Steg verfehlt und ist abgestürzt. Das konnte man anhand der

Spuren herausfinden, von ihm selbst hat man nie wieder etwas gesehen. Das Wasser wird ihn fortgetragen haben.«

Im Weitergehen erzählte Severin, dass er einmal daheim auf Gut Hermannshagen einen Menschen vor dem Ertrinken habe retten können. Der Mann wäre unweigerlich verloren gewesen, denn er trieb schon auf das Mühlenwehr zu. Severin habe es aber geschafft, ihn mit Hilfe einer langen Holzstange ans rettende Ufer zu bugsieren.

Dem Jäger fielen darauf ebenfalls Erlebnisse ein, in denen er Menschen aus Lebensgefahr hatte retten können, und so schien ihnen die Zeit, bis sie zur Jagdhütte kamen, sehr kurz. Das Wetter wollte dem Anderl aber nach wie vor nicht recht gefallen. Hinter dem Rießkogel trieb eine pechschwarze Wolkenbank genau in ihre Richtung. Einmal fuhr ein greller Blitz aus einer Wolke und stand für ein paar Sekunden wie ein brennender Strich über der Felsenwand.

»Teufel, Teufel! Hoffentlich geht das bald vorbei! Sonst hab ich dich umsonst mit raufgelotst.«

Severin stand unter dem vorspringenden Dach der Hütte und genoss dieses herrliche Schauspiel der Natur, das sich allmählich in seiner ganzen Großartigkeit abzeichnete.

»Mach dir nichts draus, Anderl. Wenn es heute nicht geht, dann eben morgen früh. Sieh doch einmal, wie eindrucksvoll dieses Wolkengebilde ist! Man sieht den Schwefel direkt darin leuchten.«

Der Anderl brummte etwas vor sich hin und ging in die Hütte. Er konnte nicht verstehen, wie man sich für so etwas auch noch begeistern konnte. Eine volle Woche lang hatte er auf den Tag gewartet, wo er den Herrn an den Bock heranführen könnte! Und jetzt, wo es endlich soweit gewesen wäre, musste dieses verwünschte Gewitter kommen!

Die Stille war nun fast mit Händen zu greifen. Auch die Vögel waren verstummt, die Bäume standen reglos in der unbewegten Luft. Hinter dem Gebirge donnerte es jetzt herauf. Die gelbe Wolke wuchs immer mehr heran, sie verschlang das letzte Sonnenlicht. Dann brach unvermittelt der Sturm los, und nun schlug endlich auch der Regen nieder.

»Gute Nacht, Sechserbock!«, sagte der Anderl mit so grimmiger Ironie, dass Severin hellauf lachen musste.

»Mach dir doch nichts draus, Anderl! Der Bock läuft uns ja nicht weg. Vielleicht hört es noch auf bis zum Abend.«

»Das sieht mir aber nicht so aus. Wenn mich nicht alles täuscht, schüttet es auf jeden Fall noch die ganze Nacht lang.«

Wie mit tausend Hämmern trommelte der Regen nun auf das Schindeldach der Hütte. Der Sturm rüttelte an den Fensterläden, und einmal ging es wie ein dröhnender Schlag durch die ganze Hütte. Der Anderl rannte hinaus, um nachzusehen, was geschehen war, und da stand unweit der Hütte wie eine riesige brennende Fackel ein dürrer Wetterbaum, in den der Blitz eingeschlagen hatte. Doch durch den Regen bestand keine Gefahr, dass das Feuer sich bis zur Hütte ausbreiten würde.

Der Jäger hatte Recht. Es sah wirklich nicht so aus, als ob sich hinter dem Gewitter der Himmel wieder aufklaren würde. Der Sturm trieb die dunklen Wolken zwar rasch vorüber, aber dahinter dehnte es sich endlos grau, und der Regen prasselte gleichmäßig und unaufhörlich nieder.

Durch diesen Regen ging Severin zur Eggstätteralm. Er hatte sich einen Regenmantel von Anderl angezogen und schritt rasch aus. Einmal sprang, erschreckt von seinem Schritt, ein Kälbchen aus den schützenden Zweigen einer niederen Fichte und gesellte sich zu der Herde von Rindern, die mit hängenden Köpfen am Gatter zusammengedrängt standen.

Nein, bei diesem Wetter hatte Johanna ihn nicht erwartet. Sie hatte gerade ihre Arbeit beendet, als sie draußen seinen Schritt hörte. Einen Augenblick stand sie ganz still, sie spürte, wie alles Blut nach ihrem Herzen strömte. Dann ging sie ihm entgegen.

Sie hatte ihn noch nie in ihre Kammer geführt. Heute tat sie es. Beide mussten sie sich bücken, als sie durch die Tür traten. Und auch drinnen streiften ihre Köpfe dicht unter der hölzernen Decke hin. Johanna machte Licht und zog die Fensterläden zu. Severin sah sich neugierig in dem Raum um. Wie behaglich das alles wirkte! In der Ecke stand ein niederes Bett mit blaugewürfelter Wäsche. Vorne war ein kleiner Tisch, um den sich eine Bank mit einer Lehne zog. In den Ecke hing ein geschnitztes Kruzifix, das mit Latschen und Almrosen geschmückt war.

Johanna bereitete ihm ein Abendbrot. Das Licht der Lampe fiel auf ihr Haar, und Severin bedauerte, dass er keine Skizze von ihr machen konnte.

»Johanna, erzähle mir einmal etwas von dir.«

»Von mir? Da gibt es nicht viel zu erzählen.«

»Wenn es auch nicht viel ist, aber mich interessiert alles.«

»Wenn du erst wieder fort bist, hast du wahrscheinlich schnell alles wieder vergessen. Mich und alles, was ich dir erzählt habe.«

»Wie kannst du bloß so reden, Johanna! Ich gehe nicht so schnell fort, und vergessen werde ich dich nie.«

Sie neigte den Kopf zur Seite, wie sie es immer tat, wenn sie über etwas nachzudenken hatte. »Du bist ein Künstler, ein Mann aus der Stadt«, sagte sie plötzlich. »Und ich – was ich bin, wird man dir längst erzählt haben.«

»Noch kein Mensch hat mir über dich etwas berichtet.«

»Das wundert mich. Beim Eggstätter auf der Alm hat man eine heruntergekommene Bauerntochter. Im Dorf drunten wird dir das jeder erzählen, den du fragst. Mein Vater, der Margareter, hat seinen Hof verkauft und ist in der Stadt drinnen gestorben.«

»Ach so, jetzt kann ich mich wieder erinnern. Der Eggstätter, glaube ich, hat etwas in der Art gesagt, als er mich zum Jagdhaus gebracht hat. Man kann den Margaretenhof doch vom Jagdhaus aus sehen, oder?.«

»Ja, beim Osterberg drüben. Dort bin ich auf die Welt gekommen und habe die ersten glücklichen Jahre verlebt, bevor meine Mutter gestorben ist und mein Vater dann diese Frau aus der Stadt geheiratet hat. Damit hat das Unglück dann angefangen.«

Severin nahm ihre Hand in die seine und streichelte sie. »Du brauchst nicht davon zu reden, wenn es dir schwer fällt.«

Doch nun, da sie einmal angefangen hatte, merkte sie, dass sie ihm gerne alles erzählen wollte. Und

so begann sie dann zu sprechen. Vom Margaretenhof, von hellen Erntetagen und schwelenden Kartof-
felfeuern im späten Herbst. Nicht eine Spur von
Traurigkeit war in diesen Erzählungen, nur frohe
Erinnerung an eine längst vergangene Zeit und an einen Vater, den sie sehr geliebt haben musste.

Die Mutter war schon früh gestorben, und die
zweite Frau hatte sich im Dorf nicht wohl gefühlt
und dann den Vater überredet, den Hof zu verkaufen und in die Stadt zu ziehen, wo sie auch vor der
Heirat gelebt hatte. Aber alles, was der Vater danach
anpackte, missriet ihm, und das Geld zerrann in den
Händen der Frau, die das ausschweifende Leben zu
sehr liebte.

Damit waren die frohen Tage zu Ende gewesen.
Johanna berichtete nun von dem Leben, das sie als
junges Mädchen geführt hatte, ein Kind armer Leute
in der Stadt. Und als sie schwieg, blieb es eine Weile
ganz still im Raum.

»So viel Schweres hast du durchmachen müssen«,
sagte er endlich. »Und was ist mit deinen Eltern?
Leben sie noch?«

Johanna schüttelte den Kopf. »Sie sind beide
kurz nacheinander gestorben. Ich aber bin damals
wieder hierhergekommen, denn ich hatte gehofft,
auf dem Margaretenhof wenigstens Arbeit zu finden. Aber der Hof war schon längst unbewohnt, als
ich wieder herkam. Und so bin ich dann beim Eggstätter gelandet. Ich habe es noch keine Stunde be-
reut, dass ich die Stadt wieder verlassen habe.«

Severin lehnte seine Stirn gegen die ihre. »Es ist
wohl niemand glücklicher als ich, dass du da bist,
Johanna.«

Ihre Blicke versanken ineinander wie zwei stille Feuer. Ganz behutsam streichelte sie dann mit ihren Lippen über seine Schläfen hin.

»Ach, Severin. Es ist ja alles so gut jetzt.«

»Es ist erst der Anfang, Johanna. Ich will dir einmal ...«

Schnell legte sie ihre Hand auf seinen Mund. »Nichts versprechen, Severin! Es könnte dich sonst irgendwann einmal reuen, wenn du jetzt etwas versprichst, das du dann doch nicht halten kannst.«

»Ich bin frei, Johanna. Niemand hängt mir an. Wer könnte mich daran hindern, bei dir zu bleiben? Ich habe dich lieb, Johanna, wie man nur einen Menschen lieb haben kann. Selbst mit Silvia war es nicht so ...«

Er brach ab, als ihm bewusst wurde, was er da gesagt hatte, und sah Johanna an, wie sie es aufnahm, dass er eine andere Frau erwähnte. Keine Miene verzog sich in ihrem Gesicht. Nur die Brauen bewegten sich ganz leicht. ›Wie ein Reh, das wittert‹, dachte er.

»Wer ist Silvia?«

Severin erzählte ganz kurz sein Erleben mit Silvia, ohne Bitterkeit, ohne Feindschaft. Als er fertig war, wartete sie eine Weile. »Ich habe von Anfang an gefühlt, dass dir einmal jemand sehr weh getan haben muss. Aber – warum verschweigst du mir Barbara?«

Er wurde rot wie ein Schuljunge.

»Woher weißt du denn das?«

»Es genügt, dass ich es weiß. Aber schau, Severin, es ist doch so: Das hättest du mir jetzt verschwiegen, wenn ich es nicht ohnehin gewusst hätte. Warum denn?«

»Johanna, mit Barbara war im Grunde alles so belanglos, dass ich gar nicht daran gedacht habe, davon zu reden. Ich habe schnell genug erfahren, dass sie schon verlobt ist. Wenn ich es vorher gewusst hätte, wäre es gar nicht so weit gekommen.«

Sie sah ihn an.

»Ja, ich glaube dir«, sagte sie einfach und schlicht. »Und Silvia? Du hast sie wohl sehr geliebt?«

»Das allerdings.«

»So ist es, Severin. Wie viel zerbricht, was man sich erhofft und wünscht. Im Leben kommt meist alles anders, als man es will. Es ergeht mir ja nicht anders. Ich war so dumm, mir vorzumachen, wenn ich Tag für Tag fleißig arbeitete und mir jeden Pfennig auf die Seite legte, dann müsste es gehen, dass ich in ungefähr zehn Jahren den Margaretenhof zurückkaufen könnte. Du liebe Zeit! Das, was ich mir ersparen kann, reicht gerade aus, dass ich mich jedes Jahr neu einkleiden kann. Und darum habe ich meinen Wunsch begraben. Ich habe mich damit abgefunden, dass ich das bleiben werde, was ich jetzt bin. Etwas anderes werde ich vom Leben kaum mehr erwarten dürfen.«

Severin war betroffen von diesem Geständnis. Seine eigenen Erfahrungen mit dem Zwang, sich finanziell einzuschränken, fielen ihm ein. Doch mit Johannas Situation schien ihm das kaum vergleichbar.

Seine Zuneigung zu diesem Mädchen wurde immer tiefer und herzlicher. Ja, er fühlte sich innerlich mit ihr so fest verbunden, als wäre sie immer schon in seinem Leben gewesen, und als könnte sie gar nie daraus fortgehen. In drängenden Worten flüsterte er ihr zu, dass sie ihm nur Vertrauen schenken solle. Was sie allein nicht schaffen konnte, mit vereinten Kräften würde dies sicherlich möglich sein.

Draußen rauschte eintönig der Regen. Als Severin einmal das Fenster öffnete, um Ausschau zu halten, wie sich sein Heimweg gestalten würde, fuhr ein sausender Luftstrom in die kleine Kammer.

»Ja, was machen wir jetzt mit Severin Lienhart?«, scherzte er. »Die Nacht ist rabenschwarz draußen. Ob ich den Weg finden werde? Über den Steg werde ich, nass und glitschig, wie er jetzt sein wird, wohl auf dem Bauch kriechen müssen, um nicht in die Schlucht zu stürzen.«

Sie legte ihre Hand auf die seine, sagte nichts dabei, sondern schaute ihn nur an, so wie man ein Bild betrachtet und studiert. Um ihre Mundwinkel war ein Lächeln. Auf einmal zog sie kaum merklich die Brauen zusammen, es kam ein horchender Ausdruck in ihre Züge. Aber kaum, dass er es gewahr wurde, lächelte sie schon wieder. Es schien, als habe er sich getäuscht.

Doch er hatte sich nicht getäuscht. Johanna hatte etwas gehört, das sie bis ins Innerste erschrecken ließ, ein Geräusch von draußen. Jemand schlich ums Haus!

Sie konnte sich denken, wer dieser Jemand sein mochte. Und sie hatte nicht die Absicht, es auf eine nächtliche Begegnung Severins mit ihm ankommen zu lassen, genausowenig wie sie wollte, dass Severin von den Nachstellungen erfuhr, deren sie sich in letzter Zeit hatte erwehren müssen.

Severin schaute auf die Uhr an seinem Handgelenk. Es war schon bald Mitternacht. Er erinnerte sich an andere Abende. »Es wird Schlafenszeit«, pflegte sie sonst immer zu sagen. »Komm gut heim, Severin.«

Heute sagte sie nichts, kein Wort. Und als er darauf anspielte, dass sie wohl ein Plätzchen für ihn im Heu hätte, schwieg sie auch. Nein, sie hatte kein Plätzchen im Heu für ihn zum Übernachten, sondern er sollte in dieser Nacht bei ihr in der Kammer bleiben.

Johanna hatte sich nicht getäuscht, als sie die Geräusche, die sie draußen gehört hatte, als ein Zeichen von Gefahr gedeutet hatte. Es war ein huschender Schritt vor dem Fenster gewesen. Der Eggstätter-Lukas war es, den es selbst bei diesem Wetter heraufgetrieben hatte.

Stumm und fahl stand er in der Dunkelheit unter den schützenden Zweigen einer Fichte und starrte auf den kleinen Spalt im Fensterladen, durch den ein gelber Lichtschein fiel. Er hörte die Stimmen und biss die Zähne zusammen. Eine rasende Eifersucht überkam ihn, und er war nahe daran, gewaltsam in die Hütte zu dringen, um diesem feinen Herrn da drinnen zu zeigen, dass er, der Eggstätter-Lukas, hier das Hausrecht hatte.

Seit Johanna vor zwei Jahren auf den Hof gekommen war, hatte er sich immer wieder um ihre Gunst bemüht, und jedes Mal hatte sie ihn abgewiesen. Doch er war hartnäckig geblieben und hatte fest darauf vertraut, dass sie ihm nicht ewig Widerstand entgegensetzen würde. Und nun kam dieser dreiste Fremdling daher, und Johanna wurde kälter gegen ihn denn je zuvor.

Eifersüchtige Wut brannte in ihm. Er hob die Fäuste und knirschte mit den Zähnen. Und schließlich hatte er genug davon, als Lauscher im Dunkeln hilflos die offensichtliche Vertrautheit der beiden beobachten zu müssen. Abrupt kehrte er um und rannte in die Nacht hinein. Er wusste, womit er dem Fremden die Suppe versalzen würde!

Donnernd polterten die Wasser unter dem Steg in die Tiefe. Lukas stand mitten auf dem Steg, hatte sein Messer gezogen und bearbeitete das Geländer mit diesem an einer Stelle so lange, bis es auf der Vorderseite nur noch knapp an der Rinde hing. Dann zerrte er mit fieberhafter Hast einen Felsbrocken vom Schluchtrand und legte ihn mitten auf den Steg.

Er wusste, dass Severin diesen Weg nehmen würde, wenn er nach Hause ging. In der Dunkelheit musste er unweigerlich über den Felsbrocken stolpern, unwillkürlich würde er sich an das Geländer klammern und dann ...

Die Todesfalle, die er hier vorbereitet hatte, würde ihn von dem lästigen Rivalen befreien. Dass er einen Mord vorbereitet hatte, löste in Lukas keinerlei Zweifel an seinem Tun aus. Er ging ruhig und zufrieden nach Hause.

Zwischen Traum und Erwachen glaubte Severin nach Stunden, dass der Regen nachgelassen habe. Erst als er ganz zu sich kam, merkte er, dass er allein war. Er sprang auf und öffnete das Fenster, um nach dem Wetter Ausschau zu halten.

Es war noch sehr früh, und doch glitzerte und funkelte schon alles im Morgenlicht. Am Himmel zeigte sich keine einzige Wolke mehr. Die Luft war kühl und frisch.

Severin breitete die Arme aus, öffnete den Mund und atmete tief ein. Dann wandte er sich rasch um und ging hinaus. Johanna kam gerade vom Brunnen her – sie hatte sich wohl gerade gewaschen. Da trat er ihr in den Weg.

»Johanna – falls es falsch war, was ich getan habe, bitte ich dich um Verzeihung. Doch ich habe dich ja so über alles lieb.«

In ihren Augen sprühte Misstrauen auf. »Das hört sich ja gerade so an, als ob du es bereuen würdest.«

»Bereuen? Johanna, wie kommst du bloß auf solche Gedanken?« Er runzelte in gespieltem Zorn die Stirne. »Dafür müsste ich dir ja fast böse sein. Aber weißt du, was ich möchte? Den ganzen lieben langen Tag möchte ich heute bei dir bleiben!«

Da lächelte sie wieder und strich ihm zärtlich mit den Fingern über die Augen. »Du hast ja noch gar nicht ausgeschlafen, du – Bub du. Leg dich doch noch ein wenig hin, bis ich mit der Arbeit fertig bin, dann können wir was unternehmen.«

Das war etwa um die Stunde, in der der Anderl droben im Geröllfeld mit Severins Büchse wartete und aufgeregt von einem Fuß auf den andern trat. Schließlich konnte er seinen Missmut nicht mehr länger bezähmen und schimpfte laut: »Wahrhaftig, der kommt jetzt nicht! Schade um so einen Menschen! So ein guter Jäger könnte der werden! Was so ein Frauenzimmer nicht alles fertig bringen kann! Freilich, die Johanna!« Der Anderl nickte ein paar Mal vor sich hin und dachte versöhnlicher, dass es ja zu verstehen wäre. Die Johanna ist eine, wie man sie nicht alle Tage findet. Allerdings – aus der Sache konnte auf Dauer wohl kaum etwas werden. Und so gesehen war es sicher schade um ein Mädchen wie dieses. Johanna war weiß Gott mehr wert als das flüchtige Abenteuer eines Städters, der ohnehin nicht ewig hier bleiben würde.

Der, dem diese Gedanken galten, schlief wohlig und traumlos bis in den hellen Mittag hinein, und auch dann erwachte er erst, als Johanna ihn mit einem Grashalm unter dem Kinn kitzelte. Langsam schlug er die Augen auf und sah Johannas vergnügtes Gesicht über dem seinen. Er zog sie an sich, um sie zu küssen.

Johanna hatte die wichtigste Arbeit nun erledigt und konnte deshalb den Rest des Tages mit Severin verbringen. Sie gingen auf einsamen, verschwiegenen Wegen, sprangen um die Wette einen Berghang hinunter und ruhten in der Sonne zwischen Almrosenbüscheln.

Faul und lang ausgestreckt lag Severin da. Johanna hatte sich auf den Arm gestützt und sah auf ihn nieder. Er hatte die Augen geschlossen, und sein Mund lächelte.

›Das ist nun mein Severin‹, dachte sie. ›Wie lange das Wunder wohl dauern wird? Es ist, als sei ich schon eine lange Ewigkeit so glücklich. Und ein Hauch nur wird es gewesen sein, wenn es vorbei ist. Ach, könnte ich die Zeit anhalten.‹

»Was denkst du jetzt?«, fragte Severin in ihre Gedanken hinein.

»Gar nichts, lieber Severin«, lächelte sie und neigte sich über ihn.

›Wie im Märchen ist es‹, dachte Severin, ›ein Rätsel, das man nicht lösen kann.‹

Als die Sonne sich gegen Westen neigte, musste Johanna nach Hause auf die Alm zurück. Die Pflicht rief sie, und ihr war zumute, als hätte sie heute in großem Maße ihre Pflichten verletzt, da sie einen halben Tag lang gefeiert hatte.

6

Severin kam mit seiner Arbeit gut voran. Schon trat die Figur aus dem Marmorblock deutlich zutage. Oft vergaß er Zeit und Raum über seiner Arbeit. Am Abend nach jener Regennacht war das Schöpferische über ihn hergefallen wie ein herrlicher Rausch. Unter seinen Händen wuchs das Werk schneller als erwartet. War es die Liebe, die ihm einen solchen Aufschwung verliehen hatte?

Doch nicht ganz ungetrübt blieb seine schöpferische Phase, denn heute trugen einige Männer eine Bahre am Jagdhaus Ludwigsruh vorüber, auf der, mit einer Zeltplane zugedeckt, der zerschlagene Körper eines alten Pilzsuchers lag, der nach dem Regen des Gewitters reiche Beute zu finden gehofft hatte. Es war auch ein Polizist in Uniform dabei, der hinter der Trage herging. Und da die Männer den Toten gerade vor dem Tor zu kurzer Rast niederstellten, legte Severin Meißel und Hammer fort und ging die paar Schritte hinaus.

»Ist etwas passiert?«

Ja, man habe diesen Mann tot aus der Schlucht geborgen.

»Etwa beim Wasserfall droben? Vor ein paar Tagen bin ich dort erst selbst über den Steg gegangen.«

Das interessierte den Polizisten sofort lebhaft. Schon zückte er sein Notizbuch, holte den Bleistift hervor und sah Severin an.

»Bitte, wann genau sind Sie über den Steg gegangen?«

»Es war vorgestern, kurz bevor das Gewitter kam, so gegen vier Uhr nachmittags.«

»War der Steg zu diesem Zeitpunkt noch unbeschädigt? Ich meine, ob das Geländer noch in Ordnung war? Besinnen Sie sich ganz genau. Das ist nämlich sehr wichtig. Sie müssen das eventuell bezeugen.«

»Der Steg? Natürlich war er in Ordnung. Es hätte mir auffallen müssen, wenn es nicht so gewesen wäre. Ich bin nämlich ein furchtbarer Hasenfuß, wenn ich über diesen Abgrund balancieren muss«, gestand Severin. »Ich halte mich immer so krampfhaft am Geländer fest, dass es fast schon lächerlich ist. Der Jäger Anderl war bei mir.«

Der Wachtmeister schrieb langsam und sorgfältig alles auf. »Also, da war der Steg noch in Ordnung, Herr – bitte Ihren Namen. – Ja, danke schön. Der Unfall ist nämlich zustande gekommen, weil das Geländer beschädigt war. Es könnte sogar mit voller Absicht abgeschnitten worden sein. Ein Felsbrocken ist auch nicht mitten auf dem Steg gelegen, nehme ich an?«

Severin schüttelte den Kopf und machte sich erst jetzt so richtig klar, was ihm hätte passieren können, wenn er in der Dunkelheit, wie schon so oft, über die Schlucht gegangen wäre! Er fühlte, wie es ihm kalt über den Rücken lief. Der Fall begann ihn plötzlich von einer ganz anderen Seite her zu interessieren.

Der Wachtmeister zuckte die Schultern. »Die Untersuchung wird vielleicht mehr Licht in die Sache bringen. Eine Fußspur deutet darauf hin, dass sich jemand längere Zeit beim Steg dort beschäftigt hat. Ich danke Ihnen schön. Ihre Aussage war mir sehr wichtig. Es ist möglich, dass wir Sie nochmals brauchen. Sie wohnen doch hier?«

»Ja, ich bin jederzeit erreichbar.«

Der traurige Zug setzte sich wieder in Bewegung, und Severin kehrte zu seiner Arbeit zurück. Aber es wollte ihm nun nichts mehr recht gelingen. Er zündete sich eine Zigarette an und ging im Geiste seinen gestrigen Heimweg noch einmal ab. Er war auf dem Fahrweg heruntergegangen und hatte die Abkürzung durch die Schlucht links liegen lassen, denn er hatte es nicht eilig gehabt. Ja – aber selbst wenn er über den Steg gegangen wäre, es wäre ja noch Tag gewesen, und er hätte es gesehen, wenn etwas nicht in Ordnung gewesen wäre. Wie aber – wenn er in jener Nacht nicht bei Johanna geblieben wäre? Dann wäre vielleicht er selbst derjenige gewesen, den man auf dieser Bahre hätte ins Dorf tragen müssen.

Er wäre nicht einmal im Traum auf den Gedanken gekommen, dass es sich bei dem beschädigten Geländer um eine Falle gehandelt haben könnte, die ihm selbst zugedacht gewesen war. Er hatte ja keine Ahnung, dass ihm hier irgendein Mensch feindlich gesinnt war.

Der Wind begann schon abendlich in den Bäumen zu rauschen. Er sah auf das Dorf hinunter, wo jetzt dünn und hell eine Glocke läutete. Wahrscheinlich waren sie gerade mit dem Toten unten angekommen.

Ein Specht hämmerte mit hellem Schlag gegen einen Stamm. Severin sah auf, denn es klang so nahe, dass er glaubte, den Vogel sehen zu können. Dabei fiel sein Blick hinüber bis zum Osterberg. Die weiße Kapelle war vom Abendrot beschattet, und dasselbe Rot lag auch auf den Mauern des halb zerfallenen Hofes.

Ja, dieser Hof, dieser Margaretenhof! Er hatte sein Schicksal gehabt. Und es fielen Severin die Worte ein, die Johanna gesprochen hatte. Sie wollte Heller auf Heller legen, bis sie den Hof zurückkaufen konnte. So sehr hing ihr ganzes Herz daran. Aber sie wusste auch um die Unmöglichkeit ihres Vorhabens und war vielleicht nur deswegen oft von dieser Traurigkeit umschattet. Es musste schrecklich sein, wenn einem das Heim genommen wurde und keine Aussicht bestand, es jemals wiederbekommen zu können.

Severin legte den Meißel weg und trat zurück. Es ging heute nicht mehr, er hatte wahrscheinlich schon zuviel gearbeitet. Zurücktretend fixierte er die fertigen Kopflinien der Figur. Der Gesichtsausdruck befriedigte ihn noch nicht so recht.

Severin stand vor seinem Werk, die Hände in den Taschen seines weißen Mantels vergraben, den Kopf ein wenig zur Seite geneigt. Da hörte er einen Schritt auf dem Gartenweg und wendete den Kopf.

»Johanna!«

Wie angewurzelt stand sie jetzt, mit hängenden Armen und heftig atmend. Rasch ging er auf sie zu.

»Johanna, was ist denn? Du bist ja ganz außer dir!«

Keine Antwort. Sie starrte ihn nur an. Und plötzlich warf sie die Arme um seinen Nacken und presste ihr Gesicht an seinen Hals und fing haltlos an zu schluchzen.

Severin konnte sich das nicht erklären. Zärtlich strich er über ihre Schultern und ließ sie gewähren. Nach einer langen Zeit erst hob sie das tränennasse Gesicht und – da konnte sie wieder lächeln.

»Bin ich froh«, flüsterte sie. »Die Muttergottes hat mein Bitten erhört! Ach, Severin, du weißt gar nicht, wie mir jetzt zumute ist!«

»Komm«, sagte er und führte sie auf die Terrasse. Er fühlte die Aufregung, die immer noch in ihr nachzitterte. »Und nun erzähl mir einmal, was los ist.«

»Ich hatte solche Angst, Severin. Man sagte mir oben, dass jemand in die Klamm gestürzt sei, und da dachte ich – ich meine ...«

»Schon gut, Mädchen, ich weiß schon. Vor einer Stunde hat man einen Toten vorübergetragen. Der Gendarm glaubt an ein Verbrechen. Ich kann es nicht recht glauben, obwohl er etwas von Schuhspuren sprach.«

Johanna sagte nichts, obwohl sie ein Schauer durchlief. Sie erinnerte sich an das Geräusch, das sie gehört hatte und das sie hatte um das Leben Severins fürchten lassen. Sie wusste genau, wer für diese Tat verantwortlich sein musste.

Und doch war ihr klar, dass sie niemals imstande sein würde, jemandem von ihrem Verdacht zu erzählen. Denn wie sollte sie es beweisen?

So lange nichts als ihr Wort gegen Lukas sprach, würde er auf freiem Fuß bleiben und ihr das Leben zur Hölle machen.

Der Eggstätter würde sie sicherlich vom Hof jagen, weil sie es gewagt hatte, seinen einzigen Sohn des Mordes zu beschuldigen.

Nein, sie konnte niemandem davon erzählen. Sie konnte nur hoffen, dass die Polizei Beweise für seine Schuld finden würde.

Die Nacht senkte sich nun nieder, die Bäume rauschten lauter im Wind. Nach der überstandenen Angst wurde sie plötzlich müde und wäre am liebsten in Severins Arm einfach eingeschlafen. Aber da griff seine Hand nach dem Lichtschalter, und in blendender Helle strahlte das Licht über den Marmor.

Er erwartete nicht, dass Johanna nun ein Loblied sang, es genügte ihm, dass sie da war, es war eine jener schönen und stillen Stunden angebrochen, wie sie das Schicksal nur selten den Menschen schenkt. Da sagte sie einfach und schlicht: »Das ist schön! Und du, mein Lieber, hast dies geschaffen! Was bin ich für ein kleiner Mensch neben dir.«

»So darfst du nicht reden, Johanna! Du bist viel größer, als du es weißt!«

»Wo hast du das nur gelernt, Severin?«

»Ich habe das nicht gelernt, das war ganz einfach da – ich meine, dieser Drang zum Gestalten. Gelernt hab ich natürlich dann auch. Mein Vater hat sich sehr darüber geärgert. Er wollte ein Finanzgenie aus mir machen, und er hat es mir übel genommen, dass ich meine eigenen Wege gehen wollte. – Siehst du, dort um die Augen herum, da ist es noch nicht so, wie ich es haben will, auch mit der Mundpartie bin ich noch nicht ganz einverstanden ... Wovon sprach ich ...?«

Er strich sich über die Augen und besann sich. Johanna konnte ihm nicht helfen, sie war in den Anblick des Werkes versunken.

»Ach so – ja, von meinem Vater. Er ist übrigens schon gestorben. Es tat mir sehr Leid, dass wir uns zuvor nicht mehr miteinander aussöhnen konnten. Aber es war eben so, dass ich nicht das sein konnte, was er von mir verlangt hat, auch wenn er das nie verstehen konnte. Auch mein Bruder versteht nicht, was mich dazu treibt, an ›Steinblöcken herumzuhämmern‹, wie er sich auszudrücken pflegt. Wie könnte er auch! Sein ganzes Leben lang war er nur in Zahlen verstrickt, und wer weiß, vielleicht liebt er diese Zahlen nicht weniger als ich den Marmor, oder vielmehr das, was ich darin erkenne und durch meine Arbeit zum Vorschein bringen möchte. Aber der da« – Severin trat näher und strich mit unendlicher Zärtlichkeit über die Figur –, »der soll ihnen allen endlich zeigen, was ich kann!« Er sprang auf das Gerüst. »Nur die Augen, ich weiß nicht, ich weiß nicht ...« Seine Finger glitten über die Stelle hin. »Ich weiß schon, wie sie werden sollen, aber – gib mir mal bitte den Meißel her.«

Johanna sah sich um, bückte sich nach dem verlangten Meißel und reichte ihn Severin. Dieser begann zu hämmern, ganz vorsichtig und zart, wie ein Uhrmacher. Eine blonde Haarlocke hing ihm in die Stirn. Kleine Steinsplitter fielen herab. Zuweilen bewegte der Schaffende die Lippen, so als ob er leise spräche. Johanna sah, wie sich sein Gesicht veränderte, alle Züge waren von verbissener Härte. Er achtete auf nichts, war wie in eine fremde Welt versunken. Johanna stand am Sockel und sah mit großen Augen auf diesen so veränderten Severin. Er streckte noch einmal die Hand aus und bat sie um einen noch kleineren Hammer.

Hatte er sie danach völlig vergessen? Seine Hand streckte sich nicht mehr ihr entgegen. Sie hörte, wie sein Atem laut ging. Ein kleiner Splitter fiel auf ihre Hände, sie umschloss ihn wie ein Kleinod. Dann stand sie auf und ging leise weg. Sie fühlte, dass der Mann sie jetzt nicht brauchte. Sein Werk hatte ihn ganz und gar gefangengenommen.

Bis weit hinauf hörte sie noch das helle Klingen. Es huschte wie ein dünnes Glöcklein durch den nachtstillen Wald. Und immer weiter verlor es sich. Zuletzt ertrank es im Donnern des Wildbaches.

Ja, Severin hatte die Welt um sich her völlig vergessen. Die Stunden glitten an ihm vorüber. Als er schließlich die Hände sinken ließ, sagte er, ohne sich umzublicken: »Nun sieh her, Johanna! Jetzt ist er fertig!«

Keine Antwort kam. Er schaute sich um und gewahrte, dass er allein war, er begriff aber auch, dass er die ganze Nacht gearbeitet hatte, die sich gerade ihrem Ende zuneigte. Über dem Dorf lag schon der Schimmer des Frühlichts, das von den östlichen Bergspitzen kam. Auf dem Eggstätterhof stieg eine blaugraue Rauchfahne aus der Esse.

Dort war der Eggstätter-Lukas in der grauen Morgenfrühe gerade im Begriff, ein Paar Schuhe mit runden Nägeln auf der Sohle im großen Küchenherd zu verbrennen.

Nun hatte Severin sein Werk vollendet, und obwohl ihm schon wieder ein neues Werk vor Augen stand, entschied er, nun doch einige Wochen auszuspannen. Nachdem er die Figur sorgsam mit Holzwolle umwickelt und in eine große Kiste verpackt zur

Bahn hatte bringen lassen, nahm er sich vor, einmal eine ganze lange Woche so richtiggehend zu faulenzen. Er wollte zum Anderl in die Jagdhütte hinauf (der war sowieso ein wenig beleidigt, weil Severin ihn schändlich vernachlässigt hatte), und er wollte alle Berggipfel im näheren Umkreis besteigen und vor allem auch viel bei Johanna sein.

Severin kam dann allerdings auf keinen Berg, sondern ging nur zwei- oder dreimal mit dem Jäger auf den Anstand. Die meiste Zeit verbrachte er auf der Eggstätteralm.

Das änderte sich auch nicht, als Ralph Kirchhoff eines Tages mit seinem Vater unverhofft auf der Jagdhütte erschien. Die Begrüßung war herzlich auf beiden Seiten. Ralph Kirchhoff freute sich, seinen Freund so fröhlich und gesund anzutreffen.

»Sag, Severin, ist denn an dir ein Wunder geschehen? Du bist ein ganz anderer Mensch geworden!«

»Ein Wunder?« Er lachte. »Ja, das könnte schon sein.«

»Wer ist es denn?«

»Du sollst nicht fragen, Ralph! Du sollst morgen sehen und urteilen.«

»Schön, wie du meinst, vielleicht ist das auch gar nicht so wichtig. Wichtig ist vor allem, dass du dich wiedergefunden hast. Menschenskind! Wir haben deinen sich mit Wasser begießenden Mann sehr bewundert, vor allem ich, weil ich Anderl sofort erkannt habe. Die Ausstellung ist zwar noch nicht offiziell eröffnet, aber ich habe mich um eine günstige Platzierung deines Werkes bemüht. Es wird mit Sicherheit auffallen, denn ich kann mich nicht erinnern, dass in letzter Zeit jemand auf die Idee gekommen wäre, eine Statue im Stil der Antike zu machen. Sie ist wirklich verblüffend naturalistisch. Man spürt förmlich selbst den Genuss einer Abkühlung an einem heißen Sommertag nach einer großen Anstrengung.«

»Ja, Italien und besonders die Museen in Rom haben mich doch sehr beeinflusst. Ralph, ich könnte mir nicht mehr vorstellen, abstrakt zu arbeiten. Bei allem Respekt vor vielen dieser Werke, aber ich denke, es wird einmal wieder Zeit, den Menschen so abzubilden, wie er ist.«

Ralph nickte ihm zu. »Ich weiß nicht, ob das jedem gefallen wird – es findet sich vermutlich der eine oder andere Schlauberger, der eine solche Darstellung für nicht zeitgemäß erachtet. Aber meiner Meinung nach hast du Recht. Es gab so lange keine Kunst in diesem Stil mehr, und so mancher unter denen, die heute künstlerisch tätig sind, würde wohl rein vom Handwerklichen her in Verlegenheit kommen, wenn er dir das nachmachen sollte. Unter den abstrakten Künstlern von heute kann sich doch auch der eine oder andere bequem einrichten, der ganz einfach ein Stümper und kein wirklicher Künstler ist.«

»Ralph, ich danke dir für deine gute Meinung. Ich lasse mich überraschen, ob mein Stil nun Gnade unter den Augen der Kritiker findet oder nicht. Jedenfalls sind Arbeiten dieser Art das, was ich gerne machen möchte. Ohne meine Italienreise hätte ich wohl noch geraume Zeit vor mich hinexperimentiert. Ich möchte dir und deinem Vater auch für all eure Hilfe danken, und ganz besonders dafür, dass ihr mir das Jagdhaus überlassen habt.«

»Dummheit! Ist doch kaum der Rede wert. Mein Vater hat erst heute wieder gesagt, dass er froh ist, jemanden im Revier zu wissen, auf den er sich verlassen kann. Womit natürlich gegen unseren guten Anderl nichts gesagt sein soll. Im übrigen will ich dir auch noch sagen, dass ich in diesem Herbst noch zu heiraten gedenke.«

»Wirklich? Darf man fragen, wen?«

»Du wirst sie dieser Tage noch sehen. Sie ist mit meiner Mutter unten geblieben.« Ralph stand auf und streckte sich. »Und nun wollen wir uns auch schlafen legen. Mein alter Herr ist Frühaufsteher und wird uns beizeiten aus den Federn – will sagen: aus dem Heu treiben. Tu mir den Gefallen, Severin, und schieß ihm morgen früh, wenn wir gemeinsam auf Pirsch gehen, nicht den schönsten Bock weg. Das verdirbt ihm sonst die Laune für den ganzen Tag.«

Severin lachte. »Da kannst du ganz beruhigt sein. Ich will ihm diese Freude bestimmt nicht nehmen.«

Vorsichtig stiegen sie über die Leiter hinauf. Im Dunkel hörte man die regelmäßigen Atemzüge des Jägers aus der Ecke dringen. Einmal fiel mit klatschendem Schlag ein Tannenzapfen auf das Schindeldach der Hütte, und drunten im unteren Schlafraum warf sich Herr Kirchhoff ächzend auf die andere Seite, dass die Bettstatt knarrte, und rief im Traum irgendetwas. Vielleicht träumte er schon von seinen Rehböcken. Dann wurde es ganz still. Nur die Bäume hörte man rauschen, fein und sacht, wie in weiter Ferne das Meer.

Am andern Abend nahm Severin den Freund mit auf die Eggstätteralm. Sie blieben dort, bis die Nacht hereinbrach. Ralph meinte: »Du kannst ruhig noch hier bleiben. Ich finde den Weg zur Jagdhütte schon allein.«

Da war es Johanna, die Severin zum Mitgehen bewog, obwohl sie ihn eigentlich noch gerne für sich allein gehabt hätte. Überhaupt war sie nicht ganz glücklich darüber, dass der Freund, dieser Herr Ralph, wie man ihn drunten am Eggstätterhof immer geheißen hatte, so plötzlich gekommen war. Es war ihr, als würde bereits an ihrem Wunder gerüttelt. Wollte er nicht schon am kommenden Samstag Severin mit hinunterschleppen ins Jagdhaus Ludwigsruh?

Als die beiden gegangen waren, sah sie ihnen lange nach.

Bei der einsamen Krüppelföhre blieben Severin und Ralph stehen.

»Du sagst ja gar nichts, Ralph, wie dir Johanna gefallen hat?«

Ralph war sichtlich mit seinen Gedanken weit weg. »Ach so?«, lachte er unbekümmert. »Natürlich gefällt sie mir. Geschmack hast du ja immer schon gehabt. Da verstehe ich, dass dir der Sommer nicht langweilig geworden ist!«

»Entschuldige, Ralph, ich glaube, du verstehst mich nicht ganz. Ich habe wirklich ernste Absichten mit Johanna.«

Erstaunt sah Ralph auf. »Du bist verliebt, mein Junge, und lebst in Traumbildern, über die du über kurz oder lang lachen wirst.«

»Du irrst dich, Ralph.«

»Aber erlaube mal! Du kannst doch dieses Mädchen – ach – das ist ja Unsinn!«

»Und warum?« Severins Augen waren schmal geworden, und um seinen Mund zuckte es ein wenig.

»Aber bitte, bitte, reg dich doch nicht auf«, be-
schwichtigte Ralph. »Wenn es dein Wunsch ist, bitte,
ich will ihn dir nicht ausreden. Nur – die Vorstellung, dass du dieses Mädchen heiraten willst, be-
fremdet mich einfach. Schließlich ist sie doch nur
eine ...«

Er verstummte, und Severin musterte ihn kritisch. »Sprich es ruhig aus, Ralph. Was ist Johanna
deiner Meinung nach? Eine Bauernmagd mit Mist
zwischen den Zehen?«

Ralph errötete, Severins Vermutung lag wohl
nicht allzu weit daneben. »Sei doch nicht so emp-
findlich, Severin!«

»Ja, du hast Recht, Ralph. Ich bin ziemlich emp-
findlich geworden in diesen Dingen. Hellhörig,
weißt du. Mir scheint, dass wir mit unserer so ge-
nannten Zivilisation oft meilenweit am wirklichen
Leben vorbeileben. Na – lass gut sein. Das sind Dinge, mit denen ich allein fertig werden muss. Reden
wir nicht mehr davon.«

»Wie du möchtest. Aber sei versichert, ich wollte
dich nicht verletzen. Wenn ich geahnt hätte, wie
ernst es dir ist, hätte ich überhaupt nichts gesagt.«

»Aber nein, das ist ja ganz gut so. Ich bin sogar
dankbar dafür, denn ich habe dadurch einen kleinen
Vorgeschmack bekommen, wie die liebe bürgerliche
Welt über meine Wahl urteilen wird. Mir aber ist das
egal, verstehst du, Ralph, vollkommen egal ist mir
das.«

Ralph schlug dem Freund auf die Schulter und
lachte.

»In diesem Augenblick bist du wieder echt Severin, so wie ich dich seit Jahren kenne! Immer mit dem Kopf durch die Wand! Lassen wir also das Thema endgültig, und damit ein Ausgleich geschaffen ist, verlange ich von dir, dass auch du mir schonungslos deine Ansicht sagst, wenn du meine Braut übermorgen kennen gelernt hast.«

»Hast du etwas anderes von mir erwartet?«

»Natürlich nicht, sonst wärst du ja nicht Severin. Wir haben nicht umsonst dein scharfes Urteil manchmal gefürchtet.«

Die beiden Freunde gingen nun schnell auf die Jagdhütte zu, denn es dunkelte bereits stark, und der alte Herr hatte sich für diesen Abend ein gemütliches Kartenspiel ausbedungen, auf das sie ihn nicht mehr länger warten lassen durften.

Aber ein kleiner Misston blieb doch aus diesem Gespräch zurück.

»Hier, liebe Heike, stelle ich dir meinen Freund Severin vor«, sagte Ralph in gehobener Stimmung. Man sah auf den ersten Blick, wie verliebt er in dieses Mädchen war.

»Ich freue mich, Sie endlich kennen zu lernen«, sagte sie zu Severin und zeigte dabei zwei Reihen herrlich weißer Zähne. »Ralph hat mir schon viel von Ihnen erzählt.«

»Hoffentlich nichts Unangenehmes?«

»Im Gegenteil, lauter angenehme Dinge.«

Severin lachte. »Nun, dann hat er ein wenig gemogelt, der gute Ralph! Es gibt keinen Menschen, über den ausschließlich nur Angenehmes zu sagen wäre.«

»Vielleicht bilden Sie eine rühmliche Ausnahme?«

»Danke für das Kompliment! Ich will aber gar keine Ausnahme sein. Jeder Mensch ist mit Fehlern behaftet, die er vielleicht gar nicht weiß.«

Das war ihr erstes Gespräch. Severin widmete sich dann Frau Kirchhoff, die sich offensichtlich freute, den jungen Mann so gesund und braun gebrannt wiederzusehen. Leider, meinte sie, könne sie ja nun nicht mehr wie in früheren Jahren mit zur Jagdhütte hinaufziehen, weil ihr das Herz mitunter so zu schaffen mache. Zum Glück sei ja nun Heike dabei, dann würde ihr die Zeit nicht gar so lang, wenn die Herren die Woche über am Berg oben seien. Hier warf nun Heike einen schnellen Blick auf Ralph: »Ich werde Sie aber doch für ein paar Tage allein lassen müssen, weil ich für mein Leben gern einmal so eine Gämsenjagd erleben möchte. Du hast es mir doch versprochen, Ralph.«

Ralph bestätigte es. Der alte Herr aber verzog den Mund, als wenn er in eine Zitrone hineingebissen hätte. Offenbar war er nicht so begeistert von dem Plan, der hinter seinem Rücken ausgeheckt worden war.

Während des Beisammenseins an diesem Abend hatte Severin reichlich Gelegenheit, Heike näher kennen zu lernen. Ohne Zweifel, Heike Köhler war schön. In der Dunkelheit leuchtete ihre Haut weiß wie Alabaster. Ein feiner Duft der Gepflegtheit ging von ihr aus. Severin dachte, dass auf ihre Stimme gut hinzuhören wäre, wenn sie auch nur einigermaßen Vernünftiges sprechen würde. Aber das tat sie nicht. Leider. Sie war dabei keineswegs ungebildet, oh nein! Sie hatte augenscheinlich viel gelesen. Und das, was sie gelesen hatte, gab sie im Gespräch als ihre eigene Meinung wieder. Was aber, wenn der Autor, den sie zitierte, einen bestimmten Aspekt außer Acht gelassen hatte? Da kam sie dann ins Schwimmen, und man merkte deutlich, dass sie die Frage, zu der sie ihre vorgebliche Meinung kundtat, noch niemals selbst durchdacht hatte.

Im Stillen bedauerte Severin den Freund nun zu der Wahl seiner zukünftigen Frau. Fielen einmal die Hüllen ihrer Verliebtheit, dann würde sie ihrem Mann ziemlich schnell langweilig werden und zusätzlich noch mit ihrem nichts sagenden Geplapper auf die Nerven gehen. Im Geiste verglich er Heike mit Johanna. Um nichts auf der Welt hätte Severin mit Ralph tauschen mögen.

Severins Blick ging hinüber zum Margaretenhof, der vom Mondlicht fast geisterhaft beleuchtet wurde. Tief in seinem Innern stand bereits sein Plan fest, mit dem er Johanna eines Tages überraschen wollte.

Es war ein wunderliches Spiel von Licht und Schatten da drüben auf dem Osterberg. Die verwilderten Obstbäume standen wie Riesen im gespenstisch bleichen Licht des Mondes. Die Sterne standen still und feierlich über dem alten Hof, der einer Geisterburg glich, in der alles Leben erstorben war.

Aber es würde bald anders sein, sinnierte Severin vor sich hin und merkte kaum, wie die anderen allmählich ins Haus gingen. Ja, in dieses tote Haus da drüben sollte wieder Leben einziehen und ein großes Glück. Freilich, er war beileibe kein Bauer. Aber wo stand geschrieben, dass nur einer einen Bauernhof besitzen konnte, der ihn auch selbst zu

104

bewirtschaften verstand? Da er selbst Künstler war und auch bleiben wollte, musste er eben Mitarbeiter finden, die dieser Aufgabe gewachsen waren. Und Johanna wusste schließlich, worauf es ankam.

Es war so schön, dieses Träumen mit wachen Augen. Der Wind sang leise in den Büschen. Eine Sternschnuppe fiel nieder. Severin sah ihr nach, bis sie erlosch. Dann ging er ins Haus.

7

Am Montag gingen Severin, Ralph und Heike um die vierte Nachmittagsstunde ins Dorf hinunter zu einer Hochzeitsfeier, bei der Severin etwas beklommen dachte, er habe eigentlich herzlich wenig dort verloren. Aber er wollte kein Spaßverderber sein, und er war ja immerhin Ralphs Gast. Im Grunde genommen wunderte er sich selber über seine Gelassenheit und Ruhe, mit der er zu Barbaras Hochzeitsfest ging.

Wie lange war denn das eigentlich schon wieder her mit Barbara? Damals war gerade Heuernte gewesen, und jetzt stand das Grummet schon wieder dick und saftig auf den Wiesen und war teilweise schon gemäht.

Es war ein wunderbarer Tag, ein Wetter wie geschaffen für ein Hochzeitsfest. Als sie in das Gasthaus kamen, in dem die Feier stattfand, ging es dort zu wie in einem Bienenschwarm. Die hellen Klänge der Klarinette perlten durch das ganze Haus. Dazwischen sang dumpf die Baßgeige. Ein Wohlgeruch von Grillwürsten und Bratenwürze hing in der Luft. Über die Stiege herunter kamen Menschen aus dem Saal, andere gingen hinauf.

Dort hatte ein junger Bursche in Hemdsärmeln ein Mädchen mit festem Griff um die Hüften gepackt und gab ihr vor allen Leuten einen herzhaften Kuss auf den Mund.

Die drei standen zunächst neben der Eingangstüre und beschauten sich das farbenfrohe Bild der malerischen Trachten.

Severin trug heute einen hellen Sommeranzug und sah blendend aus.

Der Eggstätter, der an diesem Tage sehr versöhnlich gestimmt war, hätte ihn sicherlich angesprochen. Aber er erkannte diesen großen blonden Menschen wirklich nicht gleich wieder, so sehr hatte er sich in dieser kurzen Zeit verändert. Nur Lukas erkannte ihn sofort. Er tanzte an Severin vorbei und warf ihm einen Blick solch abgründigen Hasses zu, dass Severin betroffen einen Schritt zurückwich.

Auch Barbara erkannte ihn nicht auf den ersten Blick. Sie hatte ihn nie in einem gut sitzenden Anzug mit Kragen und Krawatte gesehen. Beim näheren Hinschauen aber begriff sie plötzlich, wer dort stand, und wechselte ein wenig die Farbe.

Sie war eine sehr schöne Braut, das musste ihr der Neid lassen. Den Myrtenkranz trug sie wie eine Königin die Krone. Wie ein Riese saß der Bräutigam neben ihr.

Der Ernst des Tages gab seinem breiten Gesicht etwas Feierliches, und er nickte allen freundlich zu, die an seinem Tisch vorüberkamen.

Plötzlich weiteten sich seine Augen und richteten sich ganz starr auf Severin. Seine Stirn schob sich in strenge Falten, er schien über etwas angestrengt nachzudenken.

Severin hielt dem Blick stand, doch ihm wurde ungemütlich dabei. Wusste der Bräutigam etwa doch etwas von den Vorfällen auf Ludwigsruh, und wollte er nun vor allen Leuten hier Rache nehmen? ›Er kann doch unmöglich einen Skandal herbeiführen‹, dachte Severin beklommen.

Der Sixt stand jetzt auf. Wie groß und breit war dieser Mensch! Er schob sich langsam hinter dem Tisch vor, seine Augen nicht von Severin lassend. In diesem Augenblick fasste Barbara nach seiner Hand. Ihr Gesicht war kreidebleich geworden.

»Was denn, was denn?«, sagte er. »Den da hinten, den dort, ich glaube, den kenne ich. Ich will nicht mehr Martin heißen, wenn er es nicht ist.«

»Bleib doch da, Martin!«, bettelte sie. »Mach doch keine Geschichten am Hochzeitstag.«

»Was für Geschichten?«, fragte Martin, sichtlich überrascht.

Da verstummte die Barbara. Sollte das Schicksal seinen Lauf nehmen. Sie hoffte nur noch, dass Severin sich auf nichts einlassen würde und den Saal gleich verließ, bevor etwas geschah, was nicht wieder gutzumachen war. Woher konnte ihr Mann nur etwas wissen? Sie hatte doch diese ganze Episode als Geheimnis bewahrt und niemandem etwas davon erzählt!

Indessen ging der Martin quer durch den Saal, direkt auf Severin zu, und stand plötzlich vor ihm. Es fiel zunächst kein Wort. Der Martin schaute den andern nur an. Dann sagte er: »Sind Sie nicht Severin Lienhart?«

»Ja, der bin ich – das heißt ...«

»Sie kennen mich nicht mehr, ich sehe es Ihnen an. Vor sechs Jahren hab ich praktiziert in Hermannshagen, da waren Sie noch ein ganz junger Mensch. Aber Sie haben mir damals dort das Leben gerettet.«

Nun wusste Severin sofort Bescheid. Wie war dieser Mann inzwischen behäbig und breit geworden! Er hätte ihn nicht mehr erkannt. Martin aber strahlte über das ganze Gesicht, schob seinen Arm unter Severins Arm und geleitete ihn durch den ganzen Saal bis vor Barbara hin.

»Also, eine größere Freude hätte ich an meinem Hochzeitstag nicht erleben können. Wo kommen Sie denn her? Was? Seit zwei Monaten sind Sie schon da? Und davon weiß ich nichts?«

Mittlerweile waren sie am Brauttisch angekommen.

»Barbara, da schau her, wen ich da gefunden hab! Wenn der Herr nicht gewesen wäre, könnte ich heute nicht neben dir sitzen. Er hat mir das Leben gerettet, damals. Ich hab dir doch schon einmal erzählt, wie ich fast ertrunken wäre.«

»So? Der ist es?«, fragte die Barbara schüchtern und wagte kaum aufzuschauen.

Severin half ihr aus der Verlegenheit, indem er ihr herzlich die Hand hinstreckte und ihr alles Glück wünschte. Der Eggstätter, der ein paar Stühle weiter oben saß, schneuzte sich geräuschvoll und kannte sich überhaupt nicht mehr aus. Die Eggstätterin lächelte breit und gönnerhaft. Man wusste nicht recht, was sie in dem Augenblick dachte. Nur der Lukas sah finster und verbissen drein. Über seinem linken Auge leuchtete eine dunkle, schlecht verheilte Narbe.

Severin musste am Brauttisch Platz nehmen. Er stieß mit den Brautleuten an und brachte auch Ralph und Heike an den Tisch. Der Hochzeiter strahlte über das ganze Gesicht und erzählte jedem, der es hören wollte, dass dieser junge Herr ihm einmal das Leben gerettet habe.

Es ließ sich nicht umgehen: Severin musste wohl oder übel mit der Braut tanzen, und er konnte sich nicht enthalten zu sagen: »Wenn ich das gewusst hätte, Barbara, dann hätte ich mich niemals auf diesen ... Flirt mit dir eingelassen. Ich komme mir heute beinahe niederträchtig vor.«

Da sah ihm Barbara in die Augen und meinte mit einem verschmitzten Lächeln: »Er weiß es ja nicht.«

»Und wird es auch nie erfahren, hörst du? Das darf er nie erfahren!«

Sie schüttelte den Kopf. »Übrigens habe ich ohnehin schon lange alles vergessen.«

»Dann ist es gut. Ich übrigens auch.«

»Es war ja auch weiter nicht schlimm«, wollte Barbara das Gewesene abschwächen.

Darüber konnte man zwar geteilter Meinung sein. Aber Severin unterließ es, ihr zu widersprechen. Er war nur von Herzen froh darüber, wie sich alles doch zum Besten entwickelt hatte.

Die Stunden gingen wie im Flug dahin. Die Hitze im Saal wurde fast unerträglich, durch die offenen Fenster kam wenig Kühlung herein, denn kein Lüftchen war in der sternfunkelnden Nacht, sie war föhnig warm, diese Nacht. Severin, der eine Zeit lang an einem offenen Fenster stand, dachte über die Hügel und Waldberge hinweg zu der kleinen Almhütte hinauf, zu Johanna. Eine unbeschreibliche Sehnsucht erfasste ihn, und er fühlte, wie leer doch sein Leben war, wenn ihm dieses Mädchen fehlte. Da legte sich eine schwere Hand auf seine Schulter. Martin stand hinter ihm.

»Wir fahren jetzt heim«, sagte er und streckte ihm die Hand zum Abschied hin.

Severin wandte sich um. Wie sonderbar ihn diese Worte berührten: ›Heim! Wir fahren heim!‹

Welch tiefer Sinn lag doch darin. Gegenwart und Zukunft umschloss dieses Wort, die Wärme eines Herdes, das Wohlbehütetsein unter schirmendem Dach und noch viel anderes mehr – vielleicht auch die Liebe. ›Glücklich‹, dachte Severin nun, ›waren jedenfalls solche Menschen, die sagen konnten: wir gehen heim.‹

»Ich wünsche dann nochmals alles Gute«, sagte Severin.

»Morgen musst du zu mir kommen.«

Der Martin sagte plötzlich ›du‹, denn er erinnerte sich, dass sie ja auch damals ›du‹ zueinander gesagt hatten. Severin war zu jener Zeit noch ein Student gewesen, und wenn er in den Ferien heimkam nach Hermannshagen, pflegten ihn alle, die dort arbeiteten, mit ›du‹ anzureden bis hinauf zum Inspektor.

»Gut, ich komme morgen. Um welche Zeit?«

»Du kannst kommen, wann du willst. Du bist immer willkommen bei mir.«

Bald wurde das Brautpaar von der Musik hinunterbegleitet. Fast sämtliche Gäste gaben ihm das Geleit bis zur Haustüre. Dort stand eine mit Blumen und Bändern geschmückte Kutsche bereit. Martin hob seine junge Bäuerin in die Polster, stieg dann selbst ein, knallte mit der Peitsche, und die beiden Pferde flitzten in scharfem Trab aus dem Wirtshof. Das Rädergerassel verlor sich bald in der Nacht, und die Musikanten kehrten wieder in den Saal zurück, um von neuem zum Tanz aufzuspielen.

111

Gegen die neunte Vormittagsstunde des nächsten Tages erschien Severin auf dem Sixtenhof.

Heute begegnete ihm Barbara schon unbefangener, vielleicht war es ihr auch eine kleine Genugtuung, ihm ihren Wohlstand zeigen zu können. Jedenfalls ging sie überall mit hin, wohin Martin seinen Gast führte. Als Severin den letzten Winkel dieses prächtigen Hofes gesehen hatte, war es Mittag geworden, und er musste nun selbstverständlich zum Essen dableiben.

Erst danach fand Severin Gelegenheit, sich dem Sixt anzuvertrauen, und er machte kein Hehl daraus, dass er ihn hauptsächlich deswegen aufgesucht hatte, um ihm seine Pläne unterbreiten zu können. Er sehe es als eine gütige Fügung des Schicksals an, dass er ihn hier gefunden habe. Sie saßen hinter dem Haus auf der Bank unter dem alten Nussbaum, und Martin Sixt hörte aufmerksam zu.

»Und nun möchte ich deine Meinung hören«, sagte Severin abschließend.

Martin schwieg zunächst eine Weile, dachte scharf nach und nickte dann ein paar Mal vor sich hin. »Dein Vorhaben ist nicht schlecht. Ich meine nur, wenn du doch schon einen Hof kaufen willst und Geld ausgibst, dann muss es ja nicht gerade dieser heruntergekommene Margaretenhof sein. Da könnte ich dir schon etwas Besseres auftreiben.«

Severin schüttelte den Kopf. »Du hast mich nicht richtig verstanden, Martin. Ein anderer Hof interessiert mich nicht.«

»Wie du meinst, mir ist es gleich.«

»Mir geht es hauptsächlich darum, dass zunächst niemand erfährt, dass ich der Käufer bin. Ich wollte dich bitten, dass du für mich das ganze Geschäft abwickelst, denn erstens verstehe ich mich auf diese Sachen zu wenig, und zweitens will ich vorerst ganz im Hintergrund bleiben.«

»An mir soll es nicht scheitern. Ich helfe dir dabei gerne.«

»Ich weiß es, Sixt. Darum bin ich ja auch so froh über diese Fügung. Seit ich dich damals herauszog aus dem Wasser, haben wir uns nicht mehr gesehen. Und ausgerechnet jetzt, wo ich einen Menschen brauche, der mir bei einer solchen Sache hilft, finde ich dich wieder.«

Wiederum sinnierte Martin eine Weile, dann stand er entschlossen auf. »Weißt du, was? Wir gehen jetzt gleich einmal rüber auf den Osterberg und schauen uns den Hof an. Vielleicht vergeht dir dann der Appetit darauf.«

Der Margaretenhof war tatsächlich in einem geradezu trostlosen Zustand. Jeder andere hätte höchstwahrscheinlich wirklich darauf verzichtet, ihn zu erwerben.

Das Dach war mehr als schlecht, und das Schneewasser so mancher Winter war durchgesickert durch die Decken bis herunter ins Erdgeschoss. Die Fensterläden hingen schief und farblos in den Angeln. Die gähnende Leere der Ställe und Scheunen wirkte auf den Betrachter zusätzlich entmutigend. Es würde schon eine große Portion Optimismus dazugehören, hier neu anzufangen.

Was die Grundstücke betraf, so waren sie alle verpachtet, und Severin würde, war er erst einmal Eigentümer, diese Pachtverträge einfach nicht mehr erneuern.

Weil seine Pläne jedem vernünftigen Menschen lächerlich erscheinen mochte, lag Severin viel daran, dass vorerst niemand von ihnen Kenntnis erhielt.

Sixt gelobte Schweigen und versprach, nicht einmal seiner Frau etwas davon zu sagen. Er war nun plötzlich selbst angesteckt von den Plänen des anderen und sah jetzt alles mit dem prüfenden Blick eines Menschen an, der aus dieser Ruine wieder etwas zu machen beabsichtigte. Am dringlichsten war nach seiner Ansicht, dass man so rasch wie möglich einen neuen Dachstuhl aufsetzte und abdeckte, damit der Zerstörung am Mauerwerk Einhalt geboten wäre.

Auf alle Fälle wollte er sich gleich in den nächsten Tagen mit dem derzeitigen Besitzer dieses Hofes in Verbindung setzen. Einen besonders hohen Preis werde dieser kaum verlangen können, aber er werde ihn auf jeden Fall noch ein gutes Stück herunterhandeln. Und plötzlich fiel ihm auch noch ein: »Du brauchst dann natürlich auch eine tüchtige Bäuerin, sonst hat das Ganze nicht recht viel Wert. Aber da sehe ich schwarz, du wirst natürlich eine von der Stadt haben.«

Severin lächelte. Von Johanna sagte er nichts, statt dessen bat er Martin, ihm auch einen fähigen Verwalter zu finden, schließlich sei auch er selbst kein Bauer. Am besten sei einer, der mit einer tüchtigen Frau verheiratet sei, die einstweilen die Aufgaben einer Bäuerin übernehmen soll. Dann erklärte er Martin seine Ideen, wie er den Hof umzugestalten gedenke, denn er beabsichtige, sich dort weiter seiner Kunst widmen. Er wolle sich baldmöglichst mit einem Architekten in Verbindung setzen, mit dem zusammen er einen Plan für die baulichen Veränderungen erstellen müsse. Die Hauptsache aber sei vor allem einmal, dass es dem Sixt gelingen würde, den Hof für ihn zu erwerben.

Martin Sixt war jetzt wirklich Feuer und Flamme für diesen Plan und meinte immer wieder: »Wer hätte denn das geglaubt, dass wir zwei sogar noch Nachbarn werden könnten! Soviel ich weiß, hast du doch nie besonderes Interesse an der Landwirtschaft gehabt. Wer hat denn jetzt Hermannshagen?«

»Mein Bruder hat es übernommen, das heißt, in der Hauptsache regiert dort immer noch Inspektor Wölfert.«

Drunten beim Wegkreuz, wo der Hang des Osterberges sanft auslaufend in die Weidegründe des Eggstätter mündete, trennten sich die beiden mit festem Händedruck. Ging alles so, wie sie es besprochen hatten, so konnte Severin vielleicht vor dem Einbruch des Winters noch auf den Margaretenhof ziehen. Dann würden die guten Dörfler wohl etwas zu klatschen haben.

Im Leben geht es aber meistens nicht so, wie die Menschen es planen und wollen. Als Severin zum Jagdhaus Ludwigsruh kam, war dort für ihn ein Telegramm von seinem Bruder eingetroffen.

»Mutter im Sterben. Komme sofort! Alexander.«

Merkwürdigerweise dachte Severin zuerst an Silvia, der er ihr ja nun wohl gegenübertreten musste. Dann erst begriff er das andere. Die Mutter lag im Sterben! Er hatte nicht einmal gewusst, dass sie krank gewesen war. Natürlich musste er sofort nach Hause fahren. Er sah auf die Uhr. Zwei Uhr nachmittags.

115

»Ralph, kannst du für mich im Kursbuch nachschlagen, wann und wie ich am besten fahren kann?« Er reichte ihm das Telegramm hin. »Ich muss nämlich unbedingt bevor ich fahre noch schnell etwas erledigen.«

Ralph überlegte nicht lange. »Ich bringe dich am besten mit dem Wagen hin. Bis wann bist du zurück?«

»Spätestens in drei Stunden.«

»Gut! Eine Stunde brauchen wir mit dem Wagen in die Stadt. Aber – sollen wir nicht lieber gleich fahren?«

»Nein, Ralph, ich muss vorher nochmals hinauf zum Eggstätteralm, um Johanna zu informieren. Bis spätestens fünf Uhr bin ich zurück.«

»Auf alle Fälle halte ich den Wagen inzwischen startbereit, damit wir dann gleich abfahren können, sobald du wieder hier bist.«

Schon als Severin mit eilendem Schritt auf die Almhütte zukam, wusste Johanna, dass etwas geschehen war oder mindestens etwas geschehen würde. Und sie erfuhr auch sofort, worum es sich handelte. Noch während Severin ihr, keuchend von der Anstrengung des hastigen Anstiegs, die Hand reichte, sagte er: »Ich muss abreisen, Johanna, meine Mutter ist schwer krank und wird wahrscheinlich sterben.«

»Ja«, sagte sie mit zuckendem Mund. »Dann musst du sofort abfahren. Du hättest eigentlich auf der Stelle losfahren müssen, Severin, und nicht erst zu mir kommen. Der Tod wartet nicht.«

»Aber ich konnte doch nicht fort, ohne es dir wenigstens gesagt zu haben.«

116

Sie hatte noch immer ihre Hand in der seinen. »Wann fährt dein Zug?«

»Ralph bringt mich mit dem Wagen in die Stadt«, antwortete Severin.

»Ich werde viel an dich denken, Severin.«

»Vielleicht ist da doch noch eine Hoffnung«, meinte er dann, nachdem sie auf der Bank Platz genommen hatten. »Meine Mutter ist ja noch gar nicht so alt. Kaum sechzig.«

»Sicher gibt es noch Hoffnung«, sprach sie langsam. »Und du darfst sie auch nicht allein lassen, hörst du, Severin? Du musst bei ihr bleiben, bis sie wieder ganz gesund ist.«

»Sobald es geht, komme ich wieder zu dir zurück.«

»Oder auch nicht«, antwortete sie mit einer Ruhe, die ihn reizte. Er war überhaupt etwas nervös heute.

»Rede doch keinen Unsinn, Johanna! Du bist immer so voller Misstrauen gegen alles, was ich sage, und gegen mich selbst auch.«

Zwischen ihren Brauen wuchs langsam die steile Falte. Warum schrie er sie denn so an? Gehörte er auch zu jenen Menschen, die heftig werden, wenn man ihnen die Wahrheit sagte?

»Ich rede keinen Unsinn, Severin. Ich weiß nur, was kommen kann!«

»Du weißt gar nichts, Johanna! Auf alle Fälle werden meine Gedanken immer bei dir sein. Ich weiß aber jetzt, dass dein Misstrauen erst dann zu Ende ist, wenn du meine Frau bist. Und das wird früher sein, als du denkst – wenn du mich haben willst.«

Ihr Gesicht zuckte kaum auf bei seinen Worten. ›Du lieber, guter Severin‹, dachte sie, ›gegen eine ganze Welt willst du dich stellen? Warte erst einmal ab, was man sagen wird zu deinen Plänen!‹

»Niemand wird mich hindern können, dich zu lieben«, sprach er jetzt weiter. »Du musst an mich glauben.«

Er nahm sie in seine Arme. »Vergiss mich nicht, Johanna.«

»Bis in alle Ewigkeit nicht, Severin.«

»Ich komme zurück, sobald ich kann.«

»Ja«, sagte sie und sah ihm dabei in die Augen. Sie rührte sich nicht, als Severin sich sanft aus ihren Armen losmachte und davonging. Wie eine Statue aus Marmor stand sie da. Und als er sich nach einer Weile umdrehte und ihr zuwinkte, tat sie dasselbe und rief ihm nach: »Hörst du, Severin? Ich glaube an dich, mag kommen, was will.«

»Ich komme wieder«, klang es zurück.

Sie legte die Hände wie einen Trichter an den Mund, damit er ihren letzten Satz auch ganz bestimmt noch hören sollte, und rief: »Ich glaube dir!«

Umittelbar danach verschwand er im Wald. Johanna aber stand noch eine Weile ganz unbeweglich. Manchmal klang tief vom Wald herauf noch ein eilender Schritt, dann wurde es schließlich still.

Der schwere Wagen Ralph Kirchhoffs hielt vor dem großen Bankhaus Lienhart im Zentrum der Stadt. Severin nahm an, dass er seinen Bruder vielleicht noch dort antreffen könnte. Man gab ihm aber Bescheid, dass der Chef bereits um drei Uhr das Haus verlassen habe.

Ralph wollte ihn nun noch zum Gutshof Hermannshagen, dem Familiensitz der Lienharts, hinausfahren, etwa dreißig Kilometer von der Stadt in nördlicher Richtung. Severin entschloss sich aber, lieber mit der Bahn zu fahren, weil er das Entgegenkommen des Freundes nicht über Gebühr beanspruchen wollte. Es waren nur fünf Stationen zu fahren. Mit einem Taxi ließ er sich zum Gutshof bringen, und während der Fahrt sah er nachdenklich und schweigend aus dem Fenster des Wagens. Wie eine riesige Glocke hing der abendliche Himmel über dem Land. Kein nennenswerter Hügel, kein Wald, der den Namen Wald verdient hätte, nur weite Streifen abgeernteter Felder, über die bereits wieder der Pflug gegangen war, und groß angelegte Viehweiden, von Zäunen eingegattert. Dazwischen ragten ein paar uralte, knorrige Baumriesen mit weit verzweigtem Geäst.

Schließlich bog das Taxi in den Hof ein, machte eine scharfe Kurve und hielt vor der breiten Freitreppe, an dessen Geländer wilder Efeu wucherte. Niemand ließ sich sehen. Erst in der Halle trat ihm der Bruder entgegen.

Severin ließ sich von ihm sofort nach der Begrüßung vom Zustand der Mutter berichten. Woran war sie überhaupt erkrankt? Alexander berichtete, dass vor einigen Monaten bei ihr eine Krebserkrankung diagnostiziert worden sei. Er sagte, dass man versucht habe, sie zu operieren, doch die Krankheit erwies sich als schon zu weit fortgeschritten. Sie habe sich Bestrahlungen unterziehen müssen, und diese hatten zunächst auch Erfolge gezeigt, doch leider nur vorübergehend, wie man nun feststellen musste.

In den letzten Tagen habe sich ihr Zustand sehr verschlechtert, und es gebe nach Aussagen der Ärzte keine Hoffnung mehr.

»Und warum habt ihr mich nicht schon früher benachrichtigt?«

Alexander legte beide Handflächen ineinander. Severin dachte, dass dies die gleiche Geste sei, die auch der Vater häufig gemacht habe.

»Bisher war Mutters Zustand immer gleichmäßig, keineswegs so, dass zur Beunruhigung Anlass gewesen wäre. Und sie war ja selbst immer optimistisch, was ihre Heilungschancen betraf. Es war also kein Grund vorhanden, dich unnötigerweise hierherzurufen, zumal sie selbst es nicht gewollt hat und du es in letzter Zeit ohnehin vorgezogen hast, hier vorbeizufahren, ohne einzukehren.«

Severin merkte die Spitze wohl, aber die Sorge um die Mutter ließ ihn die heftige Antwort unterdrücken, die sich ihm aufdrängen wollte.

»Ich bin nur einmal in der Nähe vorbeigekommen«, stellte er richtig. »Das war damals, als ich von Italien kam. Wo liegt die Mutter?«

»Im Mittelzimmer oben.«

»Weiß sie, dass ich komme?«

»Natürlich weiß sie davon.«

»Willst du mich bitte hinaufbegleiten?«

Diese Bitte stellte Severin nur deshalb, weil er Angst hatte, Silvia allein am Bett der Mutter zu treffen. Und das wollte er vermeiden. Diese Angst war allerdings unbegründet, denn Silvia hatte sich in der vorausgegangenen Nacht mit der Schwester die Wache geteilt und hatte sich nun selbst ein bisschen hingelegt, um sich auszuruhen.

Als die Brüder das Zimmer betraten, wandte die Mutter den Kopf. »Nun bist du also doch gekommen, mein Junge ...« Ihre Stimme war schwach. »Du siehst so gesund und kräftig aus. Es geht dir also gut?«

»Ja, Mutter, mir geht es sehr gut. Und ich bleibe nun bei dir, bis du wieder ganz gesund bist.«

»Warum willst denn auch du mir etwas vormachen, Severin? Oder glaubst du, ich weiß nicht, wie es um mich steht? Man hat doch sicher auch dir schon gesagt, dass keine Hoffnung mehr ist. Also sprich nicht mehr davon. Bleib still sitzen und gib mir deine Hand. Und erzähle mir nun, was du treibst. Sie dürfen mich ruhig allein lassen, Schwester.«

Am oberen Bettrand erhob sich eine Gestalt und wandte sich zum Gehen. Auch Alexander verließ das Zimmer, durch das die Abendsonne nun gedämpft hereinfiel, weil man die Vorhänge zugezogen hatte.

Kaum waren sie allein, flüsterte die Mutter: »Zieh bitte die Vorhänge zurück. Immer lassen sie mich in der Düsternis.« Und als Severin die Vorhänge zurückgeschlagen hatte: »So ist es schön. Hab Dank, Severin. Ich möchte doch noch ein wenig Licht und Sonne haben, bevor die Abschiedsstunde kommt.«

»Du sollst sicher nicht viel reden, Mutter«, meinte Severin besorgt.

»Oh, das macht mir gar nichts aus. Solange die Spritze wirkt, habe ich keine Schmerzen. Erst in einer Stunde etwa werden sie wieder kommen. Dann musst du mir die Schwester rufen. Also – erzähl mir jetzt von dir. Man hat mir gesagt, dass irgendeine

Arbeit von dir in der Ausstellung so großes Interesse erregt hat.«

Severin zog sich einen Stuhl herbei und nahm die Hände der Mutter. »Davon weiß ich ja noch gar nichts. Die Ausstellung ist gestern erst eröffnet worden.«

»Silvia brachte mir heute morgen eine Zeitung, darin stand eine ganze Menge über dich und dein Werk. Dass ich das noch erleben darf, Severin, das macht mich sehr, sehr froh. Sag mir doch – wie es dir all die Zeit gegangen ist.«

Severin erzählte von sich, so wie man einem lieben Kranken erzählt, was ihn vielleicht zu hören freut, und wie man ihm verschweigt, was zu verschweigen ist. Er überging auch seine eigene Krankheit, weil er über die Ursache dieser Krankheit nichts sagen wollte.

Doch als er schließlich auf Johanna zu sprechen kam, wurde Severin lebhaft und beschrieb sie seiner Mutter ausführlich und voller Begeisterung. Seine Augen begannen dabei zu leuchten. Die Mutter hörte ihm aufmerksam zu und registrierte diese Veränderung durchaus.

»Du hättest sie mitbringen sollen«, unterbrach sie ihn schließlich.

»Mitbringen?«, fragte er zweifelnd und schüttelte den Kopf. »Das wäre nicht gegangen. Sie hat ja ihre Pflichten, denen sie nachzukommen hat. Und dann – ich kann mir nicht vorstellen, dass es Alexander angenehm gewesen wäre. Aber eines würde mich interessieren, Mutter, wenn es dich nicht zu sehr anstrengt: Wie kam Alexander zu Silvia – ich meine –, zu dieser Frau?«

Wie das war? Ja, da hätte die kranke Frau weit ausholen müssen, viel weiter jedenfalls, als es ihre Kräfte zuließen. So erfuhr Severin nur in flüchtigen Sätzen, dass die Eisenwerke Nabenburg in eine schwere Krise geraten waren. Alexander hatte persönlich die Gespräche der Bank mit der Führung des angeschlagenen Unternehmens geleitet, und so sei er im Hause Nabenburg mit Silvia zusammengekommen ...

»Ach so?«, sagte Severin, und um seinen Mund zuckte es ein wenig. »War Silvia am Ende der Preis für die Rettung der Nabenburg-Werke?«

»Ich weiß nicht, Severin – da fragst du mich zu viel –, aber die beiden kommen gut aus miteinander.«

Bald darauf begannen die Schmerzen wieder, die von Minute zu Minute heftiger wurden. Severin rief nach der Schwester, und nach der Spritze verfiel die Kranke wieder in einen tiefen Schlaf.

8

Beim Abendessen begegneten sich Severin und Silvia dann endlich.

Alexander sagte leichthin: »Ach so, ihr beide kennt euch ja noch gar nicht. Meine Frau – mein Bruder Severin.«

Die beiden reichten sich die Hand, sahen sich für Sekunden in die Augen. Silvia war immer noch schön wie ein Traum. Nur blass war sie, und um die Augen hatte sie dunkle Ringe von den durchwachten Nächten.

Eine besondere Herzlichkeit hatte zwischen den Brüdern nie bestanden, so dass auch diesmal das Gespräch nur Belangloses brachte.

Plötzlich erinnerte sich aber Alexander: »Übrigens, meine Gratulation. Diese Marmorfigur, die du da geschaffen hast, ist großartig. Mein Urteil dürfte zwar nicht kompetent sein, denn ich verstehe nun leider verdammt wenig von der Kunst, aber man hört es allgemein. Ich war gestern in der Ausstellung. Wirklich – sehr nett.«

»Nett?« Silvia sah ihren Mann verständnislos an. »Ganz nett, sagst du? Mein Lieber, das ist schon eine ziemliche Untertreibung. Es handelt sich um ein hochrangiges Kunstwerk! Auch wenn du selbst nicht viel davon verstehst, so ist es doch das allgemeine Urteil. Liest du denn keine Zeitung, Alexander?«

»Doch, doch. Aber natürlich zuerst den Börsen-
teil! Du siehst« – er wandte sich an Severin –, »du
findest schon hier eine begeisterte Verehrerin deiner
Kunst. Es ist zu bedauern, dass Vater es nicht mehr
erleben durfte, dass du als Künstler Erfolg hast. Er
war ja, wie du weißt, immer sehr skeptisch eingestellt und hätte lieber gesehen, wenn du im Bankfach
geblieben wärst.«

›Vielleicht als dein Angestellter?‹, wollte Severin
fragen, verbiss es sich aber, weil er sich vor Silvia
nicht gehen lassen wollte.

»Ich selbst war noch gar nicht in der Ausstellung«, sagte er dann. »Übrigens – du hast hier einige
Veränderungen vorgenommen, wie ich flüchtig bemerkt habe?«

»Ja, es war nötig. Hast du das noch nicht gewusst? Ach, natürlich, du warst ja schon – wie lange
warst du eigentlich nicht mehr zu Hause? Es müssen
doch bald drei Jahre sein? Und mit dem Schreiben,
da hast du dir auch ganz schön Zeit gelassen. Ich
hatte mir schon Sorgen gemacht, ob wir deinen derzeitigen Aufenthaltsort überhaupt herausfinden würden.«

»In nächster Zeit hätte ich dir ohnehin ausführlich schreiben müssen in einer dringenden Angelegenheit. Da ich aber nun schon einmal hier bin, können wir uns eigentlich auch gleich hier darüber
unterhalten.«

»Bitte, zu jeder Zeit. Um was handelt es sich
denn?«

»Ich möchte mir alles zuerst noch einmal genau
durch den Kopf gehen lassen, damit ich dir meine
Pläne genau beschreiben kann.«

»Schön, wie du willst.« Alexander legte die Serviette ab und lehnte sich in seinem Stuhl zurück. Da sagte Silvia: »Wenn ich störe, so ...«

»Aber absolut nicht«, beeilte sich Severin zu sagen. »Was ich vorzubringen habe, darf jeder hören. Geheimnisse habe ich nie gehabt. Nur – einmal.«

Eine flüchtige Röte glitt über Silvias Stirn. Sie wusste genau, was Severin meinte. Alexander sah seine Frau an und lächelte.

»Vielleicht heiratet er demnächst? Habe ich da Recht?«

»Jawohl, erraten.«

»Und darf man wissen, wen?«

»Nein, das darf man eben vorerst noch nicht.«

»Also doch Geheimnisse!«

Da sagte Severin ziemlich frostig: »Soweit ich mich erinnere, hast du es damals überhaupt nicht für angebracht gehalten, mir deine Verheiratung mitzuteilen. Ich las es ganz zufällig in einer Zeitung.«

»Ja, das ging damals sehr schnell. Und dann, man wusste doch deine Adresse nicht.«

Silvia stand jetzt auf und ging hinaus. Alexander zündete sich eine Brasil an und schlug die Beine übereinander. »Bediene dich. Ich weiß nicht, was du rauchst, Zigarren oder Zigaretten? Es ist beides da.«

»Weil wir schon bei dem Thema sind. Wie steht es eigentlich mit meinem Erbteil?«

»Womit?«

»Mit meinem Erbteil.«

»Ach so! Wie es da steht? Ganz einfach. Väterlicherseits bist du ja bereits abgefunden durch dein Studium und die übrigen Zuschüsse. Mütterlicherseits steht dir die Hälfte des Wertes von Hermannshagen zu, abzüglich der Kosten natürlich, die ich bereits durch die Neubauten hineingesteckt habe. Brauchst du es?«

»Ja, ich werde es in allernächster Zeit brauchen.«

»Gut, wie du wünschst. Ich habe mir zwar sagen lassen, dass du mit dem Kerl aus Marmor ein Heidengeld verdienen würdest. Aber wie gesagt, du kannst haben, was dir zusteht. Im Übrigen nehme ich an, dass du uns zu deiner Hochzeit einladen wirst. Wenn ich mir die Zeit irgendwie freinehmen kann ...«

»Ich glaube kaum, dass du wirst überhaupt kommen wollen.«

»Wieso? Wie meinst du das?«

»Meine Braut stammt aus kleinen Verhältnissen.«

»Ach so!« Alexander blies den Rauch seiner Zigarre gegen die Decke. »Na ja, das ist deine Sache und geht mich weiter nichts an.«

»Das ist auch gut so«, sagte Severin trocken und horchte auf ein fernes Klingelzeichen. »Ich glaube, man klingelt aus dem Krankenzimmer nach uns!«

Am nächsten Vormittag trafen sich Severin und Silvia allein. Es war reiner Zufall. Severin ging die lieben alten Wege, die ihm von früher Jugend her noch vertraut waren, stand eine ganze Weile am Wehr, aus dem er einst den Sixten-Martin gerettet hatte, und wandte sich dann in den Park. Dort stand Silvia beim Weiher und fütterte die Wildenten. Zuerst wollte er einen anderen Weg einschlagen und an ihr vorbeigehen, aber sie hatte ihn längst gesehen und rief ihn bei seinem Namen. Es blieb ihm nichts anderes übrig, als umzukehren. »Ja? Was gibt es denn?«

Sie strich etwas verlgegen ihr Kleid glatt und hob den Kopf. »Ich habe gewusst, Severin, dass einmal der Moment kommen würde, wo wir zusammentreffen. Und ich habe immer Angst gehabt vor diesem Zeitpunkt.«

Ganz unwillkürlich erinnerte er sich der brennenden Qual, die er einmal ihretwegen ausgestanden hatte, und ein knabenhafter Trotz übermannte ihn. »Da hat man also Angst gehabt? Und warum?«

»Lass doch bitte diesen Ton, Severin. Du weißt ja nicht, wie es dazu gekommen ist.«

Silvia senkte den Blick.

»Ich weiß genau, dass ich dir Unrecht getan habe, und wenn du mich dafür verdammen willst, werde ich es ohne Widerspruch hinnehmen. Doch als ich deinen Bruder getroffen habe, war es, als ob mich der Blitz getroffen hätte. Ich war vom ersten Moment an sicher, dass er und nicht du der Mann ist, mit dem ich mein Leben verbringen wollte.«

Sie warf einen nervösen Blick auf Severin und stellte erleichtert fest, dass er nicht wütend oder verletzt wirkte. So fuhr sie fort: »Ich hätte Alexander nicht heiraten sollen, bevor ich mich mit dir darüber ausgesprochen hatte, aber ich bin ein Feigling gewesen und habe mich davor gedrückt. Mir erschien es damals so viel einfacher, dich vor vollendete Tatsachen zu stellen. Ich schäme mich dafür.«

Sie machte eine Pause und wartete, ob Severin etwas dazu sagen würde. Doch er schwieg. Wieder war sie es, die weitersprach: »Falls du mir diesen Verrat nicht verzeihen kannst, bitte ich dich, dass wir uns wenigstens deiner Mutter gegenüber nichts anmerken lassen. Sie ist eine gute Frau und sollte nicht jetzt noch mit den Folgen meiner Feigheit belastet werden.«

Severin nickte langsam. »Silvia, ich hätte es vor kurzem noch nicht für möglich gehalten, doch ich weiß jetzt ungefähr, wie es ist, wenn man dem einzig richtigen Menschen begegnet, mit dem man für immer zusammenbleiben will. Ich war außer mir vor Schmerz über deine Treulosigkeit, aber ich verzeihe dir, denn inzwischen sehe ich ein, dass wir beide einfach nicht füreinander bestimmt waren. Ich möchte nur eines wissen: Weiß Alexander, was einmal zwischen uns beiden war?«

»Ich weiß es nicht, Severin. Manchmal habe ich das Gefühl, als wenn er eine Ahnung hätte. Aber er hat noch nie ein Wort gesagt.«

Unwillkürlich hatten sie zu gehen angefangen. Welch schöne Ruhe war in dem alten Park. Ganz eigenartig überkam es ihn, dass er noch einmal an Silvias Seite gehen konnte. Bei der Bank, dort, wo der Blick in die Ferne ging, blieben sie stehen.

»Wollen wir uns setzen?«, fragte er und wartete ihre Antwort erst gar nicht ab. Silvia griff in das Geäst nach einem Buchenblatt, zerrupfte es langsam und sah dabei in die Ferne. Dann wandte sie den Kopf.

»Alexander sagte mir, dass du beabsichtigst, ein Gut zu kaufen?«

Severin lächelte ein wenig. »Es ist kein Gut, sondern ein Bauernhof. Ein schöner, alter Bauernhof, mitten im Gebirge. Alexander denkt wohl, nur wenn er es zu einem Gut hochstilisiert, klingt es auch vornehm genug.«

Jetzt nahm sie neben ihm Platz.

»Ich war bei der Ausstellungseröffnung, und ich habe dein neuestes Werk sehr bewundert. Hast du schon neue Arbeiten angefangen?«

»Noch nicht, aber ich habe schon eine weitere geplant. Ich glaube, ich stehe vor dem Durchbruch als Künstler, Silvia. Nicht wegen des Erfolges, obwohl mich sehr gefreut hat, was du mir gestern gesagt hast. Nein, ich habe nach langem Herumtasten endlich meinen Stil gefunden. Weißt du – ich glaube, das Schicksal hat mich erst durch meine Krisen hindurchführen müssen, um mich an meinen richtigen Platz zu bringen, an dem ich imstande bin, alles aus mir herauszuholen, um es in meiner Kunst ausdrücken zu können.«

Severin kam in ein lebhaftes Erzählen. Ohne dass er es recht merkte, sprach er bald von Johanna, vom Sixt, vom Jäger Anderl und von den Sonnenuntergängen im Gebirge.

Er erzählte ihr von seinem Plan, wie er den alten Hof neu erstehen lassen wollte. Ein großes Atelier wollte er einbauen und eine große Halle zum Lagern des Materials.

Mit leuchtenden Augen hörte Silvia zu. Und als er schwieg, nahm sie behutsam seine Hand.

»Ich wünsche dir alles Gute, Severin. Und hab tausend Dank für dein Vertrauen, das mir beweist, dass du mir wirklich verzeihen konntest und nicht mit Unwillen an mich denkst.«

»Nicht bei mir, bei Johanna müsstest du dich bedanken, Silvia. Sie allein ist die Ursache, dass nicht mehr der leiseste Groll in mir ist.«

»Ich würde es mit Freuden tun, wenn sie hier wäre.«

»Würdest du es auch dann tun, Silvia, wenn Johanna nur eine einfache Hilfskraft auf einem Bauernhof wäre?«

»Auch dann, Severin, denn nach allem, was du mir erzählt hast, muss sie ein wunderbarer Mensch sein.«

Er streichelte über ihre Hände. »Hab vielen Dank.«

Dann standen sie auf und gingen zusammen ins Haus. Hinter ihnen pfiff hell im Buchengeäst eine Amsel.

Am dritten Tag, nachdem Severin gekommen war, starb die Gutsfrau Annemarie Lienhart. Sie wurde in der großen Halle aufgebahrt, und am Abend gingen die Arbeiter des Gutshofs auf leisen Sohlen vorüber und legten rote und blaue Feldblumen an ihrem Sarg nieder. Es war eine ehrliche und tiefe Trauer im ganzen Gut.

Am dritten Tage trug man die Gutsfrau zum Dorffriedhof hinüber, wo sie an die Seite ihres Mannes gebettet wurde. Bei dieser Gelegenheit sah Severin all die Bekannten seiner Jugendzeit wieder, und er spürte es an ihrem Händedruck, dass sie ihm über die Zeit hinaus verbunden geblieben waren.

Für diesen Tag wurde auf dem Gutshof nicht mehr gearbeitet. Ein Teil der Arbeiter war drunten im Dorf geblieben beim Bier, weil es auch hier so Sitte war, dass die Trauergäste auch das Essen und Trinken zur letzten Ehre rechneten, die man einem Toten gibt. Andere aber saßen daheim in der großen Gesindekammer und beratschlagten, wie das nun werden solle ohne die alte Gutsfrau. Sie war streng gewesen, aber gerecht. Wie die junge Frau nun sein würde, das blieb erst abzuwarten. Der Bankier Lienhart auf alle Fälle galt als knauserig und misstrauisch. Da würde man sich seinen Bruder, diesen blonden Severin, schon eher gefallen lassen. Das war ein anderer Schlag!

Im Salon drüben saßen die beiden Brüder mit Silvia und gingen die Beileidstelegramme durch. Und dazwischen fand sich auch ein Telegramm ohne schwarzen Rand, an den Bildhauer Severin Lienhart gerichtet. Es war nach Ludwigsruh gerichtet, von dort aber hierher nachgesandt worden.

Dieses Telegramm brachte eine entscheidende Wende in Severins Leben. Es stammte von der Stadtverwaltung und teilte ihm mit, dass sie sein ausgestelltes Werk gerne erwerben wollte. Er solle dort vorsprechen.

Der Bruder wollte wissen: »Da bekommst du wohl eine Menge Geld dafür? Nein, ich bin nicht neugierig. Ich denke nur, wenn du es gut angelegt haben willst ...«

»Aus dir spricht schon wieder der Bankmensch! Na, jedenfalls werde ich morgen früh mal hingehen.«

Er starrte gedankenverloren vor sich hin und dachte an den Moment, als ihm im Zwielicht der Morgendämmerung die Idee zu diesem Kunstwerk gekommen war. Er hörte das Wasser wieder plätschern und sah es über die gebräunte Gestalt Anderls hinabrinnen. Jetzt stand sein Werk in der Ausstellung, und es sah so aus, als ob er viel Geld dafür bekommen sollte, obwohl er während der ganzen Zeit des Schaffens nie an Geld gedacht hatte.

Alexander nahm ihn am nächsten Morgen im Auto mit zur Stadt, und Severins erster Gang war gleich in die Ausstellung.

Der Kulturausschuss empfing ihn mit aller Hochachtung.

»So jung sind Sie noch?«, sagte einer der Herren erstaunt oder enttäuscht, das war nicht recht zu erkennen. Severin hörte viele Namen und hatte sie im nächsten Augenblick wieder vergessen. Wichtig schien ihm nur das, was sein Werk betraf, und da hatte sich der Ausschuss bereits einstimmig entschlossen, es in den Besitz der Stadt zu bringen. Severin wusste nicht, dass es eine ganze Reihe weiterer Kaufinteressenten gab, darunter mehrere private Sammler.

Durch den Trauerfall und seine plötzliche Reise nach Hermannshagen war alles ein wenig durcheinandergeraten, da die Post erst weitergeleitet werden musste. Er bekam sie ein paar Tage später. Neben den verschiedenen Kaufangeboten erhielt er auch das Angebot einer rheinischen Industriestadt zur Erstellung einer großen Denkmalfigur für einen bekannten Industriemagnaten.

Severin wurde in den nächsten Tagen mit Post geradezu überschwemmt. Brüssel und Antwerpen bestellten je einen Guss des Werks. Für das Jagdhaus eines Fabrikanten sollte er eine Diana arbeiten, eine französische Gräfin lud ihn auf ihr Besitztum in Südfrankreich ein, damit er ein Urteil abgebe über die Plastiken, die ihr Mann seit Jahrzehnten aus irgendeiner Sammlerleidenschaft heraus zusammenkaufte. Und eine ganze Reihe von Briefen stammten von ganz normalen Ausstellungsbesuchern, die ihn zu seinem Mut zum Naturalismus beglückwünschten.

Auch die Kritik klatschte ihm nahezu einhellig Beifall, was ihn dann doch überraschte. Eigentlich hatte er mit mehr Widerspruch gerechnet, damit, dass ihm vorgeworfen wurde, Kitsch zu produzieren, oder gar Vergleiche mit der Kunst dunklerer Zeiten angestellt und ihm übel vermerkt würden. Doch es schien, als sei die Zeit einfach reif gewesen für sein Werk. Der Widerspruch gegen seine Kritiker, den er im Geiste schon fertig ausformuliert hatte, blieb unveröffentlicht, denn er wäre nur ins Leere gelaufen.

Ja, sogar Alexander fühlte sich bemüßigt, der hohen Kunst seinen Tribut zu zollen, indem er meinte, man könne im Bankhaus, im Foyer, vielleicht irgendeine Büste anbringen.

»Irgendeine Büste?«, fragte Severin. »Mein lieber Alexander, wenn schon eine Büste, dann könnte es nur eine Büste unseres Vaters sein, der ja schließlich der Begründer des Bankhauses war. Und damit du dir darüber keine großen Gedanken machst, an die Büste werde ich gelegentlich herangehen. Vielleicht, dass ich sie dir als Weihnachtsgeschenk übermittle.«

»Schenken?« Alexander presste wieder die Finger gegeneinander. »Ich weiß nicht. Jede Arbeit ist ja schließlich ihres Lohnes wert. Und – man will ja schließlich auch einmal etwas tun für die Kunst.«

›Diese Erkenntnis kommt dir reichlich spät‹, dachte Severin. Aber er sagte nichts, weil er die Stimmung nicht verderben wollte.

Im Übrigen war sein Entschluss bereits gefasst. Das Angebot der Stadt im oberen Rheinland reizte ihn, und er wollte nun auf alle Fälle einmal hinfahren und nähere Verbindung aufnehmen. Auf dem Rückweg wollte er dann hier noch mal vorbeikommen und wegen seines Erbteils alles in Ordnung bringen.

»Warum?«, fragte Alexander. »Das können wir auch jetzt gleich erledigen. Solche Sachen schaffe ich am liebsten sofort aus der Welt. Ich habe deinen Anteil bereits ausgerechnet, und du kannst darüber verfügen. Ich denke, dass du es in der Bank lassen solltest. Ich gewähre dir einen Ausnahmezinssatz.«

»Nein, danke, du weißt ja, was ich vorhabe.«

»Ach ja, du wolltest doch da irgend so ein halb verfallenes Bauerngut kaufen. Findest du diese Idee nicht etwas unpassend? Ich meine – als erfolgreicher Künstler.«

»Genauso könnte ich sagen, du hast das Bankhaus, und Hermannshagen sei deshalb für dich überflüssig.«

»Das ist doch ein kleiner Unterschied! Das Bankhaus und Hermannshagen gehören doch schon immer zusammen. Aber es ist ja deine Sache, wie du über dein Geld verfügen willst. Ich dachte nur, dass du einem fachmännischen Rat nicht abgeneigt wärest.«

»Deines fachmännischen Rates hätte ich vielleicht früher bedurft – jetzt nicht mehr. Jetzt kann ich mir mein Leben aufbauen nach meinem Geschmack, notfalls auch ohne das mütterliche Erbteil.«

Alexander kräuselte die Lippen. Er wusste ganz gut, worauf Severin anspielte. Schließlich hatte dieser von ihm nicht die kleinste Unterstützung bekommen, als ihm der Vater damals die finanzielle Unterstützung versagt hatte. Aber nun hatte sich Severin letztlich dennoch durchgesetzt. Vielleicht würde er ja eines Tages vor ihm stehen und fragen, was Hermannshagen kosten solle.

»Deine Braut –», sagte er plötzlich. »Sie wird natürlich eine entsprechende Mitgift haben?«

Severin schmunzelte. Diese Frage hatte ja kommen müssen!

»Meine Braut? O ja – ich bin zufrieden mit dem, was sie mitbringt. Das ist ein Herz voller Güte und zwei starke Arme, die jede Arbeit anpacken können.«

»Wie bitte? Du scherzt wohl!«

»Aber keineswegs!«, lachte Severin. »Mir war vielleicht in meinem ganzen Leben noch nie so ernst zumute wie in dieser Frage. Johanna hat nicht viel mehr als das, was sie am Leibe trägt, vielleicht noch ein paar Spargroschen dazu.«

Alexanders Stirne war rot angelaufen.

»Das hätte ich eigentlich erwarten können. Ich nehme an, dass du keinerlei Wert auf irgendwelchen verwandtschaftlichen Verkehr legst. Geh, und tu, was du nicht lassen kannst. Verständnis habe ich allerdings nicht für diesen Unsinn.«

»Das habe ich auch nicht erwartet, und ich habe es auch gar nicht nötig, mir von dir deine Einwilligung erteilen zu lassen.«

Hier mischte sich nun Silvia ein. Sie wollte um keinen Preis, dass die Brüder in Feindschaft auseinander gingen.

»Alexander, sei doch nicht so stur! Ich weiß gar nicht, was du hast. Es gibt eben Dinge, die der Mensch tun muss, ob er will oder nicht.«

Alexander verzog den Mund zum Lächeln.

»Ja, natürlich, wie solltest du ihn nicht verstehen. Ihr seid doch früher schon ein Herz und eine Seele gewesen.«

Silvia wurde blass. Da tönte dicht neben ihr Severins Stimme hell und scharf. »Willst du dich nicht deutlicher ausdrücken?«

»Oh, bemüht euch doch nicht. Ich weiß alles, fand es aber nie der Mühe wert, Notiz zu nehmen von eurer kleinen Liebelei. Wann willst du reisen? Wahrscheinlich mit dem Mittagszug? Ich werde dir ein Taxi besorgen.«

Damit verließ Alexander das Zimmer, und die beiden standen voreinander wie zwei arme Sünder. Tränen perlten über Silvias Wangen.

»Lass gut sein, Silvia«, sagte Severin leise. »Ich wollte, ich hätte dir diesen Moment ersparen können. Dass er von uns gewusst hat und dich trotzdem mir weggenommen hat, das finde ich aber ungeheuerlich. Wir werden uns kaum wiedersehen, Silvia. Wenigstens hier nicht. Ich bin nur sehr froh, dass du verstehst, was ich jetzt tun muss.«

»Und wohin gehst du jetzt?«

»Ich reise jetzt zunächst einmal an den Rhein und höre mir an, was sie dort für Vorstellungen von ihrem Denkmal haben. Dann gehe ich zurück nach Ludwigsruh.«

Severin packte schnell seine Sachen, schrieb flüchtig noch ein paar Zeilen an Johanna, dass sie sich noch eine Woche gedulden solle, und verließ das Haus. Vor der Freitreppe stand schon das Taxi. Alexander war nirgends zu sehen. Silvia empfand es beschämend, aber Severin lächelte nur darüber, stieg ein und reichte Silvia die Hand.

Nein, das hatte Severin nicht erwartet. Er hatte herfahren wollen, um überhaupt erst einmal in Kontakt zu kommen mit den Leuten. Aber das Kollegium, das sich in der Denkmalsfrage zusammengefunden hatte, empfing ihn so, als hätte er den Auftrag bereits angenommen.

Man hatte ein Preisausschreiben veranstaltet, aber die eingegangenen Entwürfe entsprachen nicht den Anforderungen. Sie wurden Severin vorgelegt, endlose Debatten lösten einander ab, Severin machte sich mit der Idee vertraut und entwarf mehrere Skizzen nach Bildern des Toten, der sich um die Stadt sehr verdient gemacht hatte. Ein Platz war nach ihm benannt worden, und diesen sollte ein Denkmal schmücken.

Dann war es schließlich schon wieder so weit, dass Severin wegfahren wollte, als man ihn noch in das Atelier führte, in dem er die Arbeit ausführen sollte. Da begann Severins Herz heftig zu schlagen, und es erfasste ihn plötzlich wie ein Rausch: Eine hohe helle Halle, fast nur aus Glas. Draußen zog majestätisch der Strom vorbei. Der Raum lag zu ebener Erde, damit man das Material bequem hereinfahren konnte. Ein paar Riesenblöcke lagen noch völlig unberührt neben dem kleinen Rollgeleise. Auf Severins Befragen erklärte man ihm, dass dies der Nachlass eines verstorbenen Bildhauers sei, der ihn der Stadt hinterlassen habe.

Severins Hände glitten liebkosend über den grauen Granit, und da war es, als begänne das Werk unter seinen Händen zu wachsen. Er ging um den einen Block herum, prüfte ihn, schlug da und dort mit einem Hammer dagegen, setzte einen Meißel an, warf Hut und Mantel beiseite und vergaß die Welt um sich. Er wusste nicht, wie lange es gedauert hatte, bis er wieder zu sich kam, aber als er aufsah, war er allein in dem großen Raum. Die Herren waren stillschweigend gegangen. Über den Strom fiel das Licht der Abendsonne, ein schneeweißes Schiff zog stromaufwärts, eine Glocke schlug an, auf dem Verdeck standen Leute und sahen interessiert zu ihm herüber. Severin sah sich im Raum um und atmete tief. Und fühlte, dass er unerbittlich diesem neuen Werk verfallen war.

Am nächsten Morgen schon kamen Monteure in blauen Kitteln ins Atelier, brachten mit Flaschenzügen den Granitblock in die richtige Lage, bauten ein Gerüst herum, legten Lichtleitungen und bauten Scheinwerfer ein.

Ein paar Stunden später stand Severin schon auf dem Gerüst und begann mit seiner ersten großen Auftragsarbeit.

Spät in der Nacht erst fiel es ihm ein, dass er unbedingt an Johanna schreiben müsse. An Johanna, und natürlich auch an Martin Sixt. Letzterem wollte er gleich morgen noch eine größere Summe überweisen, damit er mit dem Erwerb des Margaretenhofes nicht aufgehalten war. An Johanna aber schrieb er: »Meine liebe Johanna! In meinem letzten Brief habe ich dir mitgeteilt, dass meine Mutter gestorben ist und dass ich mich noch um die Auftragsanfrage kümmern müsse, die ich gerade bekommen habe. Ich bin also in jene Stadt gefahren, nur um eine Besprechung mit meinen Auftraggebern zu führen. Doch nun bin ich doch fürs Erste hiergeblieben. Plötzlich hat es mich einfach erfasst und nicht mehr losgelassen, als ich das Material begutachtet habe, mit dem ich arbeiten soll. Nun bin ich schon völlig in meiner Aufgabe versunken, und ich fühle ganz deutlich, dass ich jetzt mit ihr anfangen musste, sonst wäre dieser Funke wieder erloschen. Wenn du das doch verstehen könntest, liebe Johanna. Ich würde mich sehr viel ruhiger fühlen, wenn ich wüsste, dass du mir nicht übel nimmst, dass ich im Moment einfach diese Aufgabe nicht im Stich lassen kann!

So fern von dir fühle ich erst recht, wie tief ich mit dir verbunden bin. Jeder Tag ohne dich schiene mir ein verlorener meines Lebens, wenn mich diese gewaltige Arbeit nicht in ihren Bann gezogen hätte. Oder, weißt du was? Lass doch alles liegen und stehen dort und komm auf schnellstem Wege zu mir! Schreibe mir bitte so rasch wie möglich, ob sich das irgendwie einrichten lässt. Ich werde dir dann Geld überweisen für die Fahrt. Ich habe große Sehnsucht nach dir. Bis dahin in aller Herzlichkeit und Liebe, dein Severin.«

Als der Brief fort war, dachte er, dass er vielleicht zu wenig von Liebe geschrieben habe. Aber war es denn bei Johanna überhaupt angebracht, hochtrabende Worte zu machen? So einfach und schlicht, wie sie war, musste auch das sein, was man ihr sagen konnte. Und die Hauptsache war ja, sie wusste, dass er sich sehnte nach ihr und dass sie zu ihm kommen sollte.

Zuweilen, mitten in der Arbeit, hielt er inne und schaute über den Strom. Es wurde schon langsam herbstlich. Das Strauchwerk in den Gärten am anderen Ufer begann in satter Schönheit zu leuchten, und die Frühnebel lagen zäh und viel länger als sonst über dem Strom.

Jeden Vormittag, wenn die Post kam, setzte sein Herz einen Schlag aus. Heute musste doch von Johanna etwas dabei sein: Er wartete und wartete. Es kam kein Brief von Johanna, und nachdem er zuerst sehr beunruhigt darüber gewesen war, schlug seine Stimmung schließlich in ein Gefühl der Kränkung um, denn es wäre doch wirklich nichts dabei gewesen, wenn sie ihm geschrieben hätte! Dann wieder glaubte er, dass sie ihn vielleicht überraschen wolle. Ja, ja, ganz sicher würde es so sein. Eines Tages würde die Türe aufgehen, und Johanna würde dastehen. So schwankte seine Stimmung oft mehrmals am Tag. Seine Arbeit begann darunter zu leiden. Der Stein schien sich ihm förmlich zu verschließen.

Severin fühlte sich leer und ausgepumpt. Es hatte wenig Zweck, so weiterzumachen, beschloss er schließlich. Aufhören war wohl das Beste, was er tun konnte. In dieser Stimmung konnte ein einziger Schlag an dem werdenden Denkmal ein Fehler werden, den er mit nichts mehr wieder gutmachen konnte.

Severin schrieb einen Eilbrief an Johanna, legte einen frankierten Umschlag bei für ihre Rückantwort, um die er möglichst postwendend bat, und dachte, dass er ja nun wohl endlich mit einer Antwort würde rechnen können.

Er rechnete sich aus, dass in etwa vier Tagen die Antwort eintreffen könnte, fuhr inzwischen rheinabwärts bis Koblenz und von dort durch das Moseltal. Severin wollte nur zwei oder drei Tage bleiben, aber es wurden sechs daraus. Die Schönheit der

141

Landschaft fesselte ihn, und ebenso die Menschen, denen er begegnete. Von so manchem fertigte er Skizzen an in der Absicht, später vielleicht einmal Köpfe wie diese für sein Werk zu verwenden. Schließlich sagte er sich aber, es sei ja wohl lächerlich, Johanna um solche Eile zu bitten und sie dann womöglich unnötig warten zu lassen. Was musste sie von ihm denken? Er brach die Reise ab und kehrte in sein Atelier zurück.

Johanna war nicht gekommen und hatte nicht geschrieben. Ein Stich bitterer Enttäuschung war das für ihn, doch zugleich spürte er in sich wieder den Funken, mit dem er die Arbeit ursprünglich begonnen hatte. Es war an der Zeit weiterzumachen! Sein Werk machte in diesen Tagen sehr große Fortschritte.

9

Die letzten Spätherbstwochen versanken in Tagen voll grauen Nebels, bei dem man nicht mehr über den Fluss sah. Wie aus einem Schatten herauf tönten die Sirenen der Schiffe mit ihren Schleppkähnen. Die Landschaft wurde traurig und einsam. Und als übertrage sich diese Wandlung der Natur ins Schwermütige auf ihn selbst, saß er jetzt zuweilen des Abends da, von trübseligen Gedanken übermannt.

Wie konnte es nur möglich sein, dass Johanna ihm nicht antwortete? Hatte sie ihn denn schon vergessen?

Sie hatte immer ein wenig in Rätseln gesprochen, wenn es sich um die Zukunft drehte. Aber es hatte aus ihrem Munde stets so geklungen, als wenn sie gerade ihm keine Beständigkeit zutrauen könne.

Immer wieder dachte er an den Augenblick, als er ihr erstmals begegnet war. Und er erlebte all die Stunden mit ihr im Geiste wieder und wieder nach und erkannte, dass sie auch in der Erinnerung nichts von ihrem Zauber verloren hatten.

War das alles aus ihrer Sicht nur eine Spielerei gewesen? Nein, das war völlig undenkbar! Aber, was wenn es trotzdem ...?

Wenn er hier fertig war, würde er sofort zu ihr fahren, beschloss er. Und das würde nun nicht mehr lange dauern, denn seine Arbeit war nahezu fertig gestellt.

In diesem Jahr fiel der Winter über die Berge und Täler ganz blitzartig und ohne jede Vorankündigung her. Das hatten selbst die ältesten Bewohner noch niemals erlebt. Schon Anfang Oktober fiel in einer Nacht eine Unmenge Schnee, nachdem am Abend vorher die Sonne noch mit großem Abendrot verschwunden war. Um Mitternacht aber hob ein Sturm an, der über eine Stunde lang währte. Dann fiel Schnee, ganz ruhig, aber in großen Flocken und ohne Unterlass.

Als die Sennerinnen am Morgen die Türen öffneten, erschraken sie heftig: Sie waren abgeschnitten von aller Welt. Ringsum lagerte der Schnee fast einen halben Meter hoch. Das Vieh in den Ställen brüllte, ja teilweise hatte man es sogar noch über Nacht draußen gelassen, weil man nicht geahnt hatte, dass das Wetter so abrupt und heftig umschlagen würde. Die Tiere standen nun frierend im Schnee und begriffen nicht, wieso ihnen über Nacht alles Futter entzogen worden war.

Johanna warf Heu für das Vieh vom Boden herab und ging dann unverzüglich daran, für den Abtrieb zu rüsten. Alles wurde ordnungsgemäß aufgeräumt und verwahrt. Die nach ihr im nächsten Jahr hier wirtschaften würde, sollte alles in bester Ordnung finden.

Mitten in der Arbeit hielt sie plötzlich inne, ließ die Hände in den Schoß sinken und saß einige Zeit lang ganz unbeweglich da, als horche sie in sich hinein. Jetzt, da sie von hier fortgehen musste, konnte sie es nicht mehr verdrängen. In der Hast und Fülle von Arbeit, die es in den letzten Wochen gegeben hatte, war ihr ihre Verlassenheit gar nicht so schwer zum Bewusstsein gekommen. Da waren nur immer die langen Abende gewesen und die Nächte, in denen sie jenem Glück nachträumte, das dieser Sommer ihr in so reichem Maße beschert hatte.

Wie hatte sie diesen Mann geliebt! Nie würde jemals ein Mensch das erahnen können. Und sie war eine Närrin gewesen, weil sie geglaubt hatte, dieses Glück könne wirklich ein ganzes Leben lang währen.

Es fiel immer noch Schnee. Zuweilen krachte vom nahen Wald herüber ein brechender Ast. Sonst war die Welt ganz still, als wäre sie in einen tiefen Schlaf gesunken.

So war eben der Lauf der Welt. Man durfte keine Wunder erwarten. Nach so einem Glück musste doch zwangsläufig die Leere folgen, das Ende. Und doch, es tat weh, sich eingestehen zu müssen, dass dieses Ende gekommen war! Er hatte ihr doch so fest versprochen, wiederzukommen. Aber nicht einmal geschrieben hatte er ihr. Er war einfach wieder zurückgekehrt in seine Welt, und nun war sie für ihn sicher nicht mehr als eine flüchtige Erinnerung.

Johanna Kainz weinte plötzlich. Wahrhaftig, nun saß sie in der kalten Sennhütte und weinte zum ersten Mal um ihre Liebe. Doch dann hob sie plötzlich den Kopf und lauschte. Draußen fiel der Schnee, und plötzlich waren die Stimmen deutlich zu hören, die sie zunächst nur flüchtig und von ferne vernommen hatte.

Johanna erhob sich und wischte die Tränen fort. Über den Hang hinauf wateten die Leute des Eggstätterhofes durch den Schnee, der Bauer an der

Spitze des Trüppchens. Sie hatten sich gleich in der Frühe aufgemacht, um Johanna mit ihrer Herde hinunterzubringen.

Es dauerte nur eine Viertelstunde, dann war es so weit. Als Johanna die Hütte abschloss und den Schlüssel dem Eggstätter übergab, war ihr zumute, als wäre dies das endgültige Ende ihrer Liebe.

Es war ein mühsamer Abtrieb durch den hohen Schnee. Die Tiere, vom Schnee geblendet, wollten sich nur widerwillig in eine Ordnung zwängen lassen. Erst weiter unten im Wald ging es besser. Johanna ging mit dem Eggstätter jetzt voraus, die anderen trieben hintennach. Sie sprachen von diesem und jenem, und dann fragte Johanna so nebenbei: »Post ist für mich wohl nicht gekommen?«

Der Eggstätter schüttelte den Kopf. »Mir ist nichts bekannt. Nein, nein, das müsste ich ja wissen.«

Das war ihre letzte Hoffnung gewesen: Dass durch irgendeinen dummen Zufall ihr die Post nicht weitergegeben worden war. Nun war auch die zunichte geworden. Severin hatte offensichtlich nicht geschrieben.

»Wenn ein Brief gekommen wäre für dich, dann hätten wir ihn dir schon raufgeschickt«, sagte jetzt der Bauer. »Hast du einen erwartet?«

»Einen Brief? Nein, nein, ich fragte nur so.«

Nun kamen sie schon in die Nähe des Jagdhauses Ludwigsruh. Der Schnee war hier schon lange nicht mehr so hoch, und je weiter sie hinunterkamen, desto weniger wurde er. Auf einmal blieb Johanna betroffen stehen und deutete mit der Hand zum Osterberg hinüber.

»Was ist denn das dort?«

Der Eggstätter folgte ihrem Blick. »Ach so, das weißt du ja noch gar nicht! Den Hof drüben hat einer gekauft und lässt ihn ganz neu herrichten.«

»Wer hat ihn gekauft?«

»Das weiß man nicht. Ich hab den Sixt schon einmal gefragt, weil er öfters droben ist und sich um den Umbau kümmert, aber aus dem bringt man nichts heraus.«

Der Margaretenhof hatte also wieder einmal den Besitzer gewechselt. Und da der neue Eigentümer so viel Geld hineinzustecken gewillt war, musste man davon ausgehen, dass es diesmal sogar Bestand haben mochte.

Damit versank ein letzter geheimer Wunsch Johannas unerbittlich in die Tiefe. Freilich, sie hätte ja niemals das Geld aufbringen können, trotzdem aber tat es sehr, sehr weh in diesem Augenblick, als sie das neue Dach mit dem dunklen Gebälk und das Gerüst auf der Vorderseite sah.

Die Eggstätterin stand unter der Türe des Hofes, als sie mit der Herde heimkamen. Prüfend gingen ihre Augen über die wohlgenährten Tierleiber hin, und sie nickte zufrieden vor sich hin. Johanna hatte wie immer gute Arbeit geleistet, das konnte man wohl sagen.

Sie nickte ihr freundlich zu, stutzte dann plötzlich und fasste sie stirnrunzelnd etwas schärfer ins Auge. Doch sie sagte nichts, sondern sah dann wieder weg und begann, von belanglosen Dingen zu reden.

Endlich war das Vieh angekettet und alles fertig.

Während des Essens fragte der Bauer einmal: »Post ist doch nicht gekommen für die Johanna?«

»Post?«, fragte die Bäuerin. »Nein, ich habe jedenfalls keine gesehen.«

Lukas löffelte ruhig weiter. Er verzog nur für einen Moment den Mund ein wenig und dachte an die drei Briefe für Johanna, die er unterschlagen hatte. Es lag ihm jetzt nichts mehr an dieser Johanna, nein, nein. Die Narbe über seinem linken Auge war als eine unliebsame Erinnerung an ihre letzte Begegnung geblieben. Und – sie sah ihn zuweilen mit einem solch durchdringenden Blick an, dass es ihm durch und durch ging. Gerade, als ob sie etwas wüsste von ihm.

Er wusste nicht, wieviel sie von seinem Geheimnis wusste oder ahnte, doch er war verunsichert. Um die Alm hatte er von jenem Tag an einen weiten Bogen gemacht.

Doch als er eine solche Gelegenheit zur Rache bekommen hatte, wollte er sie sich natürlich nicht entgehen lassen.

Gewiß, der Zufall hatte auch mitgespielt. Er war gerade allein im Hof gewesen, als der Postbote kam. Ein Brief an Johanna Kainz, ob er ihn an sie weitergeben könne? Später kamen noch zwei weitere. Was hätte er tun sollen, nachdem er den ersten schon unterschlagen hatte? Auch interessierte es ihn, was der Mann schrieb. Sein Gewissen belastete das in keiner Weise.

Was die Eggstätterin im ersten Augenblick, als sie Johanna mit der Herde auf den Hof zukommen sah, instinktiv erahnte, wurde bald zur Gewissheit. Es ließ sich nicht mehr leugnen, und Johanna tat auch wirklich nichts, um es zu verheimlichen.

Mit einer Mischung aus Freude und Schrecken hatte sie das erste Anzeichen des neuen Lebens in sich wahrgenommen. Die anderen freilich, die steckten am Hof die Köpfe zusammen und tuschelten hinter ihr her. Und es war kein Mitleid für sie zu spüren, sondern nur Gehässigkeit und Zorn. Warum verkroch sich diese Johanna nicht vor Schande und Scham? Wer war sie denn, dass sie trotz ihres unübersehbaren Zustands so stolz durch diesen grauen Vorwinter ging?

Eines Sonntags ging sie zum Bauern, der in der guten Stube gerade die Lohnabrechnungen für seine Leute schrieb, und fragte ihn ohne Umschweife, ob er sie zum nächsten Sommer wieder haben wolle für die Alm. Der Eggstätter legte seine Sonntagszigarre fort, sah sie eine Weile nachdenklich an und deutete dann auf die Bank.

»Setz dich hin, Johanna, darüber müssen wir noch einmal reden.«

Obwohl Johanna eigentlich eine klare Antwort auf ihre Frage gewünscht hätte, setzte sie sich gehorsam nieder.

»Das ist so eine Sache«, begann der Eggstätter. »Offen gesagt, mich stört es nicht, dass du was Kleines herbringst auf den Hof. Aber die Bäuerin ist dagegen.«

»Dann sind wir eigentlich schnell fertig mit dem Reden, Bauer.«

»Nein, so schnell geht es dann doch nicht. Ich muss nämlich sagen, Johanna, verlieren möchte ich dich gar nicht gerne. Aber wie gesagt ...«

Johanna hob die Augen. »Ich weiß, dir geht es nur um den Hausfrieden.«

Er nickte vor sich hin und strich sich mit gespreizten Fingern über das schüttere Haar. »Die Bäuerin liegt mir dauernd in den Ohren. Es ist oft nicht mehr zum Aushalten. – Wer ist denn eigentlich der Vater?«

Johanna antwortete nicht. Sie schaute zum Fenster hinaus. Weiß und sauber leuchteten jetzt die Mauern des Hofes vom Osterberg herüber.

»Wird es dadurch anders, wenn du es weißt?«, fragte Johanna schließlich.

»Das nicht. Aber du tust mir Leid.« Der Bauer zögerte kurz, dann sagte er: »Vielleicht wäre es gut, wenn du jetzt – vorübergehend – erst einmal dein Kind an einem anderen Ort zur Welt bringen würdest. Du hast doch sicher irgendwo Verwandte? Und danach, Johanna, dann kommst du wieder. Das ist wohl das Vernünftigste in so einem Fall.«

»Ja, ja, es wird wohl so das Vernünftigste sein«, antwortete Johanna und ging aus der Stube in dem Wissen, dass sie nun den Hof verlassen musste. Sie spürte, dass sie niemals dorthin zurückkehren würde.

Ein paar Tage später verließ sie den Eggstätterhof. Aber sie wollte nicht zu Verwandten gehen, denn sie hatte keine. Ihr Entschluss stand fest: Sie musste Severin finden, dort in der Stadt. Wenn er sie auch vergessen haben sollte, aber etwas Hilfe würde er ihr doch für das Kind geben können. Es war doch auch sein Kind!

Vom Jäger Anderl hatte sie ungefähr erfahren, wo sie ihn finden oder wenigstens etwas über seinen Aufenthalt erfahren könnte. In der grauen Morgenfrühe verließ sie den Eggstätterhof. Niemand sah sie, als sie mit ihrem schweren Koffer durch die hintere Tür das Haus verließ.

Johanna ging nicht durch das Dorf, sondern machte einen Umweg zum Bahnhof. Es war jetzt gegen Ende November, und der Schnee lag schon hart und gefroren auf Feldern und Wegen.

Immer trauriger wurde Johanna zumute. Einmal hielt sie kurze Rast, setzte sich auf den Koffer und schaute über die weißen Hügel, die man nur erahnen konnte, weil die Dunkelheit des Novembermorgens noch alles verhüllte. Nur ab und zu war von einer Höhe ein Licht zu sehen, das auf einen Hof dort hindeutete. In der Ferne hörte sie einen Güterzug poltern, sein rotes Schlusslicht huschte durch die Dunkelheit.

Dann erreichte sie den Bahnhof. Im Wartesaal saßen nur ganz wenige Menschen. Langsam dämmerte nun auch draußen der Tag. Und als sich am Schalter endlich das Fenster hob, ging Johanna hin und löste sich eine Fahrkarte.

Es wurde endgültig Tag, und als der Zug einfuhr, sah man schon die Berge mit den weiß bedeckten Gipfeln. Nach ungefähr einer Stunde Fahrt begegnete der Zug einem anderen, der südwärts fuhr. Johanna, die ihre Stirn an die Scheibe gelehnt hatte, fuhr aufgeschreckt zurück bei dem Dröhnen, das am Fenster vorüberglitt.

In diesem Zug aber saß Severin Lienhart, der gerade nach Bernbichl fuhr.

Severin Lienhart ging mit dem Sixten-Martin zum Margaretenhof hinauf. Er hatte allen Grund, mit dem Martin zufrieden zu sein. Besser hätte auch ein Rechtsanwalt seine Interessen nicht wahrnehmen können. Der Hof war zu einem günstigen Preis erworben worden, die Renovierungen und Umbauten waren bereits erledigt, er brauchte nur noch dort einzuziehen.

Severin hatte dem Sixt lediglich eine Skizze gesandt, wie er die Einteilung der Zimmer haben wollte, wie groß das Atelier sein müsse und so weiter. Martin hatte dann mit dem Maurermeister und mit den Zimmerleuten verhandelt, er kümmerte sich einfach um alles, als ob es für ihn selber sein sollte. Es war aber auch eine wahre Lust, auf solche Art und Weise arbeiten zu können, ohne ständig die Pfennige herumdrehen zu müssen. Severin hatte mehr als ausreichend Geld zur Verfügung gestellt. Die Ställe standen nun voll mit gutem Zuchtvieh, die Arbeiter waren eingestellt worden, und ein Verwalterehepaar führte das Kommando.

»Wenn ich dir raten darf, Severin, dann behalte den Verwalter. Der Mann versteht etwas von der Wirtschaft, und seine Frau steht dem Haushalt vor wie eine richtige Bäuerin. Bis du heiratest, brauchst du ja noch jemanden im Haus, auf den du dich verlassen kannst.«

»Aber das ist doch selbstverständlich, dass die Leute bleiben«, antwortete Severin, aus seinen Gedanken aufgeschreckt. Er hatte soeben an Johanna gedacht. Ihretwegen hatte er eigentlich diesen Hof gekauft, und dabei wusste er überhaupt nicht, woran er nun bei ihr war! Nun, die nächsten Tage würden auch hier Klarheit schaffen. Vielleicht würde er ihr morgen schon gegenüberstehen. Und dann ...?

Dann standen sie schon vor dem Haus, und er wurde von einem schwer zu beschreibenden Glücksgefühl überwältigt. Nun hatte er ein Zuhause, von dem er reden würde, wenn er zu jemandem sagte: »Ich gehe heim!«.

Der Sixt öffnete die Stubentüre, wo der Verwalter mit den Hofleuten gerade beim Mittagessen saß. »So, da ist jetzt der Margareter«, sagte er und schob Severin über die Schwelle, mitten in die Stube. Severin wurde sonderbar berührt von diesem Wort. Der Margareter! So würde er nun in diesem Dorf und ringsherum in alle Zukunft heißen.

Der Verwalter war aufgestanden, um den neuen Hofbesitzer zu begrüßen. Severin gab den Leuten der Reihe nach die Hand und ließ sich dann bei ihnen am Tisch nieder. Und wenn er in späteren Jahren manchmal an seinen Einzug auf diesem Hof dachte, so blieb doch immer der stärkste Eindruck der, als er sich zum ersten Male am eigenen Tisch niedersetzte und nicht recht wusste, wo er die schmalen weißen Hände verbergen sollte vor den forschenden Blicken der Leute. Mussten sie nicht an seinen Händen schon sehen, dass er kein Bauer war in ihrem Sinne?

Der Stall wurde besichtigt, dann das ganze Haus und zum Schluss das Atelier. Man hatte hier aus drei großen Zimmern die Mittelwände herausgenommen und auf der Südseite riesige Fenster eingebaut. Auf diese Weise war ein einziger großer Raum entstanden, dem nur noch die Inneneinrichtung fehlte, denn die wollte Severin selbst besorgen.

Neben dem Atelier war ein kleines, gemütliches Stübchen eingerichtet. Severin blieb stehen.

»Wer hat denn das hier eingerichtet?«, fragte er.

Der Verwalter sagte, dass es seine Frau gemacht habe, nach ihren Vorstellungen eben, aber wenn es dem Herrn nicht ganz recht sei, dann ...

»Nein, um Himmels willen! Das ist einfach bezaubernd! Ich muss mich Ihrer Frau hierfür schon besonders erkenntlich zeigen. Im Übrigen hoffe ich, dass wir gut zusammenarbeiten werden.«

»An mir soll es nicht liegen. Ich hätte zwar etwas in Aussicht zum Pachten, ein schönes Anwesen, aber wenn Sie meinen ...«

»So lange musst du auf alle Fälle noch dableiben, bis der Margareter einmal eine Bäuerin heimführt«, mischte sich der Sixt jetzt ein.

»Ich würde natürlich großen Wert darauf legen, hier einen Menschen zu haben, auf den ich mich voll und ganz verlassen kann«, sagte Severin. »Es kann vorkommen, dass ich einmal zwei oder drei Monate oder noch länger weg bin, und da brauche ich jemanden, dem ich in allem vertrauen kann. Sie haben in allem freie Hand, mit Kleinigkeiten brauchen Sie mir überhaupt nicht kommen. Wenn Sie sich vielleicht später einmal günstig verändern können, werde ich Ihnen gerne ein wenig unter die Arme greifen, wenn Sie mich vorläufig, für die ersten zwei, drei Jahre jedenfalls, nicht im Stich lassen.«

Der Mann überlegte eine Weile und sagte: »Wenn das so ist, dann freilich. Wir sind recht gern auf dem Margaretenhof. Ich werde es mit meiner Frau besprechen.«

»So, Martin, es sieht fast so aus, als sei es geschafft, wie?«, wandte sich Severin voller Freude an den Sixt. »Wie ich dir für deine Mühe jemals genügend danken soll weiß ich nicht. Du hast mehr für mich getan, als du dir vorstellen kannst. Aber, was ich fragen wollte, beim Eggstätter ist wohl auch noch alles beim Alten?«

So langsam kam er schon hin, wo er hin wollte.

»Beim Eggstätter? Nein, da hat sich nicht viel geändert. Da mußt du sowieso in den nächsten Tagen hin und dich anmelden. Er ist nämlich jetzt Bürgermeister. Der wird Augen machen, wenn er erfährt, dass du jetzt der Margareter bist!« Martin lachte schallend, als er sich das Gesicht des Eggstätters bei dieser Gelegenheit vorstellte. »Weißt du, ich habe nämlich noch keiner Menschenseele etwas davon gesagt, dass du es bist, der den Hof gekauft hat.«

»Das war auch ganz nach meinem Sinn so. Ja – und sonst – diese Sennerin, die im vergangenen Sommer oben auf seiner Alm war, ist die noch dort?«

»Ach, die Johanna?« Der Sixt sah ihn von der Seite aufmerksam an. »Die ist noch beim Eggstätter. Ich glaube aber, nicht mehr lange.«

»Wieso? Will der Eggstätter sie nicht mehr?«

»Das vielleicht schon. Aber das sind immer so Sachen, weißt du. Was ich gehört hab, soll die Johanna was Kleines erwarten.«

Stille. Severin war in diesem Augenblick zumute, als bliebe ihm das Herz stehen. Bevor er noch etwas sagen konnte, sprach der Sixt weiter: »Ich kümmere mich um solche Sachen zwar nicht. Aber die Weibsleute unterhalten sich über so etwas eben. Freilich, es ist wohl eine Schande, wenn eine nicht sagen kann, wer der Vater des Kindes ist. Ich habe die Johanna immer für eine anständige Person gehalten, aber da kann man sich auch täuschen.«

Severin stand auf und strich sich mit einer heftigen Bewegung das Haar aus der Stirne. Johanna bekam ein Kind? Sein Kind ...? Aber warum hatte sie dann seine Briefe nicht beantwortet? Das ergab doch keinen Sinn!

»Der Eggstätter ist Bürgermeister, sagtest du doch?«, fragte er ganz unvermittelt. »Ja, da werde ich morgen gleich einmal hingehen.«

Als Severin sich am nächsten Tag nach einer schlaflosen Nacht erhob und die Stiege herunterkam, sah sein Gesicht verquollen und müde aus. Die Frau des Verwalters hatte sein Stübchen schon angeheizt und brachte Kaffee. Sie fragte ihn, wie er es halten wolle mit dem Frühstück, mit dem Mittagessen und so weiter.

»Machen Sie meinetwegen nur keine Umstände«, sagte er. »Ich halte mich an die Zeiten und die Kost, die allgemein üblich sind.«

Er trank aber nur ein paar Schluck Kaffee, aß nur eine halbe Scheibe Brot und ging dann fort.

Es war eine helle, trockene Vormittagsstunde, als er zum Eggstätterhof gelangte. Über den Feldern war es still. Ein Krähenschwarm zog vorbei und fiel in den Wald ein. Klar standen die Berge und schauten herunter ins Tal. Severin hatte aber keinen Blick für all diese Schönheit.

Seine Gedanken waren nur dem zugewandt, was ihn beim Eggstätter erwarten würde. Er musste dringend mit Johanna reden, musste wissen, wie es um sie stand. Und vor allem musste er wissen, wer der Vater ihres Kindes war. Er selbst ... oder wer dann, wenn es nicht so sein sollte? Sein Herz klopfte laut, als er den Eggstätterhof betrat. Flüchtig erinnerte er sich dabei an den Augenblick, da er das erste Mal hierher gekommen war. War das nicht schon eine Ewigkeit her?

Der Bauer begegnete ihm im Flur, und als Severin grüßte, musste er sich erst besinnen, wo er die Stimme schon vernommen hatte.

»Ja, was ist denn das? Jetzt hätte ich Sie beinahe nicht mehr erkannt. Nur rein in die Stube! Freut mich, dass Sie sich wieder einmal sehen lassen. Wie geht es? Bleiben Sie länger?«

Severin nahm den Hut ab und nahm Platz.

»Ja, Eggstätter, diesmal bleibe ich länger. Und deswegen komme ich auch zu Ihnen, nämlich um mich in aller Form anzumelden. Der Sixt sagte mir, dass Sie jetzt Bürgermeister sind und ich das bei Ihnen tun soll. Ja, es ist nämlich so – ich habe den Margaretenhof gekauft.«

»Wer? Sie ...?« Der Bauer riss den Mund auf und brachte ihn zunächst nicht mehr zu. Dann lachte er dröhnend auf und schlug sich klatschend auf die Schenkel. »Das hätte ich mir im Traum nicht vorstellen können! Sie sind also der große Unbekannte? Wissen Sie eigentlich, wie hier herumgerätselt worden ist, wer der Käufer sein könnte? Ja, sagen Sie mir einmal, hat denn das der Sixt auch nicht gewusst?«

»Natürlich hat es der Sixt gewusst. Von allem Anfang an.«

»Und hat mir kein Sterbenswörtchen verraten! Dabei ist er mein Schwiegersohn! Das muss ich jetzt gleich meiner Frau erzählen.« Er stand auf und schrie zur Türe hinaus: »Magdalena, komm einmal herüber! Ja so was! Sie sind also der neue Margareter! Da müssten wir eigentlich auf gute Nachbarschaft trinken.« Er nahm eine Flasche und zwei Likörgläser aus dem Wandschränkchen und schenkte ein, gerade als die Eggstätterin zur Türe hereinkam. Die Bäuerin zeigte freudige Überraschung und reichte Severin die Hand.

»Sieht man Sie auch wieder einmal? Das ist aber recht.«

»Du wirst ihn jetzt öfter sehen können, der Herr hat nämlich den Margaretenhof gekauft.«

»Waaas? Sie sind der ...«

»Ja, so ist es.«

»Dass uns aber da der Martin nichts gesagt hat?«, wunderte sich die Eggstätterin.

»Der Martin hat von mir die Anweisung gehabt, die Sache als geheim zu behandeln, und – ich freue mich jetzt umso mehr, dass er es getan hat.«

Du liebe Zeit, was die Eggstätterin gleich alles wissen wollte! Ob er sich auch schon eine Bäuerin ausgesucht habe? (Sie bedauerte jetzt nichts lebhafter, als dass die Barbara schon verheiratet war.) Ob er nun überhaupt ganz hierbleibe? Und sie hoffe, dass er recht oft kommen und gute Nachbarschaft halten würde.

Der Eggstätter holte inzwischen einige Formulare, die er ausfüllte. Die Bäuerin schenkte Severins Gläschen noch einmal voll. Der scharfe Kirsch tat ihm auf eine seltsame Weise wohl. Er spürte, wie es warm durch seinen Körper rieselte, und auch sonst hob sich seine Stimmung.

»Ja – dann noch was«, sagte er plötzlich. »Eure Johanna – ich hätte sie gerne einmal gesprochen.«

»Die Johanna?«, fragte die Eggstätterin. »Ja – die Johanna ...«

»... ist nicht mehr bei uns«, ergänzte der Eggstätter.

»Ist nicht mehr bei euch?«

»Seit gestern früh nicht mehr.«

»Seit – gestern?«

»Tut mir ja an sich Leid, sie war eine gute Sennerin«, meinte der Eggstätter. »Ich habe ihr auch den Vorschlag gemacht, dass sie wiederkommen soll, wenn es vorbei ist.«

»Sie erwartet nämlich was Kleines«, zwitscherte die Frau, und ihr Doppelkinn wackelte vor Erregung, den so häufig durchgehechelten Klatsch nun doch noch einmal jemandem als sensationelle Neuigkeit erzählen zu können. Aber Severins Reaktion war für sie ziemlich enttäuschend; er verzog nur den Mund ein wenig. Da sprach die Eggstätterin schon weiter: »Ich habe immer viel gehalten von ihr, und ich hätte ihr das nicht zugetraut. Ich meine, es ist ja kein Verbrechen – ein Kind – eigentlich – Aber wissen Sie, einen Vater sollte man doch wenigstens angeben können. Aber so wie sie – gell, Andreas, du hast doch gefragt, wer der Vater ist, da hat sie es nicht gewusst.«

»Das hat sie nicht gesagt«, widersprach der Eggstätter. »Sie hat bloß gefragt, ob es dadurch anders wäre, wenn sie es mir sagt.«

»Na ja, das ist ja im Grunde genommen das Gleiche, oder, Herr Severin – wollte sagen: Margareter. Sie weiß nicht, wer der Vater ist, und darum hat sie sich auf diese Weise rausgeredet. Ich sag halt immer: Der Apfel fällt nicht weit vom Stamm. Ihr Vater hat auch leichtes Blut gehabt und ...«

Dem Eggstätter wurde das offensichtlich zu weitschweifig, denn er lenkte ab: »Das kann man so nicht immer sagen. Und überhaupt wird es den Margareter auch gar nicht interessieren. Also, um noch mal auf die Frage zurückzukommen. Gestern früh ist sie weg. Heimlich hat sie den Hof verlassen. Das hat mir nicht gefallen, und ich glaube auch nicht, dass sie wiederkommt.«

Severin spürte eine Schwäche in den Kniekehlen, als er sich erhob. Was sollte er nun machen, wenn Johanna gar nicht mehr da war? Schließlich streckte er dem Eggstätter die Hand hin und bemühte sich um einen angemessenen Ton: »Ich hoffe, dass wir gute Nachbarn werden.«

»Das will ich auch hoffen. Und wenn du irgendeinen Rat brauchst« – der Bauer wandte ohne jeden Übergang jetzt das vertrauliche Du an –, »dann komm nur. Ich helfe dir jederzeit gerne, falls du mich brauchst.«

»Vielen Dank, das nehme ich gerne an. Aber ich habe ja den Martin, und der Verwalter, den er mir beschafft hat, scheint seine Sache auch sehr gut zu machen.«

»Der Hirner ist wirklich nicht schlecht. Und sonst hast du auch gute Leute beisammen.« Der Eggstätter begleitete ihn hinaus. »Der Winter lässt sich ganz gut an. Hast du vor, diese Saison Holz zu schlagen?«

Severin schüttelte den Kopf. »Der Wald sei sowieso schon arg gelichtet, sagt der Sixt. Ich werde die nächsten Jahre deshalb wenig oder gar nichts abholzen.«

›Wenn man so viel Geld hat wie du, dann hat man das auch nicht nötig‹, dachte der Bauer und sah dem Davongehenden nach. Dann wandte er sich schnell ins Haus zurück, denn er war in Hemdsärmeln, und der Wind pfiff eiskalt um die Ecke.

10

Severin spürte weder Wind noch Kälte. Ein gleichmäßig ziehender Schmerz war jetzt in seinem Herzen. Wenn er ein oder zwei Tage früher gekommen
wäre, hätte er Johanna noch angetroffen! Und plötzlich – er merkte es gar nicht – liefen ihm Tränen aus
den Augen.

Durch eine zerrissene Wolkendecke lächelte ein
Stückchen vom Blau des Himmels auf die tausend
Giebel und Erker, auf die hastenden Menschen, die
klingelnden Trambahnen und die rumpelnden Last-
wagen herunter. Nur auf den Dächern lag Schnee,
und selbst der war nicht mehr weiß und rein.

Johanna überquerte einen Platz und bog dann in
eine jener stillen Straßen ein, die ohne Tram-
bahngleise und ohne jene großen Geschäftshäuser
waren, vor denen ein ewiges Kommen und Gehen
war. Sie schritt nun wieder rascher aus, sah aber angestrengt an den Häuserfronten entlang, bis sie
plötzlich stehen blieb.

An einem großen modernen Bauwerk stand über
den Fenstern des ersten Stockwerkes mit hohen
glänzenden Lettern geschrieben: »Bankhaus Lienhart«

Auf dem ganzen Weg her war sie seltsam ruhig
geblieben. Jetzt aber wurde ihr beklommen zumute.
Wie würde Severin auf das reagieren, was sie mit

ihm zu reden hatte? Vermutlich würde er sagen: ›Schön, Johanna, für das Kind werde ich natürlich sorgen, aber heiraten, das wirst du ja selbst verstehen, das geht eben nicht.‹

Sie betrat das Gebäude, durchschritt die große, hohe Vorhalle, auf deren Steinboden jeder ihrer Schritte laut zu hören war, und sah sich suchend um. Eine Tür fiel ihr auf, auf der ein Schild angebracht war: »Privat. Eintritt verboten!«

Eine andere Tür führte in den Schalterraum. Der Mann am Schalter beachtete sie zunächst nicht, sondern fuhr fort, auf der Tastatur seines Computers zu tippen und dabei keinen Blick von dem Bildschirm zu wenden. Schließlich hatte er den Vorgang, an dem er gearbeitet hatte, beendet, und wandte ihr den Kopf zu. »Sie wünschen?«

Klar und ruhig sagte Johanna: »Ich möchte Herrn Lienhart sprechen.«

»In welcher Angelegenheit?«

›Was nun?‹, dachte Johanna. ›Ich kann doch diesem fremden Menschen nicht sagen, was zwischen mir und Severin ist.‹ Sie schwieg und wurde ein wenig verlegen. Der Mann sah sie an, und schließlich gab er ihr Hilfestellung. »Handelt es sich denn um eine private Angelegenheit?«

Johanna nickte dankbar.

»Ihr Name?«

Sie nannte ihren Namen und der Angestellte begab sich zu einem Schreibtisch im Hintergrund des Schalterraums, nahm den Telefonhörer ab und sprach kurz hinein. Dann kam er wieder zum Schalter vor und sagte, dass sie dort, bei der nächsten Tür, wo der Eintritt verboten war, eintreten solle.

Alexander Lienhart war es gewohnt, die Menschen nach ihrem Äußeren abzuschätzen. Bei dieser Frau hier, auch wenn ihre Haltung selbstbewusst war, handelte es sich offensichtlich um jemanden aus kleinen Verhältnissen. Er wollte schon ein wenig verdrießlich fragen, was sie wünsche, ohne dabei den Federhalter wegzulegen oder gar aufzustehen. Irgendetwas an dieser Frau irritierte ihn aber doch. Er wusste es selber nicht, was es war. Jedenfalls entschloss er sich doch dazu, aufzustehen.

»Sie wollten zu mir, wie war Ihr Name bitte?«

»Kainz. Johanna Kainz. Aber ich wollte eigentlich ...«

»Bitte, nehmen Sie Platz.« Er rückte den ledernen Klubsessel ein wenig und nahm ihr gegenüber am Schreibtisch wieder Platz. »Womit kann ich dienen?«

Johanna fasste sich ein Herz.

»Ich hatte eigentlich zu Severin Lienhart gewollt, aber ich glaube, dass Sie sein Bruder sind. Ich hatte gehofft, dass ich ihn auch hier erreichen kann.«

Alexander betrachtete die Frau mit wachsendem Interesse, sah dann auf seine gepflegten Fingernägel und dann wieder in ihre Augen. Er erinnerte sich, dass Severin von einem Mädchen gesprochen hatte, das er liebte und heiraten wollte. Ja, ja, das war es wohl: Hatte er sie nun doch sitzen gelassen?

»Es tut mir aufrichtig Leid, aber mein Bruder ist nicht da. Er arbeitet überhaupt nicht im Bankwesen, sondern betätigt sich künstlerisch, wie Sie vielleicht wissen.«

»Und Sie können mir auch nicht sagen, wo er ist?«

›Es muss ihr sehr viel daran liegen, Severin zu treffen‹, dachte Alexander und legte seine Handflächen aneinander.

»Ich bin untröstlich, Ihnen auch darüber keine Auskunft geben zu können. Ich glaube gehört zu haben, dass er in letzter Zeit irgendwo in einer Stadt im Rheinland war. Er muss da eine Auftragsarbeit übernommen haben, ein Denkmal oder so.«

»Dann gehe ich wieder«, sagte Johanna mit trockenen Lippen. Aber sie konnte nicht aufstehen. Eine bleierne Müdigkeit rieselte durch ihren ganzen Körper, und hinter ihren Augen begann es zu brennen.

Aber sie biss die Zähne zusammen. ›Nur nicht weinen‹, dachte sie. Unwillkürlich nahm sie den Kopf zurück. Ihr Blick ging zu dem breiten Fenster hinaus, sah auf der anderen Seite die steile graue Mauer der anderen Häuserfront aufsteigen. Es schneite ein wenig. Die Flocken fielen wie helle Tränen in einen dunklen Schacht. Da war dann plötzlich wieder die weiche, etwas näselnde Stimme des Herrn am Schreibtisch vernehmbar: »Wenn ich irgendetwas ausrichten kann? Es ist immerhin möglich, dass mein Bruder gelegentlich einmal vorbeikommt.«

»Nein, nein. Oder vielleicht nur, dass ich da gewesen bin.«

»Das sowieso. Aber wenn Sie vielleicht Ihr Herz ausschütten wollen – Sie können ganz ruhig zu mir sprechen. Ich meine, falls mein Bruder Sie in irgendeiner Weise enttäuscht haben sollte. Severin ist Künstler – bei ihm darf man nicht gleich alles für bare Münze nehmen.«

Johanna sah ihn mit großen Augen an. Dann schüttelte sie den Kopf. »Severin hat mich nicht enttäuscht. In keiner Weise. Ich dachte nur, weil ich gerade vorbeikomme. Ihr Bruder – wir kannten uns gut – ja – er kam öfters vorbei bei mir – ich war im Gebirge und ...«

Sie merkte plötzlich, dass sie wirres Zeug sprach, und stand schnell auf. Auch Alexander Lienhart erhob sich. »Wie gesagt, es tut mir Leid, Ihnen keinen anderen Bescheid geben zu können.« Er geleitete sie zur Türe. »Leben Sie wohl.«

»Behüte Sie Gott«, murmelte sie, und während sie langsam auf die Straße hinausging, dachte sie: ›Er ist immerhin freundlich gewesen zu mir. Er hat zwar fast gar nichts von Severins Wesen, aber er war doch wenigstens höflich und hat mich nicht als lästige Besucherin einfach abgewimmelt.‹

Alexander Lienhart trat jetzt ans Fenster. Da unten stand sie nun auf der Straße. Er wusste es selbst nicht recht, aber irgendwie hatte ihm ihre Erscheinung imponiert. Severins Geschmack konnte sich sehen lassen. Doch warum hatte er sie nun so einfach abserviert, nachdem er noch kurze Zeit zuvor so vehement seine Zukunftspläne verteidigt hatte?

Ganz still und einsam stand sie jetzt auf der grauen Straße. Die Schneeflocken fielen in ihr blondes Haar. Dann begann sie langsam zu gehen, ging dann schneller und bog dann um die Ecke.

Alexander Lienhart sah ihr nachdenklich nach und ging dann kurz entschlossen ans Telefon. »Hier Bankhaus Lienhart. Sind Sie's, Herr Kirchhoff? Ja, nur eine kleine Frage. Sie wissen nicht zufällig, wo mein Bruder sich derzeit aufhält? Wie? Da draußen in Bernbichl? Na – das ist aber interessant. Aha, aha, seit voriger Woche erst. Ja, davon habe ich gehört. Einen Bauernhof gekauft? Severin hat die Angelegenheit zwar nicht über unser Bankhaus getätigt, aber man hat ja schließlich doch seine Informationen. – Nein, nein, nichts Besonderes. Nur eine eher belanglose Angelegenheit. Bitte vielmals um Entschuldigung, wenn ich gestört haben sollte. Danke, danke!«

›Ich hätte früher anrufen sollen‹, dachte der Bankier Lienhart. ›Dann hätte ich dem Mädchen die gewünschte Auskunft geben können. Nur, wäre das Severin überhaupt recht gewesen?‹

Severin hatte sich wahrhaftig zu einem Künstler entwickelt, der von seiner Kunst leben konnte und nun sogar im Begriff war, berühmt zu werden. Zeitungen und Fachzeitschriften hatten über ihn berichtet, und die ganze Stadt sprach von ihm. Und Künstler waren doch immer unberechenbar, was die Frauen betraf ... Nun, ihm konnte es gleich sein. Er hatte getan, was er als richtig empfunden hatte. Falls sich eine Gelegenheit ergeben würde, beschloss er, wollte er Severin auf die junge Frau ansprechen.

Der Bankier setzte sich wieder an seinen Schreibtisch und arbeitete weiter.

Severin Lienhart war kein Bauer, nein, das hätte auch niemand behauptet. Allerdings fand er genug Zeit, um sich vom Verwalter nach und nach die wichtigsten Dinge erklären zu lassen, und zuweilen versuchte er, in das Tagewerk des Hofes einzugreifen, aber es blieb doch mehr oder weniger ein Spiel. Wenn er dann an so einem abgelaufenen Tag die ziehenden Schmerzen im Kreuz spürte und die Hände ein wenig brannten, dann wunderte er sich doch, dass sein Denken an Johanna nicht erlöschen wollte. Ja, das war nun einfach so, obwohl er inzwischen wusste, dass es Johanna Kainz anscheinend vortrefflich gelungen war, ihn hinters Licht zu führen.

Was ihn dabei so sicher machte? Nun, Severin hatte da im Wirtshaus die eine oder andere Andeutung mitbekommen. Eigentlich war er kein großer Wirtshausgänger, doch der Eggstätter hatte ihn davon überzeugt, dass es nur vernünftig war, sich dort gelegentlich sehen zu lassen. Ein neuer Hofbesitzer konnte nichts besseres tun, als sich dort von seinen Nachbarn gründlich begutachten und ausfragen zu lassen. Umso schneller würde er von ihnen als ihresgleichen akzeptiert werden.

So hatte er bei ein paar Gelegenheiten gemeinsam mit dem Eggstätter Samstagabends das Wirtshaus aufgesucht, und da niemand ahnte, wie es um sein Verhältnis zu Johanna bestellt war, hatte er auch zu diesem Thema die eine oder andere Bemerkung mitgehört. Allgemein war man eher verwundert darüber, dass ausgerechnet Johanna, der man das kaum zugetraut hatte, in eine solch missliche Lage geraten war.

Doch an einem dieser Abende hatte er ein Gespräch an einem anderen Tisch mitbekommen, in dem von Johanna die Rede gewesen war. Der Lukas war es gewesen, dessen Bemerkungen ihn hatten hellhörig werden lassen. Er hatte durchblicken lassen, dass Johanna droben auf ihrer Alm so einiges getrieben habe, wovon wenige etwas mitbekommen hätten. Er selbst habe ja durchaus auch seine Chancen bei ihr gehabt und sie auch nutzen können, doch ihm sei es gleich, wer sonst noch alles ihre Gunst genossen habe. Hauptsache, sie verlangte nicht ausgerechnet von ihm Alimente!

Die schon etwas angeheiterte Runde junger Männer, in der der Sohn des Eggstätters sich befand, lachte wiehernd dazu und erging sich in zotigen Anspielungen.

Severin war angewidert, nicht nur von Johanna, sondern auch von diesem Kerl, der sich nicht schämte, mit seiner Eroberung zu prahlen. Die Vorstellung, dass Johanna im Sommer abends, wenn sie ihn fortgeschickt hatte, dies nur deshalb getan hatte, um noch einen anderen empfangen zu können, bereitete ihm körperliche Übelkeit.

Vielleicht aber kam seine schlechte Laune auch daher, weil ihm im Atelier nichts Rechtes mehr gelingen wollte. Er hatte sich Material anfahren lassen. Nun lagen sie da, Granitblöcke, roter und weißer Marmor, Steine einer fremden Welt. Ein halb fertiger Pferdekopf, mit dem er nicht so recht weiterkam, schien ihn, wenn er das Atelier betrat, so höhnisch anzugrinsen, dass er an einem Abend den Hammer nahm und zwischen die Augen des Tieres schlug. Splitter fielen herab, und beim Anblick der beschädigten Arbeit wurde ihm sonderbarerweise leichter zumute. Er trank einen Schnaps, und dann noch einen zweiten ...

Später sah er den Jäger draußen vorbeigehen und merkte plötzlich, dass er Lust auf Gesellschaft hatte. Er öffnete das Fenster und rief: »Komm rein, Anderl! Du machst dich ja in letzter Zeit fast unsichtbar! Trink einen Schwarzwälder Kirsch mit mir. Du

169

musst beim Trinken die Augen schließen, um ihn richtig zu genießen. Dann siehst du den blühenden Kirschbaum vor dir, und du siehst die roten Früchte im grünen Laub leuchten. Prost, mein Lieber!«

Der Jäger hatte bei dieser überschwänglichen Rede den Verdacht, dass Severin vielleicht ein wenig angetrunken sei. Aber er tat gerne Bescheid, denn er war kein Verächter eines guten Tropfens. Und überhaupt, ja, es wurde Frühling, die Auerhähne balzten schon. Ob Severin vielleicht Lust habe auf einen Auerhahn? Vielleicht ließe sich das bald einmal einrichten. Aber vorerst: Prost!

»Wie war das doch damals, Anderl? Du standest vor der Hütte im Morgengrauen. Da flog mich der Funke an, und es wurde dann mein schönstes Werk daraus. Du hättest dir die Ausstellung auch ansehen sollen. Frauen sind vor deinem Abbild gestanden. ›Das ist ein Kerl‹, sagten sie. Sag mir mal ehrlich deine Meinung, was die Frauen betrifft«, fuhr er fort, unvermittelt das Thema wechselnd.

Der Jäger blinzelte Severin an. ›Er kann nicht viel vertragen‹, dachte er. ›Wahrscheinlich hat er nicht mehr getrunken als ich, aber er redet wie ein Buch. So kenne ich ihn gar nicht.‹

»Dass zwei Pfund Rindfleisch eine gute Suppe abgeben«, begann er, »das weiß ich genau. Aber bei den Frauen kann man vorher nie sagen, gut oder schlecht. Die erste Zeit, freilich, da sind sie honigsüß, bis sie einen dann haben, dann rücken sie allmählich mit ihren Untugenden heran.«

Severin hob den Finger, seine Augen hatten einen seltsamen Glanz, und er lachte so herzhaft wie schon lange nicht.

»Ich will dir was sagen, Anderl: Eine Frau hat vor allem treu zu sein. Aber das kann keine.« Er hatte dabei ganz gedankenlos in einem Stoß Zeichnungen gewühlt. Jetzt nahm er eine davon heraus und hielt sie ans Licht. »Kennst du das Bild schon?«

Ohne sich lange zu besinnen, sagte der Jäger: »Das ist ja unsere Johanna Kainz, wie sie leibt und lebt!«

Severin war selber ein wenig verblüfft über diese Antwort, denn es handelte sich bei der Zeichnung um eine Vorarbeit für sein nächstes geplantes Werk. Zu allem Überfluss deutete jetzt der Jäger auch auf die anderen Zeichnungen.

»Und das ist auch Johanna, und das da ebenfalls. Alle Bilder hier zeigen Johanna!«

Severin starrte auf die Zeichnungen und erschrak vor sich selber. Das war ihm gar nicht bewusst gewesen. Er sah den Jäger an. »Du hast Recht. Wahrhaftig, du hast Recht. Das habe ich nicht bemerkt. Ich dachte, ich hätte irgendeine Frau skizziert.«

Er erhob sich und trat ans Fenster. »Weißt du etwas von ihr?«, fragte er, ohne sich umzuwenden.

»Nein. Ich habe sie bloß noch einmal getroffen, und da hat sie mich gefragt, ob ich nicht wisse, wo du jetzt wohnst.«

»Wann war denn das?«

»Ich weiß es nicht mehr genau. Aber es war schon Winter.«

Severin fuhr herum. »Aha. Und – du weißt doch sicher, dass sie ein Kind erwartet?«

»Das habe ich einmal sagen hören. Ob es aber wahr ist? Die Leute reden viel und wissen meistens dann doch nichts Genaues.«

»Mag sein, aber in diesem Fall hatten sie Recht.« Severin hatte die Hände auf dem Rücken verschränkt und ging im Zimmer auf und ab.

»Du weißt doch, dass ich sie –« Er verschluckte das »liebte« und fuhr nach kurzem Zögern fort: »– ihr gut gewesen bin. Und ich habe geglaubt, dass sie auch mir gut sei. Ich muss aber heute annehmen, dass sie auch anderen gut gewesen ist.«

Hier stand nun auch der Jäger auf, ein bisschen zu hastig, so dass er im Aufstehen das leere Schnapsglas umwarf. »Ich glaube, da täuschst du dich, aber gewaltig, Severin.«

»Möglich! Aber kannst du mir in dieser Hinsicht nichts sagen, was diese Annahme bestätigt oder widerlegt?«

Anderl hob seine breiten Schultern und ließ sie wieder fallen. »Nein, ich weiß nichts Genaues. Bloß über eines hab ich schon oft nachgedacht, nämlich die Sache mit dem Steg. Ich vermute, das war auf dich gemünzt. Das hat unter Umständen jemand aus Eifersucht getan. Wenigstens könnte ich mir das vorstellen.«

Severin blieb stehen und starrte den anderen bestürzt an. »Da könntest du Recht haben. Dass ich auf diesen Gedanken noch nicht gekommen bin! Hast du denn einen Verdacht, wer hinter dem Anschlag stecken könnte?«

Der Jäger schüttelte den Kopf. Er hatte zwar den Eggstätter-Lukas ein- oder zweimal bei Johanna angetroffen in der Hütte. Aber darauf konnte man doch noch keinen Verdacht gründen, zumal sich die Polizei monatelang vergeblich um eine Spur bemüht hatte.

»Früher oder später wird es ans Licht kommen, davon bin ich überzeugt. Gottes Mühlen mahlen langsam, aber stetig.« Anderl langte nach seinem Gewehr. »Und ich hoffe, dass es nicht zu lange dauert, schon deshalb, weil es einen Unschuldigen das Leben gekostet hat. – Ich muss jetzt gehen, Severin, die Nacht ist bald um.«

Vom Steg herüber klangen noch lange die Schritte des Jägers auf dem Gestein, und Severin stand noch lange unter der Türe. Die kühle Luft tat ihm wohl. Und es stieg aus der Morgenfrühe ein Gesicht vor ihm auf, größer und schöner, als er es je in hundert Träumen nachgezeichnet hatte. Er sah wie im Traum sein nächstes Werk vor sich, in allen Einzelheiten. Es trug Johannas Gesichtszüge.

In dieser Frühlingsnacht schenkte Johanna Kainz in einem Entbindungsheim einem Knaben das Leben.

Severin kam sich wie neugeboren vor. Alles, was die letzten Wochen und Monate an ihm gezehrt hatte, fiel von ihm ab. Er freute sich darüber, dass er nun endlich wieder eine unbändige Schaffenslust verspürte.

Sein neues Werk sollte eine auf dem Boden kauernde Frauengestalt sein, wieder im an die Antike gemahnenden Stil, den die Fachpresse inzwischen als »zeitgenössischer Klassizismus« bezeichnete. Sie sollte Johannas Gesichtszüge tragen, und der Gesichtsausdruck, den er einzufangen versuchte, war der, mit dem sie ihn an jenem Nachmittag, den sie gemeinsam verbracht hatten, angesehen hatte, als sie auf einer Wiese gerastet hatten.

So gingen die Tage und Wochen dahin, und Severin kam kaum einmal dazu, auf sich und sein Leben hinabzusehen. Draußen blühte die Welt in vollem Frühlingsglanz, und nichts kam auf ihn zu, das ihn aus der Stimmung geworfen oder geärgert hätte. Als ihm sein Rechtsanwalt schrieb, dass die Privatbank, bei der er sein Geld angelegt hatte, in Schwierigkeiten gekommen sei, ärgerte er sich auch darüber nicht, sondern dachte nur, dass es wohl doch besser gewesen wäre, wenn er auf den Vorschlag Alexanders eingegangen wäre.

Übrigens schrieb ihm Alexander auch in dieser Angelegenheit. Alexander war anscheinend immer über alles informiert. Er schrieb ihm in einem halb wohlmeinenden, halb brüderlichen Ton. Nichts deutete darauf hin, dass irgendwann einmal Meinungsverschiedenheiten zwischen ihnen geherrscht hatten. Er ließ sogar etwas wie Anerkennung über Severins künstlerisches Schaffen durchblicken, obwohl er wahrscheinlich nicht viel davon verstand oder den Maßstab nur dort anlegte, wo er den materiellen Erfolg sah. Ja, und im Übrigen wolle er sich dem Bruder in keiner Weise aufdrängen, aber er hätte ihn von Anfang an warnen können vor dieser Bankverbindung und er stehe ihm künftig für jeden Rat gerne zur Verfügung, sofern Severin es nicht ablehne, von ihm beraten zu werden.

Zum Schluss gab er seinem Schreiben noch einen freundlichen Zusatz: »Dass ich es nicht vergesse: Von Silvia soll ich dich recht herzlich grüßen. Du weißt vielleicht noch gar nicht, dass wir demnächst ein Kind bekommen werden. Sei nicht so stur und komm einmal vorbei, wenn dich der Weg in die

Stadt führt. Wegen Vaters Büste hast du auch noch nichts hören lassen.«

»Nanu«, sagte Severin vor sich hin. »Was für süße Schalmeienklänge sind das auf einmal, und das ausgerechnet von Alexander!«

Nun, er wollte auch nicht weiter nachtragend sein, er war überhaupt mit der ganzen Welt in einer versöhnlichen Stimmung. Bei nächster Gelegenheit wollte er bei Alexander vorsprechen, er konnte sein Geld schließlich in keine zuverlässigeren Hände geben.

Doch die Tage gingen dahin, ohne dass er Zeit fand, sich mit Geldangelegenheiten zu befassen. Er kam von seinem Werk nicht los. Ein ernteschwerer Sommer ging übers Land, doch Severin merkte kaum, was auf dem Hof geschah. Das war aber nicht weiter schlimm, denn auch hier ging alles unter der Aufsicht des Verwalters seinen richtigen Gang und in schöner Ordnung.

Als das Werk dann fertig war, stand Severin lange wie benommen davor. In den Zügen dieser Figur war etwas eingefangen, das man mit keinem Namen belegen konnte. Es war in den Mundwinkeln, es war in den Augen, ein fernes Lächeln, das er nur bei einem Menschen jemals gesehen hatte. Er hatte Johannas vollkommenes Abbild geschaffen.

Als die »Kauernde junge Frau«, wie er es phantasielos, aber korrekt in den Begleitpapieren vermerkt hatte, verpackt und abgeschickt war, kam es Severin im Atelier so tot und leer vor, als sei jemand gestorben. Dieses Erleben war ihm auch neu, und er suchte nach einem Grund dafür, ohne ihn finden zu können.

Erst Wochen später, als die Ausstellung schon eröffnet war, auf der sein neues Werk dem Publikum vorgestellt wurde, raffte sich Severin auf und fuhr in die Stadt. Dabei bedachte er, mit welchem Gefühl er das letzte Mal weggefahren war. Damals war Johanna für ihn noch ein selbstverständlicher Bestandteil seiner Zukunft gewesen. Und heute – heute wusste er nicht einmal mehr, wo sie war, und ob sie überhaupt noch lebte. Wohin sie sich wohl gewandt haben mochte? Schluss! Es war nun einmal nicht mehr zu ändern. Severin war sicher, dass es jetzt besser werden würde, weil diese Kauernde, ihr Ebenbild, nicht mehr im Hause stand.

Ihm gegenüber im Zug saßen eine junge Frau und ein Herr mittleren Alters. Und wie es der Zufall wollte, begannen die beiden ein Gespräch miteinander und kamen dabei auch auf die Ausstellung zu sprechen.

Der Herr gab sich große Mühe, die junge Frau zu beeindrucken, und so gab er vor, einiges von Kunst zu verstehen, und meinte in belehrendem Ton: »Wenn man es so betrachtet, kommt man doch immer wieder darauf, dass die alten Meister doch die besten waren. Das trifft vor allem in der Plastik zu. Was die jungen da zusammenmachen, ist meist nur Stümperei.«

»Das ist ein zu hartes Urteil«, widersprach das Mädchen. »Immerhin, die Plastiken in dieser neuen Stilrichtung dürften Ihnen dann wohl gefallen.«

»Ach ja, diese Kauernde von diesem Dingsda – mir fällt jetzt der Name nicht ein.«

»Lienhart«, half ihm das Mädchen aus. »Severin Lienhart.«

»Richtig, ja, Lienhart. Na ja, das ist ja auch schon ein älterer Knabe. Ich kenne ihn zufällig. Ja, ja, der Lienhart. Hat doch noch einmal eine ganz passable Arbeit geleistet auf seine alten Tage.«

Severin hatte aufgehorcht, als er seinen Namen gehört hatte und die Behauptungen des Mannes mit wachsendem Erstaunen gehört. Nun blickte er verstohlen über den Rand seiner Zeitung hinweg, denn den Mann musste er sich nun doch einmal näher betrachten.

Er hatte diesen Menschen noch nie gesehen, stellte er fest. Er hatte das Aussehen eines Geschäftsreisenden, etwa fünfzig Jahre alt.

»Ach, Sie kennen ihn?«, fragte die Frau wissbegierig. »Wo lebt er denn, dieser Lienhart? Ich glaube gehört zu haben, dass er ein Bruder des bekannten Bankiers Lienhart sei.«

Es ist manchmal merkwürdig, wie die Menschen, wenn sie einmal mit einer Lüge begonnen haben, sich immer weiter in ihrem Lügengewebe verstricken.

»Nein, sie sind schon irgendwie entfernt miteinander verwandt«, behauptete der Mann dreist, »aber Brüder? Nein, das nicht. Der Bildhauer Lienhart wohnt ganz in meiner Nähe, ja, ja, ein ganz kleines Haus an einem See. Verheiratet und schon erwachsene Kinder.«

Severin schmunzelte in sich hinein, lehnte sich zurück und schloss die Augen. Er wollte jetzt noch abwarten, wie das Spiel weitergehen würde. Aber es war dann doch schon wieder zu Ende. Der Geschäftsreisende verließ das Gebiet der Kunst und wechselte das Thema.

Als der Zug dann in die große Bahnhofshalle einfuhr, stand Severin als Erster auf und nahm seine Ledertasche. Er wollte dem kunstbeflissenen Reisegefährten aber doch noch eine kleine Lektion erteilen.

»Verzeihen Sie«, sprach er ihn an. »Ich wollte vorhin nicht stören. Es freut mich ungemein, was Sie über Kunst zu sagen hatten und ganz speziell über die ›Kauernde‹. Ich bin nämlich der Bildhauer Severin Lienhart.«

Sprach's, lächelte verbindlich und verließ das Abteil, ohne die fassungslosen Blicke der beiden Mitreisenden noch zu beachten.

Johanna hatte bei einer Familie, die ihr aus ihrer Jugendzeit noch bekannt war, ganz am Rande der Stadt in einem kleinen Häuschen vorübergehend Aufnahme gefunden mit ihrem Bübchen. Die Leute hatten zwar selber nicht viel, sie waren einfache Leute und keineswegs so begütert, dass sie ohne weiteres jemanden durchfüttern konnten. Aber war es nicht immer schon so, dass immer die Armen den Armen helfen, weil sie selber am besten wissen um die Nöte, in die ein Mensch unverschuldet geraten kann?

Johanna freilich zahlte bereitwillig einen Anteil an der Miete und den laufenden Kosten, doch sie erschrak oft, wenn sie gewahr wurde, wie schnell ihr Erspartes dadurch zusammenschrumpfte. Lange konnte es so nicht weitergehen, denn es war absehbar, dass sie in wenigen Monaten mittellos sein würde. Was aber dann?

Die Familie redete ihr zu, sie könne doch zum Sozialamt gehen. Das aber wollte Johanna um keinen Preis. Es schien ihr, als würde sie damit tiefer sinken, als sie es ertragen konnte.

Im Krankenhaus, in dem sie entbunden hatte, war man mit dem Vorschlag an sie herangetreten, das Kind in eine Pflegestelle zu geben. Ja, im Grunde sah sie es wohl ein, dass sie das Kind irgendwo unterbringen musste, wenn sie einer Arbeit nachging. Doch ganz weggeben konnte sie ihn einfach nicht.

Indessen gedieh der kleine Daniel prächtig. Er lag in diesen schönen Sommertagen in seinem Körbchen im Garten, und seine kleinen Händchen griffen lächelnd nach jedem Falter, der über ihn hingaukelte. Die Leute, bei denen sie wohnte, hatten selbst drei Kinder, und die Frau versprach schließlich, für den kleinen Daniel zu sorgen, wenn Johanna eine Arbeit gefunden hatte.

So ging Johanna auf Stellensuche, aber es war gar nicht so leicht, Arbeit zu finden, denn in der Stadt gab es kaum Bedarf für das, was sie konnte. Die wenigen in Frage kommenden Stellen erwiesen sich durchweg als Enttäuschungen. Entweder war die Stelle schon besetzt, oder der Lohn war so niedrig, dass sie das Kostgeld für den kleinen Daniel kaum aufbringen konnte.

Dann endlich hatte sie eine Stelle gefunden, im Privathaushalt eines Fabrikanten, wo sie auch wohnen konnte. Schon an ihrem ersten Arbeitstag erfuhr sie vom Briefträger, dass es von ihren Vorgängerinnen dort noch keine länger als drei Tage ausgehalten habe. Johanna nahm sich fest vor, dass ihr das nicht passieren sollte.

Doch dann musste sie einsehen, dass ihre neue Arbeitsstelle einfach unerträglich war. Der Fabrikant war zwar ein freundlicher Mann, aber die Frau war eine Furie, der man nichts recht machen konnte. Dazu erwartete sie, dass Johanna bis in die späte Nacht hinein arbeitete. Johanna biss die Zähne zusammen. ›Nur nicht weich werden‹, dachte sie. Aber am fünften Tage hielt sie es nicht mehr aus, dass sie ihr Kind schon so lange nicht mehr gesehen hatte. Als ihre Arbeit spät am Abend endlich beendet war, machte sie sich zum Fortgehen fertig.

»Wo wollen Sie hin?«, fragte die Fabrikantenfrau streng. »Natürlich, ich hätte es mir ja denken können. Da ist eine wie die andere! Am Abend rennen sie dem Vergnügen nach!«

Johanna spürte, wie in ihr die Zornesröte aufstieg. Ja, sollte sie denn wie eine Leibeigene kein Recht auf Privatleben haben?

»Ich gehe zu keinem Vergnügen, nur zu meinem Kind«, erwiderte sie trotzig.

»Was? Ein Kind haben Sie auch? Und das haben Sie bei der Einstellung gar nicht gesagt? Das grenzt ja an arglistige Täuschung«, schnaubte die Frau.

Hier brachte dann doch ihr Mann endlich einmal die Courage auf, zu sagen: »Aber liebe Christa, das ist doch schließlich ihre Privatangelegenheit. Wenn Frau Kainz mit ihrer Arbeit fertig ist, kann man ihr doch schließlich nicht verwehren, dass sie ihr Kind besucht. Gehen Sie nur!«

Johanna ging. Die Frau aber war so sprachlos darüber, dass ihr Mann ihr so in den Rücken fiel, dass es ihr zunächst die Stimme verschlug. Erst als sie die Flurtüre draußen zufallen hörte, hatte sie sich erholt. »Das ist doch die Höhe! Seit wann legst du dich denn für meine Hausmädchen so ins Zeug? Und woher willst du eigentlich wissen, wann so eine mit ihrer Arbeit fertig ist?«

»Bitte, bei dir wird doch niemals eine fertig, egal wieviel sie arbeitet. In den zwanzig Jahren ...«

»Fang nicht damit an!«, unterbrach sie ihn schnell, weil sie schon wusste, dass er ihr nun aufzählen würde, wie viele Dienstmädchen sie in den zwanzig Jahren schon verschlissen hatte. »Auf alle Fälle passt mir das nicht, dass du dich in meine Sachen einmischst. Mir scheint, diese Person liegt dir besonders am Herzen, wie?«

»Ach, lass mich doch in Ruhe! Aber wenn du es wissen willst: Ja, dieses Mädchen macht auf mich einen guten Eindruck. Du solltest dir wirklich Mühe geben, dass sie bleibt.«

Die Frau sagte nichts mehr darauf. Aber ihr Entschluss stand schon fest. Ein Mädchen, das auf den Herrn des Hauses einen so guten Eindruck machte, dass er sich für sie einzusetzen versuchte, war für sie wohl eher eine Gefahr als eine Hilfe. Am nächsten Morgen sagte sie Johanna, dass sie das Dienstverhältnis als gelöst betrachte, legte ihr den Lohn für den Monat hin und fügte noch spitz hinzu: »Jetzt haben Sie ja genügend Zeit, um sich Ihrem Kind zu widmen!«

Ja, da stand also Johanna nun wieder auf der Straße. Mutlos und niedergedrückt schlenderte sie eine Weile ohne ein richtiges Ziel durch die Stadt. Schließlich ging sie zu einem Bäcker, kaufte Brötchen und beschloss, sich in den städtischen Anlagen ein bisschen hinzusetzen und zu essen.

In trübe Gedanken versunken verzehrte sie auf einer Parkbank ihre Brötchen, und ihre Gedanken wanderten in das ferne Gebirgstal, in dem sie zu Hause gewesen war. Vor einem Jahr noch, da war sie dort ein froher und freier Mensch gewesen. Sie glaubte fast von fern die Herdenglocken klingen zu hören. Jetzt mussten doch die Almrosen blühen und die kleinen Glöcklein des Enzians in sattem Blau aufschimmern. Sie sah sich selber wieder, wie sie abends vor der Hütte saß. Über den Hang her kam ein junger blonder Mensch, der von Liebe sprach und von Treue. Und nun war dieser Severin wieder untergetaucht in seiner Welt, er saß jetzt sicher irgendwo auch an einem gedeckten Tisch und dachte wohl nicht mehr an das, was vor einem Jahr gewesen war.

Erst durch nahende Schritte wurde sie aus ihren Träumen gerissen. Ein Liebespaar ging vorüber. Er hatte den Arm um ihre Hüfte gelegt, sie lächelte ihn vertrauensvoll an und lauschte den Worten, die er ihr zuflüsterte.

Glaub ihm nichts, hätte sie dem Mädchen nachrufen mögen. Glaub ihm nicht, er lügt, so wie alle lügen. Aber sie begriff, dass sie das Mädchen damit zwar erschrecken, aber nicht überzeugen könnte. Wenn man liebte, war man gläubig und voller Vertrauen, und die Lüge erkannte man erst dann, wenn es zu Ende war.

Sie brach wieder ein Stück von ihrem Brötchen ab. Aber es schmeckte salzig, und sie hatte plötzlich keinen Hunger mehr. Sie war sich noch nie so verlassen vorgekommen wie in diesem Moment.

Plötzlich kam ihr der Gedanke, dass sie an das Grab ihres Vaters gehen könnte. Sie war schon einige Male dortgewesen, und es hatte ihr stets weh getan, dass er in dieser fremden Stadt schlafen musste und nicht daheim an der Seite der Mutter im kleinen Bergfriedhof mit dem lehmigen Boden. Früher hatte sie oft mit dem Gedanken gespielt, dass sie ihn überführen lassen könnte. Aber das war ja nun auch vorbei, nun war ja sie selber von dieser großen Stadt verschluckt worden, und niemand kümmerte sich um sie.

Die Stille, die sie dann auf dem Friedhof umgab, erinnerte sie an die Ruhe im Gebirge, wenn am Abend die Sonne untergegangen war und die Schatten über dem Almfeld lagen. Kein Laut war zu vernehmen, und keine Menschenseele war um diese Zeit hier. Wie stumme Wächter standen die Grabsteine ringsum, unterschiedlich in Größe und Form, manche prächtig ausgeschmückt, andere schlicht und bescheiden, und auf dem einen oder anderen Grab stand sogar nur ein verwittertes Holzkreuz mit verblasster Aufschrift. Dort hatte sich also kein Mensch dazu bereit gefunden, auch nur den Geldbetrag für einen der bescheidenen Grabsteine auszugeben. Meist waren diese Gräber auch sichtlich vernachlässigt.

So gab es also selbst hier an der Stätte des Todes noch den Unterschied von reich und arm und, noch bedeutsamer, wie Johanna schien, den Unterschied zwischen Menschen, an die noch Verwandte und Freunde in Liebe und Dankbarkeit dachten und anderen, die keine Angehörigen hatten oder von diesen schon vergessen waren.

Johanna zupfte den wuchernden Efeu, der sich um den Grabstein rankte, ein wenig zurecht, so dass man die Namen wieder lesen konnte. Hier lagen der Bauer Eberhard Kainz und seine zweite Frau, Lina Kainz, die ihn damals dazu überredet hatte, den Hof zu verkaufen und in die Stadt zu ziehen. Was für ein furchtbarer Fehler das gewesen war!

Johanna begriff auf einmal, dass auch sie in dieser Stadt nie recht Fuß würde fassen können. Es war töricht gewesen, hier einen Neuanfang suchen zu wollen. Die Stadt hatte ihrem Vater kein Glück gebracht, und ihr selbst würde es nicht besser gehen.

Auf der Grabeinfassung sitzend, überlegte Johanna in aller Ruhe, wie es nun weitergehen sollte. Und sie entschloss sich dazu, wieder hinaus auf das Land zu ziehen. Sie würde das Kind mitnehmen und einen Arbeitsplatz suchen, an dem sie nicht gezwungen war, sich von ihm zu trennen. Lieber würde sie einen geringeren Lohn akzeptieren, wenn sie nur ihren kleinen Daniel nicht weggeben musste.

Als Johanna wieder draußen auf den belebten Straßen stand, fühlte sie sich lange nicht mehr so mutlos wie zuvor. Ihr war, als müsse sie heute noch ihren Entschluss wahrmachen.

Als sie an dem Kunstausstellungsgebäude vorbeikam, verhielt sie den Schritt. Es fiel ihr plötzlich ein, wie sie die Entstehung von Severins erstem aufsehenerregendem Werk durch seine Berichte und dann, in jener Nacht, durch eigene Anschauung hatte mitverfolgen können, und sie spürte ein gewaltiges Verlangen, durch die breiten Tore, durch die ein dauerndes Kommen und Gehen war, hineinzugehen, weil sie noch nie in einer Kunstausstellung gewesen war und es vielleicht auch das letzte Mal war, dass sie die Möglichkeit hatte, eine solche zu besuchen.

Eine Weile zögerte sie noch wegen des Eintrittspreises, aber dann stand sie schließlich doch in der weiten, kühlen Vorhalle. Von irgendwoher klang gedämpfte Musik an ihr Ohr, ein großes Gemälde mit einem sommerlichen Weizenfeld nahm ihren Blick gefangen. Mehrere Minuten stand sie nachdenklich vor dem Bild, das ihr wie ein Omen, eine Bestätigung der Richtigkeit ihrer Entschlüsse vorkam. Ganz langsam ging sie dann weiter, von Bild zu Bild, ihre Schuhe klapperten ein wenig auf dem gemaserten Marmorpflaster. Vieles von dem, was ausgestellt war, berührte sie allerdings wenig.

Ein Stück weiter vor sich sah sie dann schließlich eine größere Menschenmenge stehen. Sie hatte sich um eine lebensgroße Figur geschart. Johanna näherte sich dem Kunstwerk, das so viele Bewunderer um sich geschart hatte, blickte es an und blieb dann wie angewurzelt stehen. Was war denn das? Sah sie denn in einen Spiegel? Diese Figur dort stellte sie selbst dar! Sie kauerte auf dem Boden und hatte ihr Gesicht jemandem zugewandt, der selbst nicht sichtbar war.

Unwillkürlich war sie näher getreten. Die Menschen vor ihr hatten Kataloge in den Händen und sprachen aufgeregt durcheinander.

»Dieser Lienhart ist zweifellos zur Zeit einer der besten Bildhauer«, sagte ein Herr mit einer Löwenmähne und einer dunklen Brille auf der Nase. »Bitte, sehen Sie sich doch das einmal genau an. Es ist Stein und doch wirkt es nicht wie Stein. Diese Frau wirkt wie eine lebendige Person, die mitten in der Bewegung in Stein verwandelt worden ist, man glaubt, sie müsse sich jeden Moment erheben ...«

Eine Dame in einem weiten Basthut rückte ihre Brille zurecht. »Wahrhaftig, genau so ist es«, plapperte sie begeistert. »Und diese kleine Ader dort am Hals – wie entzückend! Man könnte direkt meinen, dass man das Blut hindurchfließen sehen müsse.« Sie sah sich um, wie ihre Worte gewirkt haben könnten. Ein junger Herr, mit einem schmalen Bärtchen auf den Lippen, meinte: »Mich würde besonders das Original interessieren.«

»Was mich am meisten fesselt, ist dieses geheimnisvolle Lächeln um ihre Mundwinkel«, sagte ein älterer Herr, der wie ein Gelehrter aussah. »Vielleicht wird dieses Lächeln im Laufe der Zeit so viele Interpretationsversuche verursachen wie das Lächeln der Mona Lisa.«

Darauf hatte niemand etwas zu sagen. Vielleicht versuchten sie nun alle, dieses Lächeln zu ergründen. Und Johanna fühlte zum ersten Mal, wie so ein Kunstwerk von der Meinung der Menschen abhängig war. In allem aber war ihr nur der eine Gedanke vorherrschend: Vergessen kann er mich nicht haben, sonst hätte er dies nicht schaffen können.

Und plötzlich war ihr, als setze ihr Herz den Schlag aus. Vom Mittelgang her kam Severin in Begleitung eines Herrn und einer Dame. Wie gebannt blickten ihre Augen nach ihm, aber er wandte seine Aufmerksamkeit den Bildern an der Wand zu. Und dann – ja, dann gelang es ihr endlich, sich wieder zu rühren, obgleich sie schon fast geglaubt hatte, ihre Füße seien in den Boden hineingewachsen. Sie ging weg, mit eingezogenem Nacken floh sie förmlich vor ihm und drückte sich unauffällig hinter eine Palmengruppe. Der andere Herr war Ralph Kirchhoff, wie sie nun feststellte, und die Dame wahrscheinlich Kirchhoffs Frau. Nun standen sie vor der »Kauernden«. Severin trug einen hellen Sommermantel. Er erklärte jetzt etwas, sie konnte es nicht verstehen, nur an der Geste seiner Hände sah sie es. Die drei standen etwas weiter weg von der Gruppe der anderen, verhielten sich auch nicht allzu lange, sondern gingen weiter, kamen näher, immer näher. Jetzt hörte sie seine Stimme. Dicht vor der Palme gingen sie vorbei.

Wie durch einen Nebelschleier sah sie ihn vorbeigehen, und später dachte sie zuweilen darüber nach, ob sie nicht die Möglichkeit hätte nutzen sollen, vor ihn hinzutreten und ihn anzusprechen. Doch der Mensch denkt bei solchen Gelegenheiten häufig, ›hätte ich nur dies oder jenes getan‹, und weiß doch im Innersten, dass er es nicht hätte tun können, weil ihm einfach der Mut dazu fehlte.

Die Ausstellung hatte ihr jetzt nichts mehr zu sagen. Durch eine breite Flügeltür kam sie auf der anderen Seite des Gebäudes nach draußen. Sie ging und ging, als ob sie gejagt würde, bis sie schließlich zu Hause angekommen war. Dort nahm sie den kleinen Daniel auf den Arm, setzte sich mit ihm in den fallenden Abend hinaus und weinte bitterlich.

»Es freut mich ganz außerordentlich, dass du endlich wieder einmal den Weg zu mir gefunden hast«, sagte Alexander Lienhart zu Severin. »Bitte, nimm Platz. Du hast also meinen Brief bekommen? Ja, natürlich, sonst wärst du ja nicht da. Du siehst gut aus. Tatsache. Wirklich blendend siehst du aus. Übrigens ...« – Alexander kam abermals auf den Bruder zu und streckte ihm die Hand hin – »meine Gratulation zu der Ausstellung. Einfach großartig, dieses kauernde Mädchen. Du fängst so langsam an, mir Respekt einzuflößen. Ich gebe gerne zu, dass ich deine künstlerischen Ambitionen lange Zeit nicht ernst genommen habe. Du hast mich nun aber eines Besseren belehrt. Also – ich habe dir geschrieben, weil es mir Leid tat, dass du dein Geld so unsicher angelegt hattest, und ich ...«

»Deswegen bin ich hergekommen«, unterbrach Severin. »Ich bin nicht abgeneigt, dich um Beratung in künftigen finanziellen Angelegenheiten zu bitten, wenn du dazu bereit wärest.«

Alexander nahm die Brille ab und putzte sie mit seinem seidenen Stecktüchlein. »Das freut mich. Wirklich, es freut mich aufrichtig. Du handelst damit nicht nur im Sinne unseres verstorbenen Vaters, es zeigt mir auch, dass du Vertrauen zu unserer Bank hast. Selbstverständlich will ich dabei nicht verdienen, denn ...«

»Davon kann doch keine Rede sein«, unterbrach Severin. »Erinnerst du dich noch, was du mir damals gesagt hast, als wir von einer Büste unseres Vaters gesprochen haben, die ich machen sollte? Jede Arbeit ist ihres Lohnes wert, hast du da gesagt. Freilich«, fügte er etwas verlegen hinzu, »bisher hatte ich noch keine Gelegenheit, die Büste zu fertigen. Aber ich habe es nicht vergessen!«

»Lass dir Zeit; das hat wirklich keine Eile«, versicherte ihm Alexander. »Und was deine Geldangelegenheiten betrifft, so schlage ich der Einfachheit halber vor, ich nehme die Büste, wenn sie einmal fertig ist, als Bezahlung an die Bank für meinen Einsatz in deinen Angelegenheit an. Zwar werden deine Arbeiten wohl inzwischen mit Gold aufgewogen, doch das macht nichts, denn in meinem Bereich bin ich nicht schlechter als du in deinem. Ich habe die feste Absicht, dich durch kluge und langfristige Geldanlagen zu einem reichen Mann zu machen. Ich werde dir kurz erklären, wie ich das anfangen will.«

Und Alexander erklärte dem Bruder in einem ausführlichen Vortrag, wie er dessen Geld sicher und Gewinn bringend anzulegen beabsichtigte. Severin bemühte sich redlich, die Pläne seines Bruders gedanklich nachzuvollziehen, stellte Rückfragen, wenn er ihm geistig nicht mehr folgen konnte, nickte schließlich und erklärte, er wolle ihm freie Hand lassen bei diesen Geschäften, denn Alexander sei offensichtlich in dieser Hinsicht ein Genie, und er habe volles Vertrauen in seine Fähigkeiten zur Geldvermehrung.

»So, und nun wollen wir die Sache ein wenig feiern. Du kommst doch mit mir in unsere Wohnung? Silvia würde es mir nie verzeihen, wenn ich dich gehen ließe, ohne dass sie dich begrüßen konnte.«

»Ist denn Silvia hier und nicht draußen in Hermannshagen?«

»Zur Zeit ist sie hier, ja. Seit unsere kleine Sarah auf der Welt ist, fühlt sie sich auf dem Gut einfach wohler als in der Stadt, und es ist ja wohl auch besser für das Kind dort. Doch die Kleine hatte solche Schwierigkeiten beim Zahnen, dass sie Tag und Nacht nur noch geschrien und dazu auch noch hohes Fieber bekommen hat. Hier in der Stadt hatten wir für den Bedarfsfall einfach schneller einen Kinderarzt bei der Hand. Erfreulicherweise scheint es jetzt aber überstanden zu sein. Nächste Woche siedeln die beiden wieder nach Hermannshagen über.«

Alexander verstaute noch einige Papiere in der Ablage auf seinem Schreibtisch, erhob sich dann und ging zur Türe.

Severin fand, dass Silvia blendend aussah. Ihre Begrüßung war ungezwungen und herzlich, und

Alexander strahlte über das ganze Gesicht. Severin musste sofort das Kind in Augenschein nehmen. Er begriff zwar nicht so recht, wieso sowohl Alexander als auch Silvia der festen Überzeugung zu sein schienen, dass dieses Kind ein ganz besonderes und überaus bemerkenswertes Kind sei, denn ihm kam es nicht anders vor als andere Kinder im selben Alter auch. Doch dieses Kind schien aber immerhin eine feste und dauerhafte Brücke zwischen den beiden Ehegatten geschlagen zu haben. Severin stellte nicht ohne Befriedigung fest, dass diesmal eine ganz andere Harmonie zwischen ihnen herrschte als damals beim Tode der Mutter.

»Übrigens muss ich dir ja noch gratulieren«, lächelte Silvia schließlich.

»Wozu?«, fragte Severin, doch im selben Moment begriff er, dass sie seinen neuen Ausstellungserfolg meinen musste. »Ach so. Na ja, lass nur, Silvia. Wenn ich schon bleibe, so tut mir bloß den einen Gefallen und redet nicht mehr über meine Steinhauerei. Ich habe heute den ganzen Tag noch nichts anderes gehört, und es hängt mir allmählich zum Hals heraus. Ich komme nicht umhin, mir einzugestehen, dass ich Kunst lieber praktiziere, als darüber zu reden. Also, wollen wir uns bitte über andere Themen unterhalten?«

»Bitte, bitte«, sagte Alexander, insgeheim etwas erleichtert, denn er verstand von Kunst bedeutend weniger als seine Frau und schätzte es gar nicht, dass in solchen Gesprächen seine Unterlegenheit bedauerlich häufig für jeden erkennbar war. »Dann erzähl doch etwas von dir. Wir sind ganz Ohr. Wie geht es auf deinem Bauernhof?«

Ja, das war ein Thema nach Severins Geschmack! Hier hatte er eine Menge zu erzählen. Jeden Winkel des Margaretenhofes erklärte er, sogar den Klang des Kapellenglöckleins versuchte er zu imitieren. Auch die Arbeiten, die auf dem Hof anstanden, beschrieb er ausführlich.

»Also das muss ich mir dann doch einmal ansehen«, sagte Alexander. »Du machst einen direkt neugierig. Übrigens – diese Kauernde da ... Ach so, davon sollten wir ja nicht reden.«

Er hatte gerade sagen wollen, dass ihn dieses Gesicht an jemanden Bekannten erinnerte, an eine fremde Frau, die einmal bei ihm in der Bank vorgesprochen und sich nach Severin erkundigt hatte. Aber den Wunsch seines Bruders nach Gesprächsthemen, die nichts mit Kunst zu tun hatten, wollte er natürlich respektieren. Und danach vergaß Alexander völlig, nochmals von ihr anzufangen.

Severin erzählte weiter vom Sixt und von der Merkwürdigkeit des Zufalls, wie er diesen wiedergetroffen hatte. »Vielleicht kannst du dich noch erinnern, Alexander, an diesen vierschrötigen Burschen, den ich damals aus dem Wehr herausgezogen habe? Er war auf Hermannshagen Praktikant.«

Alexander konnte sich nicht mehr erinnern. Er kannte die Leute, die dort beschäftigt waren, kaum, außer natürlich dem Verwalter. Aber Hermannshagen, ja, ob er denn gar nicht mehr hinauskommen wolle?

Er habe doch sicher Interesse daran, sich vom Verwalter die eine oder anderen landwirtschaftliche Neuerung zeigen zu lassen, die er auch für seinen Hof verwenden könne.

»Meine Zeit ist zwar knapp, aber hin und wieder wird es sich schon ermöglichen lassen. Vielleicht, dass ich nun endlich die Ruhe finde, an Vaters Büste zu arbeiten.«

Die Zeit verging wie im Fluge. Als es Mitternacht schlug, saßen sie immer noch beisammen. Und als Severin am nächsten Tag wieder nach Bernbichl zurückfuhr, nahm er das Gefühl mit sich, noch nie im Leben so gut mit seinem Bruder harmoniert zu haben.

»Mit einer Stelle für jemanden, der keine Ausbildung hat, sieht es im Augenblick schlecht aus«, sagte der Beamte hinter dem Schalter der Arbeitsvermittlungsstelle. »Höchstens in der Landwirtschaft könnte ich Ihnen etwas anbieten.«

»Ja, darüber hatte ich auch nachgedacht«, sagte Johanna eifrig. »Arbeit in der Landwirtschaft wäre mir sogar sehr recht. Haben Sie da etwas?«

»Ich werde mal nachsehen.«

Er tippte etwas in seinen Computer, druckte schließlich eine Seite aus und las halblaut vor: »Gut Hermannshagen. Bahnstation Grießenholm.« Er kam wieder an den Schalter. »Dort suchen sie eine landwirtschaftliche Helferin. Vielleicht wäre das etwas für Sie?«

»Ja, sicher. Nur ...« Johanna beugte sich ein wenig vor und senkte die Stimme. »Nur – denken Sie, dass ich da auch ein Kind mitbringen kann?«

»Das weiß ich nicht. Aber versuchen Sie es doch einfach einmal.«

Am Nachmittag fuhr Johanna nach Grießenholm. Eine gute halbe Stunde sei es zu Fuß bis Hermannshagen, sagte der Bahnbeamte, den sie fragte. Sie könne aber auch auf den Bus warten. Doch Johanna war viel zu unruhig, um sich nun erst für einige Zeit hinzusetzen. Außerdem hatte sie Lust zu laufen. Sie dankte für die Auskunft und ging los.

Es war schon tiefer Herbst. Rostbraun hingen die Blätter an den Bäumen, und auf den sich sanft hinziehenden Hügeln brannten bereits die Kartoffelfeuer.

Ein paar Mal blieb Johanna stehen und atmete gierig den herben Geruch des Ackerbodens ein. Wie hatte sie ernsthaft glauben können, sich in der Stadt wohl zu fühlen? Sie lächelte glücklich vor sich hin und ging dem nahen Ziel zu. Es wurde ihr erst wieder etwas bänglich zumute, als sie den Gutshof vor sich liegen sah. Sie nahm ihren Zettel vor und las noch einmal: »Gut Hermannshagen, Herr Wölfert, Verwalter«. An diesen Mann hatte sie sich zu wenden. Ob er damit einverstanden sein würde, wenn sie ihr Kind mitbrachte?

Doch der Verwalter war nicht da, als Johanna die junge Frau im Büro fragte. Eigentlich hätte sie sich ja denken können, dass so ein Gutsverwalter an solch einem schönen Tag irgendwo draußen auf den Feldern sein musste. Vielleicht wäre es sogar besser gewesen, ihn dort aufzusuchen. Sie hätte ihn in ein Gespräch über den Stand der Arbeiten dort verwickeln und ihm damit gleich beweisen können, dass sie von landwirtschaftlicher Arbeit etwas verstand.

Eine halbe Stunde später etwa hörte sie draußen einen festen Schritt, und gleich darauf kam die Frau wieder und sagte, dass sie nun hineingehen könne in den Raum auf der anderen Seite des Flures, an dem die Türe nur angelehnt war.

Am Tisch stand ein Mann mit brauner Lederjoppe und schweren Stiefeln, an denen noch Erdbrocken hingen. Er beschäftigte sich mit der Post, die man ihm auf den Schreibtisch gelegt hatte. Als Johanna an die offene Tür klopfte, um ihn auf sich aufmerksam zu machen, drehte er sich um.

»Ich komme auf Empfehlung des Arbeitsamtes«, sagte Johanna. »Es wäre eine Stelle als Hilfskraft bei Ihnen frei?«

Der Mann drehte sich um. Johanna sah in ein breites, rotes Gesicht mit ein paar buschigen Brauen und einem graumelierten, zerzausten Schnurrbart über vollen Lippen.

»Eine Hilfskraft. Ja, das ist richtig.«

Er suchte seinen Tabaksbeutel, brachte eine kurze Pfeife in Brand und schaute zum Fenster hinaus.

»Kennen Sie sich mit landwirtschaftlicher Arbeit aus?«

»Ja, ich bin als Bauerntochter aufgewachsen und habe Erfahrung. Ich will Sie gerne davon überzeugen.«

Der Gutsverwalter nickte. »Ihnen sieht man es eigentlich auch an, dass Sie von Arbeit etwas verstehen. Ich habe nur meiner Erfahrung nicht getraut, denn manchmal schicken sie uns vom Arbeitsamt Leute heraus, mit denen wir beim besten Willen nichts anfangen können. Nebenbei bemerkt handelt es sich nicht um eine Saisonarbeit für die Kartoffelernte, sondern um eine Dauerstellung. Darum habe ich gefragt. Wie alt sind Sie denn?«

»Vierundzwanzig.«

»Na schön. Wenn Sie möchten, können Sie sofort anfangen. Wir haben alle Hände voll zu tun und entschieden zu wenig Leute hier. Wann wollen Sie antreten?«

»Ich könnte ab morgen schon kommen.«

»Gut, gut. Kommen Sie morgen.«

Er wollte sich schon abwenden, doch Johanna öffnete zögernd den Mund, als ob sie noch etwas sagen wollte. Er runzelte die Stirne und fragte: »Sonst noch was?«

»Ja, ich wollte noch fragen –«

»Ach so! Ja, natürlich. Na, passen Sie auf. Wir bezahlen nach Tarif und bei besonderer Zufriedenheit auch ein paar Mark darüber. Also, kommen Sie morgen.«

Johanna nahm nun allen Mut zusammen. »Herr Wölfert – ich wollte noch fragen ... Ich habe nämlich einen kleinen Jungen, den ich nicht allein lassen kann ...« Ihre Stimme schwankte und sie hielt schließlich mitten im Satz inne.

Wölfert schob die Brauenbüschel zusammen und nahm die Pfeife aus dem Mund. »Wieso einen Jungen? Sind Sie denn verheiratet? Und wo ist der Mann?«

Johanna senkte den Kopf und schwieg. Der Verwalter war ein gutmütiger Mensch und da er begriff, dass er mit seiner Frage an eine Wunde rührte, bohrte er nicht weiter nach. Stattdessen sagte er: »Ja, das ist natürlich so eine Sache. Auf Säuglingspflege sind wir freilich nicht eingestellt. Wie alt ist das Kind?«

»Ein halbes Jahr.«

Eine Weile herrschte nun Schweigen. Der Verwalter kritzelte mit einem Bleistift auf einer Zeitung herum. ›Wenn er nun damit fertig ist‹, überlegte Johanna, ›dann wird er sich entschieden haben und wird sagen: Ja, das tut mir sehr Leid, aber in diesem Falle können wir nichts machen.‹

Doch Wölfert hatte nicht die Absicht, sich eine so offensichtlich passende Arbeitskraft entgehen zu lassen. Er hatte lediglich angestrengt überlegt, wie man mit dem Kind verfahren konnte. »Die Frau eines unserer Arbeiter hat zwei Kinder ... vielleicht ist sie bereit, sich während Ihrer Arbeitszeit auch um Ihres zu kümmern? Ich werde mit ihr reden.«

Er griff zum Telefon und wählte eine Nummer, sprach ein paar Worte, und danach begab er sich mit Johanna zur Wohnung der Frau, die vielleicht für Daniel sorgen würde. Tatsächlich verstanden sich die beiden Frauen auf Anhieb so gut, dass auf der Stelle vereinbart wurde, dass man so verfahren würde, wie der Verwalter es vorgeschlagen hatte: Gegen ein entsprechendes Entgelt würde sich die Frau um Johannas Kind kümmern. Und so begann denn wiederum ein neuer Abschnitt in Johannas Leben.

Als sie am nächsten Tag auf das Gut kam, lieferte sie im Büro ihre Papiere ab und ging gleich an die Arbeit.

12

Die Wochen und Monate gingen dahin, es wurden Jahre daraus. Der Besitzer des Margaretenhofes war immer noch unverheiratet und schien keine Anstalten zu machen, daran etwas zu ändern, obwohl es nicht gefehlt hätte an rührigen Müttern, die ihre Töchter gerne auf dem Osterberg gewusst hätten an der Seite dieses merkwürdigen Bauern, dem es einfallen konnte, zwischen Aussaat und Ernte irgendein Bildwerk zu hämmern. Da war zum Beispiel im Frühjahr des Jahres die Erlmoserin zu ihm gekommen, weil sie gehört hatte, dass man auf dem Margaretenhof ganz eigenartige weiße Hühner züchte, die ihre Eier bis tief in den Herbst hinein legten.

»Ja«, sagte Severin, »das stimmt schon. Aber da musst du zum Verwalter gehen.«

»Soso, zum Verwalter.« Die Erlmoserin verschränkte die Hände im Schoß und sah sich neugierig um. »Schön hast du es hier, das muss man sagen. Schön, aber vielleicht doch ein bisschen einsam?«

Severin schmunzelte über diese durchsichtige Bemerkung. Der Sixt hatte ihm schon gesagt, dass die Erlmoserin drei heiratsfähige Töchter hätte.

»Wieso einsam? Hier hat es doch genügend Leute.«

Es wurde zwar mit den weißen Hühnern ein kleines Geschäft, aber das große, um dessentwillen die Erlmoserin eigentlich gekommen war, blieb aus. Der

Margareter versprach auf ihr Drängen hin zwar, dass er einmal bei ihr vorbeikommen wolle, verschob es aber von Woche zu Woche.

Solche Versuche, ihn als Schwiegersohn zu gewinnen, hatte er schon mehrere hinter sich. Selbst der Sixt war für ihn schon einmal insgeheim auf Brautschau gegangen.

Oft fragte Severin sich zwar selbst, ob denn sein Leben immer so weiterlaufen solle. Doch irgendetwas hinderte ihn nach wie vor daran, den Mädchen Beachtung zu schenken. Wenn er sie sonntags nach der Kirche über den Marktplatz kommen sah, in ihren schönen Trachten, dann stellte er auch jetzt, nach über drei Jahren, noch einen kritischen Vergleich an zwischen ihnen und jenem Mädchen Johanna, dem er in seiner »Kauernden« ein unvergängliches Denkmal geschaffen hatte.

Nein, sonst konnte er sich zu keiner größeren Arbeit mehr aufraffen. Ein paar recht schöne Porträtköpfe nach Vorbildern aus der Umgebung hatte er gearbeitet, ein Fohlen und einen alten Schafhirten. Das waren allerdings mehr die Ergebnisse von Spielereien als von einem ernsten, echten Schaffensdrang gewesen, wie er ihn früher öfters hatte, und er hatte auch nichts davon ausgestellt, weil er selber fühlte, dass sie gegen seine beiden besten Werke nicht bestehen konnten. In der übrigen Zeit hatte er sich statt dessen immer mehr um die Arbeit auf seinem Hof gekümmert. Allmählich wusste auch er, worauf es ankam, doch gab er sich nicht der Illusion hin, auf einen Verwalter verzichten zu können. Ihm fehlten trotz der erworbenen Kenntnisse viele Jahre Erfahrung, die jeder einfache Arbeiter ihm voraus hatte.

Mit seinem Bruder Alexander stand er inzwischen in einem regen Briefwechsel, und kürzlich hatte dieser geschrieben, dass Severin bald zur Taufe kommen müsse. Man hoffe allgemein, dass es diesmal ein Junge würde.

Diese Nachricht stimmte Severin etwas melancholisch. Es erinnerte ihn an sein eigenes Alleinsein. Sollte das denn bis an sein Lebensende so weitergehen? Doch wenn er sich vorzustellen versuchte, sich mit einer Frau zu verbinden, scheiterte dies regelmäßig daran, dass er sich als Frau an seiner Seite keine außer Johanna vorstellen konnte. Er brachte sie einfach nicht aus dem Sinn. Wo es sie nur hinverschlagen haben mochte? Er hatte nie wieder etwas von ihr gehört. Doch nach ihr suchen wollte er dennoch nicht. Dazu saß der Stachel wohl zu tief.

Dass Johanna im Gutshof sofort mit offenen Armen aufgenommen worden war, verdankte sie dem Scharfblick des Verwalters, der richtig erkannt hatte, dass er sich mit ihr eine tüchtige Arbeitskraft verschaffen konnte. Es hatte sich rasch gezeigt, wie Recht er mit dieser Einschätzung gehabt hatte. Von Hermannshagen war sie inzwischen nicht mehr wegzudenken.

Das war nicht zuletzt auch das Verdienst des kleinen Daniel, der längst zum Liebling aller auf dem Gut geworden war. Die Leute verwöhnten ihn, die Köchin steckte ihm Süßigkeiten zu, man ließ ihn auf dem Traktor mitfahren, und Johanna sah ihn oft stundenlang überhaupt nicht, denn es fand sich immer jemand, der Zeit und Lust hatte, sich mit dem Kind zu beschäftigen.

Längst wusste Johanna auch, wer der Besitzer von Hermannshagen war. Bei ihrem Einstehen hatte sie keine Ahnung davon gehabt, dass es sich bei diesem ausgerechnet um Alexander Lienhart handelte. Als sie ihn das erste Mal sah, erschrak sie heftig. Aber er erkannte sie nicht mehr, überhaupt kümmerte er sich wenig um die Leute des Gutes. Auch seine Frau kam selten aus dem Herrenhaus herüber.

Johanna war noch nie ins Herrschaftshaus gekommen. Sie kannte den schönen alten Park mit dem Weiher nur vom Hinüberschauen über die mannshohe Ligusterhecke. Da konnte man zuweilen die Frau auf der Terrasse sitzen oder mit ihrem kleinen Mädchen, Sarah, spielen sehen.

Daniel kannte dagegen wenig Hemmungen, auch diesen Teil seiner Umgebung zu erforschen. Er schlüpfte eines Tages durch die Hecke, begann mit dem Mädchen zu spielen und war bald im Herrenhaus stets ein willkommener Besucher.

Der Tag war schwül. In geschäftiger Eile trieben die Wolken über die Felder. Die Sonne stach immer wieder durch einen Wolkenspalt heraus und bedrängte dann die Leute mit ihrer glühenden Schwüle. Doch es half nichts: Die Weizenernte war in vollem Gange, und man musste sich sputen, um noch vor dem angekündigten Gewitter fertig zu werden.

Von der Terrasse des Herrenhauses aus konnte man durch eine breite Lücke in der Hecke die Leute bei der Arbeit beobachten. Alexander Lienhart und seine Frau saßen mit ihrem Gast unter dem bunten Sonnenschirm beim Nachmittagskaffee. Severin war am Tage vorher zur Tauffeier erschienen, und nun hatten ihn die beiden wirklich überreden können, noch ein paar Tage zu bleiben.

Alexander wollte eigentlich mit dem Bruder ein bisschen ausreiten und bei der Gelegenheit am Feld vorbei, um ihm seinen neuen Mähdrescher bei der Arbeit zeigen zu können. Aber gerade als sie mitten beim Kaffeetrinken waren, läutete das Telefon, und Alexander musste dringend in die Bank zurückfahren.

»Kannst du es denn nicht bis zum Abend aufschieben?«, meinte Silvia. Aber Alexander wehrte sofort ab. »Nein, leider, es ist sehr dringend. Aber wir holen das morgen nach, Severin. Übrigens mache ich euch den Vorschlag: Fahrt doch mit dem Jagdwagen ein wenig über Land. Die Pferde müssen sowieso bewegt werden. Also, macht's gut. Bis zum Abend bin ich wieder zurück.«

Kurz darauf hörte man den Motor anspringen, und Alexanders Auto glitt zur Straße hinaus. Die beiden blieben allein zurück. Kein Lufthauch bewegte die Kronen der alten Parkbäume. Dann sagte Silvia: »Ich kann dir gar nicht sagen, Severin, wie glücklich ich darüber bin, dass ihr Brüder euch wieder näher gekommen seid. Ich glaube, wenn du nicht gekommen wärst zur Tauffeier, Alexander wäre wirklich gekränkt gewesen.«

»Du nicht?« Er sagte das ohne jeden Hintergedanken.

»Natürlich hat es mich auch gefreut. Und weißt du, jetzt will ich einmal nicht mehr nachgeben. Alexander muss mit mir unbedingt einmal zu deinem Berghof fahren. Ich kann mir nämlich gar nicht vorstellen, wie du wohnst, wie sich dein Leben dort abspielt, wie und wo du arbeitest. Arbeitest du überhaupt zur Zeit an irgendetwas?«

Severin wollte ihr gerade erklären, dass künstlerisch eine Art Stillstand eingetreten sei, eine Atempause – als man plötzlich zwischen den Bäumen ein paar helle Kinderstimmen hörte. Sarah kam mit flatternden Röcken dahergerannt, und hinter ihr tauchte der blonde Wuschelkopf von Daniel auf. Er trug nur eine blaue Badehose und war am ganzen Körper braun gebrannt. Sarah sah ihren Onkel, stieß einen Freudenschrei aus und rannte direkt in Severins ausgebreitete Arme. Der Junge aber blieb zaghaft in einiger Entfernung stehen.

»Nanu? Wer ist denn das?«

»Er gehört einer der Angestellten auf dem Gutshof«, erklärte Silvia. »Ein netter kleiner Kerl übrigens. Sarah hat ihn zu ihrem bevorzugten Spielgefährten auserkoren.«

»Ein netter kleiner Kerl? Meine liebe Schwägerin, das ist schon etwas mehr als ein netter kleiner Kerl.« Er schob Sarah sanft beiseite und stand auf. »Komm mal her, Kleiner.«

Daniel kam etwas zaghaft näher, und Severin betrachtete ihn. Dann wandte er sich wieder an Silvia. »Du, den möchte ich unbedingt modellieren. Seine Mutter wird doch wohl nichts dagegen haben?«

»Sicherlich nicht.«

»Wie gut, dass ich hergekommen bin! Da sieht man wieder, dass alles Suchen und Umherirren nichts hilft. Das Gute schenkt sich einem zur vorbestimmten Stunde. Ich glaube, dass ich noch ein paar weitere Tage hierbleiben muss. Na – ich kann dir nicht sagen, wie ich mich freue! Seine Mutter arbeitet hier, sagtest du? Ich will sie gut bezahlen, wenn sie mir den Jungen zum Modellieren überlässt. Vielleicht bist du so lieb, Silvia, und sprichst gleich heute noch mit dieser Frau.«

»Sehr gerne, Severin. Hör mal zu, Daniel: Dieser Onkel will dich einmal zeichnen. Willst du das?«

Daniel kaute an einem Kuchenstück und sah Severin treuherzig an. Dann nickte er, obwohl er vielleicht gar nicht recht wusste, was man von ihm verlangte. Er sagte bloß: »Dann soll er Sarah auch zeichnen.«

Severin nickte und sagte, Sarah werde er selbstverständlich auch zeichnen. Wenn er beide Kinder zugleich zum Skizzieren bei sich hätte, würde er sicher das Vertrauen des Jungen leichter gewinnen, dachte er.

Drinnen im Haus war jetzt das Baby aufgewacht und begann zu schreien. Silvia musste ins Haus, und mit einem Mal waren auch die beiden Kinder wieder verschwunden. Von irgendwoher hörte er ihre jauchzenden Stimmen.

Severin zündete sich eine Zigarette an und wanderte langsam auf dem Parkweg dahin, am Weiher vorbei, immer tiefer in den alten Park hinein, in Gedanken versunken über das Bedürfnis, wieder zu gestalten, den der Anblick des hübschen, quirligen kleinen Jungen in ihm erweckt hatte.

Kürzlich hatte er in einer Zeitschrift eine Abhandlung über das Phänomen gelesen, dass manche viel versprechende Talente nach ein paar Werken wieder zurücksinken in das Nichts, aus dem sie gekommen waren. Es war ein Seitenhieb auf ihn, das hatte er wohl empfunden, denn weiter unten war dann noch die Rede von jener »Kauernden«, die einmal so viel Aufmerksamkeit erregt hatte. Nun sollten sie sehen, dass er noch keineswegs ausgebrannt war!

Ganz unverhofft war er durch eine Lücke ins Freie gekommen. Das graue Gewölk hatte sich verzogen, und im Westen stand das Abendrot.

Plötzlich wurde er von einem Gruß aus seinen Gedanken gerissen. Inspektor Wölfert stand vor ihm, der gestern auch bei der Tauffeier zugegen gewesen war. Zusammen gingen sie über einen schmalen Wiesenweg auf den Gutshof zu, und als sie hinter einer Waldspitze hervorkamen, stießen sie auf einige Arbeiter des Guts, die offenbar auf dem Heimweg waren. Severin nickte ihnen zu und wollte ihnen einen schönen Feierabend nach einem so anstrengenden Tag wünschen. Da blieb sein Blick plötzlich an einer Frau hängen, die ihn erschrocken anstarrte.

Auch Severin blieb nun wie vom Donner gerührt stehen. Der Verwalter sah von einem zum anderen und begriff schließlich, dass sich hier etwas Außergewöhnliches abzuspielen begann. Er ging mit den anderen Leuten weiter und bemühte sich, sie von dem abzulenken, was sich da ereignete, indem er verkündete: »Auf dem Heimweg können wir noch kurz die Arbeitspläne der nächsten Tage besprechen. Johanna, lass dir Zeit, mit dir muss ich nachher ohnehin noch einmal ausführlich reden.«

Doch Johanna schien ihn gar nicht zu hören, ebensowenig wie Severin. Die beiden standen sich wortlos gegenüber und wussten lange nicht, was sie sich sagen sollten. Johanna brach schließlich das Schweigen als Erste und sagte leise: »Severin! Ich habe es immer gefühlt, dass ich dich eines Tages wiedersehen werde.«

»Und du hattest keine Angst vor dieser Begegnung?«, meinte Severin bitter. »Wie willst du dich denn vor mir rechtfertigen? Oder hast du dir schon längst eine Geschichte zurechtgelegt?«

Johanna war so überrascht von diesem ungerechten und unerwarteten Vorwurf, dass sie nur stammeln konnte: »Wie sprichst du denn mit mir, Severin? Was habe ich dir denn getan?«

»Das fragst du noch?«

Johanna sah Severin an, als ob sie an seinem Verstand zweifeln müsse. »Ach so, du hast also einen Grund zum Zorn gegen mich.« Sie erinnerte sich an die ausgestandene Not, die Ängste, den Klatsch im Dorf, und eine Zorneswoge stieg in ihr auf. Es kam auf einmal ein böses Funkeln in ihren Blick und ihre Stimme wurde eisig. »Verstehe ich das jetzt richtig, dass du zornig auf mich bist, weil du mich ohne ein Wort hast sitzen lassen? Damals in Bernbichl war ich gut genug für ein schnelles Abenteuer, bei dem du dich nicht geschämt hast, mir Gott weiß was für Märchen übers Heiraten zu erzählen, um mich herumzukriegen, jetzt ist es dem Herrn peinlich, wenn ich ihm über den Weg komme – aber ich soll mich vor dir rechtfertigen?« Ihre Stimme wurde während dieser langen Anklage immer lauter.

»Ich muss ja froh sein, dass ich nie Gelegenheit bekommen habe, dich wirklich zu heiraten, wie ich es vorhatte«, schrie er jetzt ebenfalls zornig, »wo es doch anscheinend das halbe Dorf mit dir getrieben hat. Dass du nicht einmal weißt, wer der Vater deines Kindes ist, spricht ja wohl Bände!«

»Das ist doch unglaublich!« Ihre Lippen zitterten. Dann warf sie den Kopf stolz zurück. »Komm mit!«, forderte sie ihn kurz auf.

Sie schritt ihm voran, und er folgte ihr stumm, obwohl er nicht hätte sagen können, warum er hinter ihr herlief, als ob er von einer Schnur gezogen würde. Kein Wort fiel mehr zwischen ihnen, bis sie an die Mauer des Gutshofes kamen. Dort bedeutete sie ihm zu warten und ging in den Hof.

Nach einer Weile – Severin dünkte sie wie eine halbe Ewigkeit – kam sie wieder zurück und hatte den kleinen Daniel an der Hand. Daniel erkannte ihn sogleich wieder und lächelte ihn an. Severin aber überfiel mit einem Mal ein unglaublicher Gedanke. Da sagte schon Johannas schneidende Stimme: »Nun schau dir das Kind einmal an und hab noch einmal die Stirn, mir vorzuwerfen, dass ich nicht wisse, wer der Vater dieses Jungen sei! Jeder Trottel kann erkennen, wem er ähnlich sieht, wenn man ihn und dich nebeneinander stehen sieht.«

Severin rang um seine Fassung, und endlich stammelte er fassungslos: »Aber, Johanna ...«

»Du sollst das Kind ansehen und nicht mich!«, verlangte Johanna hart. »Ihr Künstler bildet euch doch immer so viel auf euren scharfen Blick ein! Schau diese Augen an, schau diesen Mund an, und dann sag mir noch einmal, was du vorher behauptet hast, wenn du noch immer den Mut dazu hast!«

Da musste Severin den Blick senken. Eine flammende Röte stieg in sein Gesicht. Vielleicht war dies der beschämendste Augenblick seines Lebens, als er jäh erkannte, dass dieser kleine Blondschopf sein eigenes Fleisch und Blut sein musste. Zu allem Überfluss sagte ihm Johanna jetzt noch, wann der Kleine geboren war. Und nun möge der kluge Herr doch die Zeit nachrechnen und ihr dann noch einmal sagen, dass man nicht wisse, wer der Vater sei.

Severin war zumute, als öffne sich die Erde vor ihm, um ihn zu verschlingen. Ein paar Mal öffnete er den Mund, um etwas zu sagen, aber seine Lippen bewegten sich nur zu unverständlichem Geflüster. Endlich sagte er kaum hörbar: »Warum hast du mir dann niemals geschrieben?«

Johanna lachte hart und trocken auf. »Wohin hätte ich denn schreiben sollen? Woher hätte ich denn wissen sollen, wo du untergetaucht bist, um aus meinem Leben zu verschwinden?« Sie sah ihn böse an. »Ich hatte nicht die Absicht, mich aufzudrängen, wenn der Herr nun einmal sein Interesse an mir verloren hat. Wenn du es genau wissen willst, ich hätte das für würdelos gehalten. Dein eigenes unwürdiges Verhalten reichte ja eigentlich für uns beide«, fügte sie spitz hinzu.

»Johanna, das verstehe ich nicht!«, stammelte Severin nun in äußerster Bestürzung. »Aus deinem Leben verschwunden? Ich habe dir doch dreimal geschrieben!«

»Ich habe keinen Brief bekommen«, sagte Johanna unwillig. »Nicht einen einzigen, Severin. Dass einmal ein Brief verloren gehen kann, ja, das könnte ich mir noch vorstellen. Aber dass du mir weismachen willst, drei Briefe könnten nicht an mich zugestellt worden sein, das ist hoffentlich nicht dein Ernst! Belüge mich wenigstens jetzt nicht mehr!«

»Ich lüge nicht, Johanna, es ist tatsächlich so«, rief Severin aus.

Die Frau gab keine Antwort mehr, stellte das Kind wieder zu Boden und strich über seinen Lockenkopf. Erst nach einer langen Zeit hob sie die Augen, sah aber an dem Manne vorbei und sagte langsam: »Warum ich niemandem gesagt habe, wer der Vater des Kindes ist? Du bist fortgegangen, und es sah so aus, als ob für dich das Abenteuer eben abgeschlossen sei. Ich wollte nicht, dass jemand Schlechtes über dich sagte, und darum habe ich geschwiegen. Und nun kommst du daher und wirfst mir vor, ich hätte mich mit dem halben Dorf eingelassen.« Bitterkeit übermannte sie wieder.

Severin war zumute, als drücke ihn eine Faust nieder. ›Ich hätte nicht fortgehen dürfen‹, dachte er. ›Niemals hätte ich von Johanna fortgehen dürfen, oder wenigstens gleich wieder zurückkommen müssen nach Mutters Tod. Dann wäre mir vieles erspart geblieben, auch diese bitterste der allerbittersten Stunden.‹

»Johanna«, bat er, »schick doch bitte den Kleinen weg. Solche Dinge sollte ein Kind nicht mit anhören müssen!«

Die Frau sah ihn böse an, aber dennoch schien sie einzusehen, dass es dem Jungen nicht zuzumuten war, eine solche Szene weiterhin mitzubekommen.

»Daniel, geh jetzt schon einmal hinein, es ist sowieso gleich Essenszeit. Ich komme dann nach«, sagte sie und schob den Jungen mit einem sanften Druck gegen das Tor hin.

Nachdem er außer Sichtweite war, wandte sie sich wieder Severin zu. Dieser fasste nach ihrer Hand. »Du kannst unmöglich glauben, Johanna, dass ich es nicht ehrlich mit dir gemeint habe. Es waren besondere Gründe, die mich damals nicht auf der Stelle zurückkommen ließen. Das habe ich dir ja auch alles geschrieben. Wenn du die Briefe nicht erhalten hast, Johanna, so ist das doch nicht meine Schuld. Aber du hättest trotzdem an mich glauben müssen.«

»Glauben, glauben!«, rief Johanna aufgebracht. »Was weißt du denn davon, du eingebildeter Affe, wie ich an dich geglaubt habe! Ich habe vom ersten Moment an befürchtet, dass einer wie du nur ein Abenteuer bei mir suchen kann. Und doch ... dann habe ich angefangen, dir zu glauben und dir zu vertrauen. Zum Dank hast du mich sitzen und nichts mehr von dir hören lassen.

Aber ich bin ja so eine dumme Gans und zu stolz, um den Unterhalt von dir einzuklagen und notfalls einen Vaterschaftstest zu verlangen. Hast du überhaupt eine Ahnung, wie es sich lebt, wenn man für sein Kind sorgen muss, aber gleichzeitig noch das nötige Geld zum Leben heranschaffen muss?

Statt dir die Hölle heiß zu machen, wie ich es durchaus hätte tun können, denke ich also, nun gut, wenn der Herr sich zu fein für mich ist, dann will ich mit ihm lieber auch nichts mehr zu tun haben. Und schlage mich eben durch, so gut es unter diesen Umständen geht.

Und nun treffen wir uns wieder, so lange Zeit danach, und das Erste, was ich von dir höre, ist, dass ich nicht wisse, wer der Vater meines Kindes sei. Erzähl du mir nichts vom Glauben, du Mistkerl!«

Severin nahm diese Worte nicht ohne Widerrede hin. »Was redest du denn daher, Johanna! Es hat doch alles gegen dich gesprochen, diese merkwürdige Flucht, dieses Verschwinden von der Bildfläche, ohne jede Spur zu hinterlassen. Ich musste doch annehmen, dass du mir nicht mehr begegnen wolltest, weil eben dein Gewissen nicht ganz rein war in bezug – nein, nein, ich will dich nicht ein zweites Mal beleidigen. Aber es gab gewisse Gerüchte ... ich hatte Grund zur Annahme ... ach, zum Teufel, ich hatte den Eindruck, jeder wisse davon, dass ich nicht der Einzige bei dir auf der Alm gewesen sei, und nur ich selbst sei bisher blind gewesen!

Ich sehe nun sehr wohl, dass ich der Vater deines Kindes bin, das ist ja offensichtlich. Ich habe dir Unrecht getan, und ich bitte dich von ganzem Herzen, mir das zu verzeihen! Aber du bist ungerecht, Johanna, wenn du mir vorwirfst, ich hätte nicht von mir hören lassen. Ich schwöre dir bei allem, was mir heilig ist, ich habe dir geschrieben! Drei Mal! Ich kann dir nicht sagen, wo die Briefe hingekommen sind, doch abgeschickt habe ich sie!«

Sie sah ihn immer noch zweifelnd an, doch sie schwieg jetzt. Severin fuhr fort: »Ich könnte mich dafür ohrfeigen, dass ich nicht wenigstens noch einmal kurz zurückgekommen bin, bevor ich ins Rheinland ging. Es war mein Fehler, dass ich das nicht getan habe. Aber du hättest auf mich warten müssen.«

»Ach«, sagte sie müde. »Das hat doch keinen Sinn. Wir reden aneinander vorbei. Sei doch still.«

Dabei machte sie eine wegwerfende Geste mit der Hand. Severin schüttelte den Kopf. »Nein, Johanna«, sagte er. »Ich habe mich bemüht, dich aus meinem Leben zu streichen, weil ich dachte, du hättest mich hintergangen und wolltest mir deshalb nicht mehr unter die Augen kommen. Ich sehe ein, dass ich dumm und vorschnell über dich geurteilt habe. Ich bitte dich, mir das zu verzeihen, auf Knien, wenn du darauf bestehst. Ich möchte, wenn ich es kann, alles wieder gutmachen, was ich falsch gemacht habe. Schon wegen des Jungen solltest du nun nicht vorschnell nein sagen. Glaubst du denn, Johanna, dass ich jemals aufgehört hätte, an dich zu denken? Mein bestes Kunstwerk – aber das kannst du ja nicht wissen –, habe ich geschaffen, weil ich nicht in der Lage war, mir ein anderes Gesicht als deines vorzustellen. Es hat mich endgültig berühmt gemacht.«

›Ja, ja, ich weiß‹, wollte sie sagen, aber sie nickte nur.

»Du weißt so vieles nicht«, sprach er weiter. »Als ich aus dem Rheinland wiederkam, nicht ahnend, dass ich dich nicht mehr in Bernbichl antreffen würde, da hatte ich eine Überraschung für dich. Ich kannte ja den tiefsten Wunsch deines Lebens, Johanna. Und darum hatte ich in aller Heimlichkeit den Margaretenhof gekauft. Der Sixt war der einzige, der Bescheid wusste; er hat sich in meiner Abwesenheit um den Kauf gekümmert und das Anwesen wieder hergerichtet.«

Er sah, wie sie die Farbe wechselte und unsicher wurde. »Nicht mehr der fremde junge Mensch aus der Stadt von damals steht jetzt vor dir, Johanna, sondern der Margareter. Als sie im Dorf angefangen haben, mich mit diesem Namen anzureden, da wusste ich, dass er nur ein leerer Schall sein kann, denn – Margareter kann ich erst sein mit dir und durch dich. Ohne dich bin ich nichts. Ich liebe dich, und ich habe niemals aufgehört, dich zu lieben. Auch die vermeintliche Gewissheit deiner Untreue konnte daran nichts ändern. So, nun weißt du wenigstens das Notwendigste. Und nun verdamme mich weiter, wenn du es für richtig hältst.«

Johanna hatte stumm und mit wachsener Erregung zugehört. Sie zweifelte plötzlich nicht mehr daran, dass Severin ihr die Wahrheit gesagt hatte. Ihr Herz klopfte laut, doch zu einer Antwort war sie nicht fähig. Aber als Severin seinen Arm um ihre Schultern legte, zerbrach das letzte Stäubchen Stolz, und sie wurde wieder von jener Liebe erfüllt, die sie damals empfunden hatte und die alles andere unwichtig erscheinen ließ.

Dass er an ihr gezweifelt hatte, war nur dem tückischen Spiel des Schicksals zuzuschreiben, das nie einen Brief von ihm zu ihr gelangen ließ. Oder hatte da jemand seine Hand im Spiel gehabt? Johanna erschien diese Vorstellung plötzlich sehr einleuchtend, und in ihren Gedanken tauchte plötzlich das Gesicht des Eggstätter-Lukas vor ihr auf. Doch sie hatte keine Zeit, sich weiter damit zu befassen, denn Severin sagte gerade zu ihr: »Deine Arbeit hier ist natürlich zu Ende. Wir werden morgen abreisen, alle drei.«

»Alle drei. Wie du das sagst, Severin. Was wird dein Bruder sagen?«

»Wenn er vernünftig ist, nichts.« Er fasste sie plötzlich bei den Schultern und drehte sie zu sich herum. »Ja, glaubst denn du, Johanna, dass mich irgendetwas auf der Welt noch einmal von dir trennen könnte? Nein, das ist nun endgültig vorbei. Ich will dich gar nicht fragen, was du gelitten hast in der langen Zeit. Nur eines glaube mir, es war auch für mich nicht leicht. Und darum wollen wir alle beide nicht mehr daran rühren. Ich möchte jetzt, in diesem Moment nur noch eines: Meinen Jungen möchte ich noch einmal kurz ansehen.«

»Komm«, sagte sie und nahm seine Hand.

Daniel schlief schon in seinem Kinderbett, das neben dem seiner Mutter stand.

Severin stand davor und schüttelte den Kopf. »Wo habe ich denn bloß meine Augen gehabt? Heute Nachmittag, denk dir nur, Johanna, hab ich mich schon mit ihm beschäftigt. Seine Gestalt hat mich fasziniert, und Silvia wollte mit dir sprechen, dass du die Erlaubnis erteilst, dass ich ihn modelliere.« Er musste herzlich lachen. »Na, diese Erlaubnis brauche ich ja jetzt nicht mehr einzuholen, denn der Junge gehört ja mir! Oder vielmehr: uns beiden.«

Er strich dem schlafenden Kind leise über das Gesicht, wünschte Johanna eine gute Nacht, küsste sie noch einmal und ging dann zurück ins Herrenhaus.

Im kleinen Salon war noch Licht, als Severin von der Rückseite her auf das Herrenhaus zuging. Silvia saß mit einem Buch in der Hand unter der Stehlampe, und Alexander hatte wohl dasselbe versucht, war aber dabei eingeschlafen. Sein Buch lag auf dem Boden, und die erkaltete Zigarre hing zwischen den Fingern seiner herabhängenden Hand. Als Severin die Türe hinter sich schloss, wachte er auf und rieb sich die Augen. Silvia klappte das Buch zu und schaute auf Severin.

»Ich glaube, ich bin wahrhaftig eingeschlafen«, sagte Alexander und rekelte sich aus dem Klubsessel. »Wo treibst du dich denn bloß herum? Wir haben bis neun Uhr mit dem Abendessen gewartet!«

»Ich will sofort nachsehen, dass man etwas bringt«, meinte Silvia und wollte aufstehen. Aber Severin drückte sie in den Sessel zurück.

»Bitte, bemühe dich nicht. Ich habe wirklich keinen Hunger. Ich möchte nur rauchen. Du gestattest doch, Silvia?«

Er nahm eine Zigarette aus dem Etui, klopfte sie auf den Handrücken und blinzelte alle beide schelmisch an.

»Kinder, was glaubt ihr, wen ich heute getroffen habe? Also, Alexander, für deine Einladung bin ich dir zu allergrößtem Dank verpflichtet. Wer weiß, wie lange ich sonst noch im Dunkeln umhergetappt wäre! Begegnet mir da heute meine Kauernde!«

»Wie? Wer ist dir begegnet?« Alexander zündete seine Zigarre wieder an. »Deine Kauernde? Ein Abguss oder?«

»Nein, das Original! Wirklich und wahrhaftig das Original! Drüben auf deinem Gut hat sie schon drei Jahre gearbeitet, und ich hatte keine Ahnung davon.« Severin schaute die beiden an, um festzustellen, welche Wirkung seine Entdeckung auf sie mache. Alexander blieb völlig unberührt davon, nur Silvia schien angestrengt nachzudenken. Dann schaute sie auf.

»Ja, nun weiß ich es. Du brauchst mir gar nichts weiter zu erzählen. Es muss diese Große, Blonde sein, mit der ich noch reden wollte wegen des Jungen.«

»Brauchst du nicht mehr, meine Liebe! Ist bereits alles erledigt!«

»Anfangs hatte ich mich ein paar Mal gefragt, an wen mich diese Frau erinnert. Ich bin nicht darauf gekommen. Jetzt weiß ich es, weil du es sagst«, sprach Silvia weiter. »Ihr gehört ja auch der Junge. Entsinnst du dich nicht, Alexander, dass ich dir einmal sagte, diese Frau erinnere mich an jemanden, und ich wüsste nicht, an wen?«

»Nein«, sagte Alexander. »Ich entsinne mich nicht, ehrlich gesagt. Mir kommen so viele Gesichter unter.« Er netzte mit der Zunge ein losgelöstes Blatt an seiner Zigarre und sah in dem Augenblick nicht gerade geistreich aus. Vielleicht hatte er in diesem Augenblick auch eine Erinnerung, konnte sie aber nicht recht unterbringen. »Aber weiter, weiter im Text.«

»Wie es weitergeht?« Severin hatte ein freches Lausbubengesicht in dem Augenblick. »Das kann ich dir haargenau erklären, verehrter Bruder. Ich habe diese Frau vor Jahren sehr geliebt, ich liebe sie heute noch so, und der Junge – ja, bitte haltet euch fest, dass ihr nicht gleich vom Stuhl fallt« – er deutete mit einer unnachahmlichen Geste an seine Brust –, »ich bin der Vater dieses Jungen! Tja – und jetzt werde ich nachholen, was unglückliche Umstände damals verhindert haben: Ich werde die Frau heiraten. Das ist alles.«

»Bravo«, sagte Silvia nach geraumer Zeit in die entstandene Stille hinein. Dann reichte sie Severin die Hand über den Tisch. »Ich freue mich.«

»Ich freue mich auch«, meinte Alexander mit einem süß-sauren Lächeln. »Aber wenn ich recht verstehe, muss ich also ab morgen zu dieser Arbeiterin dann ›liebe Schwägerin‹ sagen?«

»Du kannst auch Johanna zu ihr sagen, sie nimmt es dir sicher nicht übel. Aber Spaß beiseite. Ich heirate also demnächst und – es würde mich wirklich interessieren, wie du dich dazu stellst, Alexander.«

»Erstens, mein lieber Severin, bist du längst volljährig und brauchst mir keine Rechenschaft abzulegen, zweitens bist du finanziell unabhängig und deine Frau braucht letztlich keinen Pfennig mitzubringen, und schließlich leben wir nicht mehr im Mittelalter. Wenn du sicher bist, dass sie die Richtige ist, dann wünsche ich euch Glück.«

»Danke, das genügt mir. Als ich das letzte Mal hier war, hast du zwar ganz anders gesprochen, aber es freut mich aufrichtig, dass du es heute nicht tust. Vielleicht erzähle ich euch morgen die Zusammenhänge ausführlicher, aber für heute wollen wir uns nun schlafen legen.«

Er reichte beiden die Hand und ging ins obere Stockwerk.

Alexander wusste nicht recht: Sollte er lachen, oder sollte er sich ärgern? Das Erstere gewann schließlich die Oberhand.

»Also, dieser Severin – ist er nicht unglaublich? Er stellt uns da einfach vor vollendete Tatsachen. Liebe Leute, ich heirate eine Arbeiterin von eurem Gut. Sie hat übrigens ein Kind von mir!«

Silvia strich ihm übers Haar und setzte sich dabei auf die Lehne seines Sessels. »Nun, gar so komisch ist es ja eigentlich nicht. Kannst du denn nicht zwei und zwei zusammenzählen? Er sagt, er wollte sie damals heiraten. Und sie hat drei Jahre lang ein Kind alleine durchbringen müssen. Das klingt mir mehr nach Schicksalsschlägen als nach einer Komödie. Jedenfalls, ich kann es kaum erwarten, von Severin mehr darüber zu erfahren. Und außerdem, mir imponiert es, dass er so geradeheraus sagt: Ich habe einen Sohn, von dem ich nichts gewusst habe, und dessen Mutter will ich jetzt heiraten. Auf alle Fälle müssen wir sie einmal näher kennen lernen, bevor wir uns überhaupt ein Urteil über sie erlauben.«

Alexander wurde so frischfröhlich ironisch, wie es Silvia an ihm bisher noch gar nicht erlebt hatte. »Ich werde also morgen früh Visite machen drüben im Gutshof. Küss die Hand, verehrte Schwägerin, hoffe, angenehm geruht zu haben und so.«

»Aber, Alexander, ich glaube, du siehst die Sache viel zu kompliziert. Soweit ich diese Johanna kenne, ist sie ein einfacher und geradliniger Mensch. Severin weiß schon, was er will.«

»Ja, das scheint mir auch der Fall zu sein. Trotzdem, ich bin riesig gespannt auf morgen.«

Alexander Lienhart blieb aber weiterhin gespannt, denn er musste schon frühzeitig am anderen Morgen zur Bank, und als er am Abend heimkam, war Severin mit Johanna Kainz und dem Jungen bereits abgereist.

Auf dem Eggstätterhof war die Überraschung nicht minder groß, als Severin kam und das Aufgebot beim Bürgermeister bestellte.

War denn das zu fassen? Warum hatte man nie davon auch nur geahnt? Aber es war nicht zu leugnen, dieser Daniel war dem Margareter wie aus dem Gesicht geschnitten. Du meine Güte, was für eine Wendung des Schicksals für Johanna! Kam sie doch nun wieder als Bäuerin da hin, wo ihr Vater es einst ein wenig leichtfertig aufgegeben hatte, Bauer zu sein. Wie sonderbar alles zuging auf der Welt!

Aber zu der Überraschung kam auch gleich wieder eine Enttäuschung, denn es gab keine Hochzeit, bei der es etwas zu gaffen und zu bekritteln gegeben hätte. Das wäre nicht nach dem Sinn der beiden gewesen. In aller Stille ließen sie sich an einem gewöhnlichen Wochentag nach der Frühmesse trauen, und danach nahmen sie einander bei der Hand und gingen bergwärts, suchten alle lieben, vertrauten Plätze auf und hatten sich viel zu erzählen über die vergangenen Jahre, die sie getrennt voneinander verbracht hatten.

An einem Sommermorgen, als Severin gemeinsam mit Anderl zur Jagd aufgebrochen war, ging Johanna aus dem Hof über den Hügel hinter der Kapelle, dann am Wiesenrain entlang.

In diese Richtung hatte sie vor einer Viertelstunde den Eggstätter-Lukas mit dem Traktor fahren sehen. Er stand gerade neben seinem Traktor und hantierte am Motor herum, und als er sich aufrichtete, stand wie aus dem Boden gewachsen die Margareterin vor ihm.

Fast vier Jahre waren vergangen, seit sie ihn zuletzt gesehen hatte. Die kurze Zeit, die sie noch am Hof gewesen war, hatten sie kaum ein Wort miteinander gesprochen, und auch jetzt waren sie sich, trotz der Nachbarschaft, nie begegnet, weil es der Lukas immer verstanden hatte, ihr aus dem Wege zu gehen.

Bei dem unerwarteten Anblick Johannas wechselte er die Farbe. Das verstärkte ihren Verdacht noch mehr. Weil es nicht ihre Art war, an einer Sache spitzfindig vorbeizureden, sagte sie geradewegs: »Ich will dich nur fragen, Lukas, wie das damals mit den Briefen war.«

»Was soll denn ich von irgendwelchen Briefen wissen?«, fragte er mürrisch, doch das Erschrecken in seinem Blick war für Johanna unübersehbar.

»Die Briefe, die an mich gerichtet waren und die du unterschlagen hast!«

Sein Kinn schob sich trotzig vor, und er schlug nach einer Bremse, die sich auf seinem nackten Arm niedergelassen hatte.

»Drei Stück waren es«, sprach die Johanna ruhig, aber mit unheimlicher Hartnäckigkeit weiter. »Drei Briefe von Severin, meinem Mann, an mich.«

»Lass mich doch mit diesen dämlichen Briefen in Ruhe! Was weiß denn ich davon? Oder soll ich was dafür können, wenn bei der Post geschlampt wird?«

»Es kann einmal ein Brief verloren gehen, Eggstätter-Lukas. Aber nicht drei hintereinander. Ich kann es nicht beweisen, aber ich bin mir sicher, dass du sie unterschlagen hast, aus Hass, aus Wut, was weiß ich. Mir liegt aber sehr viel daran, es von dir selbst zu hören.«

Der Lukas verzog den Mund zu einem spöttischen Grinsen, ging ohne ein Wort an ihr vorbei und setzte sich auf den Traktor.

Da klemmten sich ihre Augen schmal zusammen. Ihr Nacken steifte sich.

»Eggstätter«, sagte sie jetzt trocken. »Es ist einmal ein unschuldiger Mensch in die Klamm gestürzt. Den hast du auf dem Gewissen, da bin ich sicher.

Ich hätte dich damals bei der Polizei anzeigen sollen. Aber ich dachte, man würde mir ohnehin nicht glauben, und außerdem habe ich mich geschämt, vor der Polizei den Grund für meinen Verdacht schildern zu müssen. Doch vielleicht sollte ich es jetzt nachholen? Außerdem, es muss ja nicht die Polizei sein, der ich davon erzähle. Vielleicht gehe ich ja lieber zu deinem Vater.«

Sein Gesicht verlor plötzlich alle Farbe. Sie sah, dass seine Hände zitterten.

»Was – willst du?«, zischte er.

»Du sollst nur zugeben, dass du meine Briefe gestohlen hast.«

»Gestohlen, gestohlen! Was heißt gestohlen? Der Postbote hat sie mir gegeben, weil ich gerade da war. Ich hab sie dir nicht geben wollen, weil du – weil ...«

»Mehr wollte ich nicht wissen«, unterbrach sie ihn. »Und das andere, Lukas, das musst du mit unserm Herrgott ausmachen. Wie du mit dem fertig wirst, ist deine Sache.«

Johanna wandte sich ab und ging denselben Weg zurück. Als sie vom Rücken des Osterberges noch einmal zurückschaute, saß der Lukas immer noch unbeweglich auf seinem Traktor.

Lukas blieb somit zunächst unbehelligt für seine schändliche Tat, doch es brachte ihm kein Glück. Es war, als hätte das Schicksal mit dem Zuschlagen gewartet, bis die Eggstätterleute starben, damit ihnen die Schande erspart bliebe.

Lukas hatte noch zu Lebzeiten seiner Eltern geheiratet. Doch die Ehe war nicht glücklich, obwohl er innerhalb weniger Jahre der Vater von drei Kindern wurde, denn er ließ seinen Jähzorn an seiner Frau aus, schlug sie und die Kinder und machte ihnen das Leben zur Hölle. Eines Tages kam er vom Feld, und die Frau war mit den Kindern verschwunden. Er versuchte, sie wieder aufzuspüren, doch es war vergeblich. Er fand nie heraus, wohin sie vor ihm geflüchtet waren.

Sinnlos liefen nun seine Tage dahin, sein Leben fand nirgends mehr Inhalt. Er saß immer öfter drunten im Wirtshaus und verlor auf diese Weise neben seinem guten Geld Stück für Stück alles Ansehen im Dorf. Solange er noch Geld zum Ausgeben hatte, war es für ihn noch nicht so offensichtlich spürbar. Die Kleinhäusler und Arbeiter hielten noch zu ihm, als die andern sich von ihm abzuwenden begannen, so lange man damit rechnen konnte, dass er sie freihielt. Dann aber rückten auch sie von ihm weg, und er saß dann allein, sprach für sich allein in den Tisch hinein, wenn er das Bierglas umklammert hielt, und bellte nur zuweilen zu den anderen hinüber wie ein Hund, den man ausgesperrt hatte. In solchen Stunden richtete sich sein Zorn dann auf die droben am Osterberg.

Als er dann eines Tages weder beim Lammwirt noch beim »Goldenen Ross« mehr anschreiben lassen konnte, weil man ja nicht wusste, ob er noch in der Lage sein würde, zu bezahlen, war der Tag schon absehbar, an dem der Eggstätterhof zwangsversteigert werden sollte.

Der Sixt ersteigerte ihn dann für einen seiner beiden Söhne. Und der Margareter half ihm mit einem Darlehen für die Bezahlung aus. Er konnte das leichten Herzens tun, denn er war begütert wie kaum ein anderer in diesem Tal. Und schließlich hatte er dem Sixt so manches zu verdanken.

Der Eggstätter-Lukas aber verschwand dann aus der Gegend. Ob es dann seine Richtigkeit mit dem hatte, was man sich im darauffolgenden Frühjahr erzählte, dass man nämlich im Gebirge irgendwo einen Menschen erfroren aufgefunden habe, einen Mann mit rötlich schimmerndem Kinnbart und einer Narbe über dem Auge, das wusste niemand endgültig zu erfahren. Fest aber stand, dass der Eggstätter-Lukas von dieser Zeit an verschollen blieb und nie mehr jemand etwas von ihm hörte.

Auf dem Margaretenhof aber blühte das Leben. Die Jahre brachten, was sie zu bringen hatten. Dass der Margareter statt zu säen und zu ernten meist in seinem Atelier stand und an Steinblöcken herumklopfte, tat seinem Ansehen im Dorf keinen Abbruch. Konnte man nicht stolz darauf sein, einen berühmten Künstler in seiner Mitte zu haben, der mit ihnen allen von gleich zu gleich verkehrte?

Der laute Atem der fernen Welt drang kaum mehr herauf zu dieser Höhe. Nur wenn Alexander kam mit seiner Frau, dann wehte etwas von dieser größeren Welt herein. Es geschah zwar nur ein- oder zweimal im Jahr, dass sie kamen, aber die Freundschaft der beiden ungleichen Brüder ruhte nun auf einem festen Grund.

Und so vergingen die Jahre. Die beiden Menschen auf dem Osterberg lebten ein glückliches und zufriedenes Leben; zwei weitere Kinder bekamen sie noch, einen Jungen und ein Mädchen.

Die Kinder wuchsen heran, aber keinem von ihnen wurde der künstlerische Funke des Vaters vererbt. Vielleicht würde später irgendein Enkel oder gar noch späterer Nachkomme wieder dieses Talent und diesen Drang zum Gestalten in sich fühlen. Vielleicht würde es auch wieder ganz erlöschen. Der Margareter bedauerte diesen Gedanken nicht, denn waren nicht alle drei Kinder wohlgeraten und mit anderen Fähigkeiten als den seinen begabt?

Es herrschte Zufriedenheit in seinem Haus, und Gott schien schützend seine Hand darüber zu halten. Darauf ließ sich die Zukunft seiner Familie begründen.